學術論文集叢書

第三屆《群書治要》國際學術研討會論文集

林朝成　主編

主辦單位：國立成功大學中國文學系
合辦單位：香港中文大學中國語文及文學系、
　　　　　財團法人臺南市至善教育基金會

目次

《群書治要》所引《說苑》研究
——兼論《群書治要》摘取《說苑》篇章與「治要」之關係

潘銘基[*]

〔香港〕香港中文大學中國語言及文學系教授

摘要

　　唐人魏徵等編撰之《群書治要》，其用意乃在「昭德塞違，勸善懲惡」。惟歷代典籍眾多，「百家蹎駮，窮理盡性，則勞而少功，周覽汎觀，則博而寡要」。魏徵等遂於群籍之中，擇其「務乎政術」者，「以備勸戒，爰自六經，訖乎諸子，上始五帝，下盡晉年，凡為五袠，合五十卷，本求治要，故以治要為名」。

　　劉向編撰《說苑》，目的在於言政事得失，並以舊事為戒。全書有二十篇，首兩篇分別題為「君道」與「臣術」，則全書乃與治國相關明矣。盧文弨〈新校《說苑》序〉：「此書之言治術略備矣，人主得此亦足以為治矣。」其書主題與《群書治要》之昭德治國，蓋亦有所相合。

　　《群書治要》所引典籍，包括經、史、子三部共65種，其中卷四十三引《說苑》之文，遍及〈君道〉、〈臣術〉、〈貴德〉、〈復恩〉、〈政理〉、〈尊賢〉、〈正諫〉、〈法誡〉、〈善說〉、〈修文〉、〈反質〉等十一篇。以引用〈尊賢〉之章節最多，達10章，佔全篇27%。《說苑》全書可分901章，《治要》援引其中38章，佔全書13.1%。

　　本篇之撰，以《群書治要》引用《說苑》為主題，先從文獻學討論如何利用諸本《治要》校勘今本《說苑》，復就《治要》援引之文分析其選錄《說苑》之原委，討論《治要》摘取《說苑》篇章與「治要」之關係。

* 本文為研究計劃「日本所藏諸本《群書治要》研究」（14621420）之部分研究成果，承蒙香港「大學教育資助委員會」優配研究金（GRF）之獎助，謹此致謝。

A study on *Shuoyuan* cited in *Qunshu Zhiyao*

--Also on the relationship between the excerpt of *Shuoyuan* from *Qunshu Zhiyao* and the way of governing the country

Pooh Ming Kay

Professor, Department of Chinese Language and Literature, The Chinese University of Hong Kong

Abstract

Wei Zheng and other editors compiled a total of 50 volumes of *Qunshu Zhiyao*. Wei Zheng and other editors compiled a total of 50 volumes of *Qunshu Zhiyao*. This Book quotes Confucius Classics, Historical Records, philosophical writings for the purpose of governing the country. The purpose is to hope that the monarch can learn from the history and experience what the monarch should and shouldn't do from the way of governing the country recorded in the classics.

Liu Xiang compiled *Shuoyuan* with the purpose of speaking about the gains and losses of political affairs and taking historical events as a warning. There are 20 chapters in the book. The first two chapters are entitled *"King's Way"* and *"Minister's Skill"*, so the book is related to governing the country. Lu Wenqiu, "Preface to *Shuoyuan* in the new school" said, "This book is quite complete in discussing the way of governing the country. After reading this book, the monarch can know how to govern the country." The theme of this book is roughly the same as that advocated in the *Qunshu Zhiyao* to show virtue to govern the country.

The forty third volume of *Qunshu Zhiyao* quotes the text of *Shuoyuan*, which covers 11 chapters. The most cited chapter is Zunxian, up to 10 verses, accounting for 27% of the whole chapter. The whole book of *Shuoyuan* can be divided into 901 verses, of which 38 verses are cited in *Zhiyao*, accounting for 13.1% of the whole book.

This article is written with the theme of *Shuoyuan* cited in *Qunshu Zhiyao*. Firstly, from the perspective of philology, it discusses how to use the various copies of *Zhiyao* to collate the text of *Shuoyuan*, then analyzes the original reason of its selection of *Shuoyuan* based on the articles cited in *Zhiyao*, and discusses the relationship between the excerpt of *Shuoyuan* from *Qunshu Zhiyao* and the way of governing the country.

一　唐前《說苑》著錄概況

《說苑》，劉向編撰。《漢書‧劉向傳》記錄劉向之著述及旨意，其云：

> 向睹俗彌奢淫，而趙、衛之屬起微賤，踰禮制。向以為王教由內及外，自近者始。故採取《詩》《書》所載賢妃貞婦，興國顯家可法則，及孽嬖亂亡者，序次為《列女傳》，凡八篇，以戒天子。及采傳記行事，著《新序》、《說苑》凡五十篇奏之。數上疏言得失，陳法戒。書數十上，以助觀覽，補遺闕。上雖不能盡用，然內嘉其言，常嗟歎之。[1]

此言劉向著述數種，包括《列女傳》、《新序》、《說苑》。其中《列女傳》所載賢妃貞婦主要來自《詩》與《書》，而《新序》和《說苑》乃採傳記文獻裡的行事，合計五十篇。三書之內容大抵皆在言政事得失，並以舊事為戒。劉向將諸書上獻漢成帝，不能得到盡用，但成帝仍多嘉賞劉向所言。在《漢書‧藝文志》裡，記之如下：

> 劉向所序六十七篇。《新序》、《說苑》、《世說》、《列女傳頌圖》也。[2]

「序」者，顧實云：「蓋猶今之叢書也。」[3]李零指出，「『所序』即『所敘』，意思是所編」，以為劉向「序」《新序》、《說苑》、《世說》、《列女傳頌圖》諸書，乃是編次之義；就諸書而言，劉向「是編者，而不是作者」。[4]顧、李所言是也。又，顧實結合劉向本傳與〈藝文志〉所載，云：

> 《別錄》曰：「臣向與黃門侍郎歆所校《列女傳》，種類相從為七篇。」蓋合〈頌義〉一篇為八篇也。〈疾讒〉、〈摘要〉、〈救危〉、〈世頌〉，蓋皆《世說》中篇目，即《世說》也。《隋志》《新序》三十卷，《說苑》二十卷。卷即是篇。是五十篇，合《世說》八篇、《列女傳》八篇，凡十六篇，又加《列女傳圖》一篇，恰符《漢志》六十七篇之數。[5]

據顧實所言，則劉向著述篇卷之具體數量可以考見，其中「《說苑》二十卷。卷即是篇」，《說苑》今存二十卷，與《漢書‧藝文志》所載相同。

　　《隋書》之編撰時代與《群書治要》相若，如上引顧實所言，《隋書‧經籍志》載

1　〔東漢〕班固：《漢書》（北京：中華書局，1962年），卷36，頁1958。

2　〔東漢〕班固：《漢書》，卷30，頁1727。

3　顧實：《漢書藝文志講疏》（上海：上海古籍出版社，2009年），頁109。

4　李零：《蘭臺萬卷：讀〈漢書‧藝文志〉》（北京：三聯書店，2011年），頁83。

5　顧實：《漢書藝文志講疏》，頁109。

錄《說苑》二十卷。[6]與《漢書・藝文志》相異者,乃是從諸子略儒家類改為史部雜傳類,即歸類有所不同。《群書治要》之引書序次,與《隋志》多有相合;《群書治要》遍引經、史、子三部之書,其中卷一至卷十為經部典籍,卷十一至三十為史部典籍,卷三十至卷五十為子部典籍。《群書治要》引《說苑》在卷四十三,則是置《說苑》在子書之列。《群書治要》所載子書並不以思想學派為排列次序,而是以該書之時代先後為之。因此,就前漢諸子而言,始自陸賈《新語》(卷四十),接之以《賈子》(卷四十)、《淮南子》(卷四十一)、《鹽鐵論》(卷四十二)等,然後是劉向《新序》(卷四十二)、《說苑》(卷四十三)。此下桓譚《新論》、王符《潛夫論》,已屬後漢典籍。劉向乃漢成帝時人,身處前漢中葉以後,觀乎《說苑》於《群書治要》裡之序次,正與其時代相吻合。

二 今本《說苑》之校勘

清代以來,校勘《說苑》之學者漸多,其中包括孫志祖、趙曦明(二人校語皆見於《拾補》所引)、盧文弨《群書拾補》、朱駿聲《說苑新序校評》、俞樾《讀書餘錄》、孫詒讓《札迻》等。近世以來,則有向宗魯《說苑校證》、劉文典《說苑斠補》、朱季海《說苑校理》、金嘉錫《說苑補正》,以及左松超《說苑集證》等;此外,日本學者有關嘉《說苑纂註》、桃井白鹿《說苑考》等,亦皆嘗校勘《說苑》。

盧文弨(1717-1796)《群書拾補》共校正補遺經史子集四部書計四十種(其中《初編》37種,《補遺》3種),當中包括劉向《說苑》。徐建委指出,盧氏《說苑拾補》乃「目前所知《說苑》最早的校補著作」,「此書以校正文字為主,除了參證不同版本之外,更校以先秦兩漢存世文獻、唐宋注疏、類書,間引《困學紀聞》等著作。」[7]然而,《說苑拾補》並沒有利用《治要》以校勘《說苑》,此因當時《治要》久佚,尚未回傳中國。據盧文弨〈《群書拾補》小引〉所載,此文撰寫於乾隆五十二年(1787)八月丁巳。此外,錢大昕序則撰寫於乾隆五十五年(1790),其實尾張本《群書治要》大抵尚未傳入中國。盧文弨校勘《說苑》,多有採用類書,如《藝文類聚》、《初學記》、《太平御覽》等皆為其所用,然因撰作時代稍早,無緣據《群書治要》入文,誠為憾事!

朱駿聲(1788-1858)《說苑新序校評》多用《北堂書鈔》、《藝文類聚》、《初學記》、《太平御覽》等類書以作校勘,但不及《群書治要》,例如〈臣術篇〉「預禁乎不然之前」,其「不」字,《北堂書鈔》二十九作「未」。[8]又如〈建本篇〉「小箠則待」,其

---

6 〔唐〕魏徵等:《隋書》(北京:中華書局,1973年),卷34,頁997。

7 徐建委:《說苑研究:以戰國秦漢之間的文獻累積與學術史為中心》(北京:北京大學出版社,2011年),頁36。

8 〔清〕朱駿聲:《說苑新序校評》(廣州:中山大學圖書館鉛印本,1951年),頁2a下。

「待」字，《藝文類聚》作「受」。[9]此書乃朱師轍家藏明楚府本，而朱駿聲「以硃筆校勘，書於簡端」。[10]

清末孫詒讓（1848-1908）《札迻》（成書於清光緒十九年，1893年）錄有《說苑》多條校勘文字，其所據為明楚府刊本，並參日本關嘉《纂注》本、盧文弨《群書拾補》校，以及俞樾《讀書餘錄》校。[11]考諸《札迻》全書，孫詒讓於校勘《尹文子》、《鶡冠子》、《新語》等，俱嘗引用《群書治要》證。惟此校勘《說苑》之時，卻未曾利用《治要》，誠為遺憾。俞樾校勘群書，「喜讀古書，每讀一書，必有校正」，[12]除了《諸子平議》以外，又有不少散見於《曲園雜纂》、《俞樓雜纂》之中。民國時期，李天根據此輯為《諸子平議補錄》，其中有校勘《說苑》條目，同樣沒有採用《群書治要》。

劉文典（1889-1958）著有《說苑斠補》，採用清儒校勘甚眾，其斠補以盧文弨《說苑拾補》為主，兼採眾家，並折衷己意。點校說明指出：「劉氏校理此書，出經入史，旁求百家，傳記雜著，類書字書，皆廣博徵引，探源求流，考定正誤，以資讀者參驗。」[13]可知劉氏校勘有取用類書為證，其中有及於《群書治要》者。例言之，《說苑・君道》「功成而不利於人」句，劉氏案語：「上下文皆言民，此不得獨言人、《群書治要》引字正作民，與《賈子》合，當從之。」[14]《說苑・政理》「不齊之所治者小也」句，劉文典云：「《群書治要》引『不齊』上有『惜也』二字，《家語》、《韓詩外傳》並有『惜也』二字，必今本敓之也。」[15]此書在1946年以《國立雲南大學叢書》之形式首次以石印刊行。

向宗魯（1895-1941）《說苑校證》乃集合清或以前《說苑》校勘的集大成之作。此書乃向宗魯於1922至1931年間在武漢作家庭教師時所撰寫。[16]王鍈指出，「中華書局出版了向宗魯先生的遺著《說苑校證》。這是整理研究《說苑》的集大成之作，反映了這一領域的最高成就。」[17]又，本書廣採前人研究成果，如盧文弨《群書拾補》、俞樾《讀書餘錄》、孫詒讓《札迻》等，至於陳壽棋《說苑校本》、戴清《說苑正誤》，則因流傳不廣，故向書未及見之。向氏所據各本《說苑》，據其所言，包括宋咸淳本、明楚

9 〔清〕朱駿聲：《說苑新序校評》，頁3a下。

10 〔清〕朱駿聲：《說苑新序校評》，識語，頁28a上。

11 參自〔清〕孫詒讓：《札迻》（北京：中華書局，1989年），卷8，頁250。

12 俞樾：〈《札迻》序〉，載《札迻》，頁1。

13 賀友齡、諸偉奇點校：《說苑斠補》，收入《劉文典全集》第三冊（合肥：安徽大學出版社；昆明：雲南大學出版社，1999年），點校說明，頁4。

14 賀友齡、諸偉奇點校：《說苑斠補》，收入《劉文典全集》第三冊，卷1，頁6。

15 賀友齡、諸偉奇點校：《說苑斠補》，收入《劉文典全集》第三冊，卷7，頁108。

16 詳參屈守元：〈序言〉，載向宗魯：《說苑校證》（北京：中華書局，1987年），頁7。

17 〔西漢〕劉向原著，王鍈、王天海譯注：《說苑全譯》（貴陽：貴州人民出版社，1992年），前言，頁9。

府本、何良俊本、程榮本、楊鐺本、何鐺本、天一閣本，及世俗通行王謨本、崇文局本、新景印明鈔本等，其中尤以明鈔為最善。日人關嘉《說苑纂注》，向氏亦多有資取。[18] 向書校改矜慎，必待數證然後下筆，其云：「類書古注，其所引用，恒多節省，且同經刊寫，豈獨無誤，改難就易，又所不免，自非確有據依，未容輕從改竄。」[19] 可見其之於類書文字，不會輕信，較諸盧文弨《群書拾補》更為嚴謹。向書採用《群書治要》頗多，並每多取用《治要》文字證成《說苑》文字之誤。

朱季海（1916-2011）撰有《說苑校理》，此書吸收了劉文典《說苑斠補》、盧文弨《群書拾補》、王念孫父子考證成果，參照《史記》、《漢書》、《戰國策》、《晏子春秋》等群書異文，以及後世的類書，如《藝文類聚》、《群書治要》、《太平御覽》所徵引文字，附以一己案斷。書中多有採用《群書治要》之文，且每多以《治要》校正《說苑》，嘗謂「當如《治要》所引」、[20]《治要》所引「是也」、[21]「當從《治要》校正」，[22] 甚至以為《治要》所引「於文為備」。[23]

金嘉錫《說苑補正》（1962）以其同題碩士論文（畢業於1959年，指導老師為王叔岷）為基礎，充實內容而成。據其自序所言，乃「補前賢之疏陋而作《說苑補正》」，[24] 旨在於「因未涉及之古注、類書中詳加檢覈以定其是非；於經、傳、子、史廣為搜羅有關之文以增其論證」，「共得一三〇五條」。[25] 書中所引類書包括《北堂書鈔》、《群書治要》、《藝文類聚》、《白孔六帖》、《初學記》、《意林》、《太平御覽》、《太平廣記》、《冊府元龜》、《事類賦》、《玉海》、《記纂淵海》、《事文類聚》、《天中記》、《喻林》等。[26] 至其所謂校理《說苑》之「前賢」，包括盧文弨、俞樾、孫詒讓、劉文典等。

左松超《說苑集證》（2001）共分三冊，此書初稿成於1972年，後作增補，遂成今作。其成書目的在於「裒集眾說，折中是非，刊其謬，補其闕，通其文理，定其字義」。[27] 左氏以為劉文典《說苑斠補》乃是「獨惜於古注、類書援引不廣」，[28] 為其憾也。就其常引書目所見，本書對於《北堂書鈔》、《藝文類聚》、《群書治要》、《太平御覽》、《淵鑑類函》等類書多有採用，惜其未有特別標明所據類書之版本。

---

18 詳參向宗魯：〈敘例〉，載《說苑校證》，頁2。

19 向宗魯：〈敘例〉，載《說苑校證》，頁2-3。

20 朱季海：《說苑校理》（北京：中華書局，2011年），卷1，頁4。

21 向宗魯：《說苑校理》，卷1，頁11。

22 向宗魯：《說苑校理》，卷3，頁35。

23 向宗魯：《說苑校理》，卷1，頁13。

24 金嘉錫：《說苑補正》（臺北：文盛印書館，1965年），序，頁1。

25 金嘉錫：《說苑補正》，序，頁1。

26 參金嘉錫：《說苑補正》，序，頁1-2。

27 左松超：《說苑集證》（臺北：臺灣國立編譯館，2001年），自敘，頁28。

28 左松超：《說苑集證》，自敘，頁28。

　　除了以上諸家以外，日人關嘉（1753-1806）編撰《說苑纂註》尤其值得注意。據《尾張名家誌》云：「關嘉字公德，號元洲，通稱進治。祖洲子。幼好學善詩，父歿繼業。安永己亥賜月俸，會細井平洲從駕就國，一語而合，遂從遊江戶，期而歸，門人益進。時國家大崇儒業，建學選士，元洲乃釋褐都講。及明倫堂成，更都講稱教授。班秩從加。平洲間歲從駕於江戶，元洲攝說書讀書，每遇難義，必探索其義而註行間，故家書朱墨殆遍。亦善書畫，文化丙寅二月四日歿，享年五十四，葬于先塋側。所著有《說苑纂註》、《律數揚㩁》等，行于世。」[29]關嘉乃尾張家之學者，與江戶時代著名儒者細井平洲時相過從，其《說苑纂註》為中國學者多所採用，自孫詒讓起校勘《說苑》者，無不參考是書，其重要性可見一斑。更為重要的，乃本書為今所見首部利用《群書治要》勘正《說苑》之作。略作舉例如下，卷一〈君道〉「堯、舜之民」句，《纂註》云：「《群書治要》『人』作『民』。」[30]又，「堯遂乘成功以王天下」句，《纂註》云：「《群書治要》作『堯遂乘成功』。」[31]又，「文侯謂左右曰」句，《纂註》云：「《群書治要》『侯』下有『顧』字。」[32]又，「臣可一言而死乎」句，《纂註》云：「《群書治要》『一言』上有『得』字。」[33]卷二〈臣術〉「如此者，良臣也」句，《纂註》云：「《群書治要》『良』作『大』。」[34]卷六〈復恩〉「行三賞而不及」句，《纂註》云：「《群書治要》作『三行賞』，下同。」[35]又，「顏色黎黑」句，《纂註》云：「《群書治要》『黎』作『黧』，面垢黑也。」[36]又，「五合五奪首郤敵」句，《纂註》云：「《群書治要》、李翰《蒙求》并『奪』作『獲』，《唐類函》引之又同。」[37]卷七〈政理〉「強國先其刑而後德」句，《纂註》云：「《群書治要》『後』下有『其』字。」[38]又，「誅之則為人主所察據腹而有之」句，《纂註》云：「《群書治要》『察』作『案』。」[39]就以諸例所見，《說苑纂註》多有據《群書治要》而校正《說苑》之文。

29　細野要齋：《尾張名家誌初編》（安政丁巳（1857）皓月堂本），卷上，頁11b。

30　〔日〕關嘉：《劉向說苑纂註》（日本寬政六年（1794）興藝館刻本），卷1，頁5a。

31　〔日〕關嘉：《劉向說苑纂註》，卷1，頁6a。

32　〔日〕關嘉：《劉向說苑纂註》，卷1，頁17a。

33　〔日〕關嘉：《劉向說苑纂註》，卷1，頁17b。

34　〔日〕關嘉：《劉向說苑纂註》，卷2，頁1b。

35　〔日〕關嘉：《劉向說苑纂註》，卷6，頁2b。

36　〔日〕關嘉：《劉向說苑纂註》，卷6，頁2b。

37　〔日〕關嘉：《劉向說苑纂註》，卷6，頁7b。

38　〔日〕關嘉：《劉向說苑纂註》，卷7，頁2a。

39　〔日〕關嘉：《劉向說苑纂註》，卷7，頁16b。

三 以《群書治要》所引《說苑》校勘今本《說苑》[40]

　　《群書治要》卷四十三引《說苑》之文，遍及〈君道〉、〈臣術〉、〈貴德〉、〈復恩〉、〈政理〉、〈尊賢〉、〈正諫〉、〈法誡〉（今《說苑》作〈敬慎〉）、〈善說〉、〈修文〉、〈反質〉等十一篇。

　　今所見《群書治要》有四個重要之本子，分別是平安時代九条家本、鎌倉時代金澤文庫本、元和二年駿河版，以及天明七年尾張家本。此中九条家本、金澤文庫本為鈔本，駿河版乃印本，尾張家本乃刻本。天明七年（1787），尾張藩重新校勘並刊刻《群書治要》，此本並於清嘉慶初年回傳中國，稱之為「尾張本」；又因其刊行於光格天皇天明年間，故又稱「天明本」。德川家康死後，其生前蒐集並保存在駿府之圖書，大多轉讓予以御三家（尾張藩、水戶藩、紀伊藩），其中自當包括駿河版《群書治要》。尾張藩歷代對《治要》一書極為重視，至安永年間（1772-1781），第九代藩主德川宗睦（1733-1799）之子治休、治興二世子籌備刊行《群書治要》。細井德民云：「我孝昭二世子好學，及讀此書，有志校刊。幸魏氏所引原書，今存者十七八，乃博募異本於四方，日與侍臣照對是正。」[41]可是，德川治休、治興二人不幸皆早逝，在安永六年（1777），德川治行成為尾張藩世子，承繼前二世子未竟之業，終於天明七年完成《群書治要》尾張本之刊行。

　　尾張本《群書治要》以駿河版為底本，復取當時江戶楓山文庫所藏金澤文庫本，以及平安時代九条家本等，相互校合，本為好事。而且，據細井德民〈刊《群書治要》考例〉所言，參與校勘之學者包括：人見㯱、深田正純、大塚長幹、宇野久恒、角田明、野村昌武、岡田挺之、關嘉、中西衛、小河鼎、南宮齡、細井德民。[42]此等十二人皆當時尾張藩重臣、藩主侍讀、藩校明倫堂之教授和督學等，學術水平之高，可見一斑。細井德民〈考例〉一文嘗言其校勘原則：

> 是非不疑者就正之，兩可者共存。又與所引錯綜大異者，疑魏氏所見，其亦有異本歟。又有彼全備而此甚省者，蓋魏氏之志，唯主治要，不事修辭，亦足以觀魏氏經國之器，規模宏大，取捨之意，大非後世諸儒所及也。今逐次補之，則失魏氏之意，故不為也。不得原書者，則敢附臆考，以待後賢。以是為例讎挍。[43]

40　案：本文所用《群書治要》引《說苑》之文，俱出《群書治要》卷43，其文字主要以駿河版為據，間或參之以金澤文庫本、尾張本之文，不另出注。

41　〔日〕細井德民：〈刊《群書治要》考例〉，載〔唐〕魏徵等：《群書治要》，《四部叢刊初編縮本》影印日本尾張藩刻本（上海：商務印書館，1936年），考例，頁1b-2a。

42　〔日〕細井德民：〈刊《群書治要》考例〉，載〔唐〕魏徵等：《群書治要》，《四部叢刊初編縮本》影印日本尾張藩刻本，頁2a-2b。

43　〔日〕細井德民：〈刊《群書治要》考例〉，載〔唐〕魏徵等：《群書治要》，《四部叢刊初編縮本》影印日本尾張藩刻本，頁2b-3a。

據上所見，尾張藩諸大臣校勘態度頗為認真，拿捏得宜。然而，此本《治要》除了對比諸本《治要》以作校勘外，更會就《治要》所引原書細加勘正，往往以當時所見典籍校改《治要》，失卻《治要》存舊之真。上文引細井德民所言「幸魏氏所引原書，今存者十七八，乃博募異本於四方，日與侍臣照對是正」，以原書改《治要》，使《治要》原有之校勘價值蕩然無存。可是，清代校勘學家得見之《群書治要》，亦僅是此本，實乃憾事也。阮元、王念孫等所見《群書治要》，皆是嘗經回改之尾張本。

尾張本《群書治要》於天明七年由風月堂初刊後，多次重印，其中寬政三年（乾隆五十六年，1791）印本有不少修訂，印量亦多，故尾張本有天明刊本與寬政刊本兩大系統。[44]近藤守重所傳由中國商人攜回者乃寬政刊本。嘉慶七年（1802），鮑廷博輯《知不足齋叢書》，序中已言及尾張本《群書治要》。其後，《群書治要》入阮元輯《宛委別藏》。民國年間，商務印書館曾將《群書治要》重新排校出版。自清嘉慶年間《群書治要》重新傳回中國以後，中國學者如王念孫、孫星衍、嚴可均、黃奭、顧觀光、錢培名、王仁俊等，皆嘗據《群書治要》作校勘與輯佚。顯而易見，當時可據之《治要》版本，只可能是尾張本。近世以來，學者使用《治要》作校勘，仍以尾張本為主。如王叔岷〈群書治要節本慎子義證〉一文所據為「《四部叢刊》景印日本天明七年刊本」，則諸家所據《治要》似皆有未備。[45]王利器〈文子疏義序〉云：「考唐貞觀年間，由祕書監鉅鹿男魏徵等奉敕撰之《群書治要》五十卷，其卷三十五登載《文子》四十五條，今所見日本古鈔本及日本天明五年（清乾隆五十年，1785）尾張國刻本，其引文自章頭提行另起者，率末冠以『老子曰』字樣。」[46]王利器所據有古鈔本者，是其所據有金澤文庫卷子卷（日本古鈔本）和尾張本（天明五年本）。至於校勘《說苑》諸家，皆沒有明言所據《治要》為某家，然觀乎金澤文澤本《治要》自1989年經東京汲古書院影印出版後始較流行，則孫詒讓、向宗魯、劉文典、朱季海、金嘉錫、左松超等當只能據尾張本《治要》校勘《說苑》之文。此外，關嘉既屬尾張名家，其《說苑纂註》有寬政六年（1794）細井平洲（本姓紀氏。號平洲或如來山人，名德民，別名甚三郎，字世馨。此序言題為「紀德民」）序言，則其書之撰作時代必早於此年。尾張本《治要》刊刻於天明七年（1787），關嘉取之以校勘《說苑》（1794），就時間而言必較中國學者利用《治要》為早，乃今所見最早取用《治要》校勘《說苑》之著作。

44 詳參〔日〕石濱純太郎：〈《群書治要》の尾張本〉，收入《支那學論考》（大阪：全國書房，1943年），頁57-61。

45 徐漢昌：《慎子校注及其學術研究》（臺北：嘉新水泥公司文化基金會，1976年），頁6；許富宏：《慎子集校集注》（北京：中華書局，2013年），例言，頁1；王叔岷：〈《群書治要》節本《慎子》義證〉，《國立臺灣大學文史哲學報》32期（1983年12月），頁1。

46 王利器：〈文子疏義序〉，載王利器：《文子疏義》（北京：中華書局，2000年），序頁3。

以下為《群書治要》採錄《說苑》簡表：

	《說苑》篇名	章數[47]	《治要》採用章數	《治要》採錄百分比
1	君道	46	6	13%
2	臣術	25	2	8%
3	建本	30	0	0
4	立節	24	0	0
5	貴德	30	1	3.3%
6	復恩	28	3	10.7%
7	政理	49	7	14.3%
8	尊賢	37	10	27%
9	正諫	26	1	4%
10	敬慎	35	3	8.6%
11	善說	28	1	4%
12	奉使	21	0	0
13	權謀	48	0	0
14	至公	22	0	0
15	指武	27	0	0
16	談叢	211	0	0
17	雜言	56	0	0
18	辨物	32	0	0
19	修文	44	1	2.3%
20	反質	26	3	11.5%
		901	38	13.1%

據上表所見，在今見《說苑》之中，《群書治要》嘗引及其中十一篇，至於各篇之中，以引用〈尊賢〉之章節最多，達十章，佔全篇27%。緊隨其後者，乃〈政理〉與〈君道〉二篇，分別引用七章及六章，各佔其篇之14.3%與13%。《說苑》全書可分901章，《治要》援引其中38章，佔全書13.1%。以下為利用《群書治要》校勘《說苑》之例：

---

47 案：《說苑》一書各篇分章數量，依據香港中文大學中國文化研究劉殿爵中國古籍研究中心漢達文庫。

（一）據《群書治要》補《說苑》脫文例

王念孫《讀書雜志》利用《群書治要》校理古籍，多所創獲。王念孫《讀書雜志》云：「凡《治要》所引之書，於原文皆無所增加，故知是今本遺脫也。」[48]此可證《群書治要》於校勘典籍脫文之作用也。

例1：《說苑・君道》「堯為君而九子者為臣」句

案：「者」，今《說苑》無。關嘉、向宗魯、劉文典無說。朱季海云：「《治要》引『而九子』下有『者』字，……今謂故書當如《治要》所引。」[49]金嘉錫云：「案《治要》引『九子』下有『者』字，與下文一律。」[50]左松超云：「《治要》引上『九子』下有『者』字，下『九子』下無『者』字，有『者』字語氣為長。」[51]朱氏、金氏、左氏所言並是，當據《群書治要》補「者」字。

例2：《說苑・復恩》「文公其霸乎者昔聖王先德後力」句

案：「者昔」，天明本《治要》作「昔者」，據天明本是二字皆屬下句，駿河版、金澤文庫本《治要》則「者」屬上句，「昔」屬下句。今《說苑》無「者」字。關嘉、向宗魯、劉文典無說。朱季海云：「《治要》引『昔』下有『者』字，……今謂當有『者』字。」[52]諸本《治要》之中，唯有天明本作「昔者」云云，可見朱氏所據為此本。金嘉錫云：「案《治要》引『昔』下有『者』字。《呂覽》同。」[53]金氏補充《呂氏春秋・當賞》為證，左松超亦只援引金說。[54]「者」字當如朱氏、金氏、左氏說據《治要》校補。

例3：《說苑・政理》「是公知獄訟不正」句

案：「是」，今《說苑》無。關嘉、劉文典、朱季海無說。向宗魯云：「《治要》『公』上有『是』字。」[55]金嘉錫云：「案《治要》引『公』上有『是』字，義較完。」[56]左松超只援引金說，不作補充。[57]「是」字當如金氏、左氏說據《治要》校補。

---

48 〔清〕王念孫撰，徐煒君等校點：《讀書雜志》（上海：上海古籍出版社，2015年），淮南內篇第九，頁2158。案：《群書治要》在中國本土久佚，日本卻有流傳，至清嘉慶年間，回流中國。王念孫所見亦僅為嘉慶年間回傳中國的天明本，並非平安時代九条家本、金沢文庫本、駿河版等善本，卻仍能據此校勘典籍，改正誤衍，其功甚大。

49 朱季海：《說苑校理》，卷1，頁4。

50 金嘉錫：《說苑補正》，頁8。

51 左松超：《說苑集證》，卷1，頁27-28。

52 朱季海：《說苑校理》，卷6，頁36。

53 金嘉錫：《說苑補正》，頁59。

54 左松超：《說苑集證》，卷6，頁308。

55 向宗魯：《說苑校證》，卷7，頁148。

56 金嘉錫：《說苑補正》，卷7，頁76。

57 左松超：《說苑集證》，卷7，頁388。

例4：《說苑·法誡》「德不謙者失天下」句

　　案：「德」，今《說苑》無。關嘉、向宗魯、劉文典無說。朱季海云：「《治要》引『不』上有『德』字。尋《韓外傳》云：『夫貴為天子，富有四海，由此德也；不謙而失天下，亡其身者，桀紂是也。』『德』蓋上屬為文。疑向故書亦當云『由此德也』，《治要》當存『德』字，今本並此無之，故與《韓詩傳》相參差耳。」[58]以為當如《韓詩外傳》有「由此德也，不謙而失天下」，而《治要》僅保留一「德」字，實乃存舊。金嘉錫云：「案《治要》引『不』上大『德』字，是也。此承上文『此六守者，皆謙德也』言，捝『德』字文義不備。」[59]考諸前文云：「吾聞之曰：『德行廣大而守以恭者榮，土地博裕而守以儉者安，祿位尊盛而守以卑者貴，人眾兵強而守以畏者勝，聰明睿智而守以愚者益，博聞多記而守以淺者廣。』此六守者，皆謙德也。」[60]所言正是六種美好操守，皆能反映謙虛美德，如在後文補上「德」字，呼應前文「謙德」，意思較為完備。左松超援引金說，並云：「金說是也。《外傳》八作『而德不謙以亡其身者』，『不』上正有『德』字。」[61]準此，「德」字當如朱氏、金氏、左氏所言據《治要》補上。

例5：《說苑·反質》「秦始皇帝既兼天下」句

　　案：「帝」，今《說苑》無。關嘉、劉文典、金嘉錫無說。向宗魯云：「《群書治要》引『皇』下有『帝』字。」[62]趙萬里〈唐寫本《說苑·反質篇》讀後記〉指出敦煌唐寫本《說苑·反質篇》殘卷（D0694-1）亦有「帝」字，並云：「唐寫本《說苑》和唐人魏徵編輯的《群書治要》卷四十三引《說苑》並合。」[63]朱季海亦據敦煌唐寫本《說苑·反質》有此文，提出當作「秦始皇帝」。[64]左松超亦援引趙萬里此說。[65]此處有否「帝」字，於文義影響不大。然觀乎《治要》每有存舊之風，存唐本《說苑》之舊。

（二）據《群書治要》校改《說苑》例

　　汪辟疆《工具書之類別及其解題》云：「類書品格最下，通人恒不重視。然閱時既久，古籍日亡，而前代類書，反為考訂輯佚所取資，其重視又不亞於經史。此可怪也。

---

58 朱季海：《說苑校理》，卷10，頁75。

59 金嘉錫：《說苑補正》，頁117。

60 向宗魯：《說苑校證》，卷10，頁240。

61 左松超：《說苑集證》，卷10，頁619。

62 向宗魯：《說苑校證》，卷20，頁516。

63 斐云：〈唐寫本《說苑·反質篇》讀後記〉，《文物》1961年第3期（1961年04月），頁18。案：趙萬里，字斐云，此文署名「斐云」。

64 朱季海：《說苑校理》，卷20，頁147。

65 左松超：《說苑集證》，卷20，頁1298。

今《皇覽》、《華林遍略》、《修文御覽》，皆已久佚。唐宋間類書之獲存者，如《北堂書鈔》、《藝文類聚》、《初學記》、《白孔六帖》、《太平御覽》、《冊府玄龜》、《山堂考索》、《事文類聚》、《海錄碎事》、《玉海》等，乾嘉諸公，皆以此為考證大輅。高郵王氏之學，卓絕千古，嘉道之間頗有傳其訂正群書，皆先檢古本類書，及馬總《意林》、《群書治要》諸書引用經子原文，如遇異文，條記座右，然後詳稽音詁，力求貫通，再證以宋以前類書群籍引用異文，定為某宜作某，或衍或奪，每下一義，確不可易，皆類書之助也。」[66]類書對校勘古籍至有幫助，清代校勘學者無不使用古類書。其所得力，往往甚巨。向宗魯云：「類書古注，其所引用，恒多節省，且同經刊寫，豈獨無誤，改難就易，又所不免，自非確有據依，未容輕從改竄。」[67]類書證據僅為各項證據之一，善為校勘者必待數證然後始作校改，諸家校勘《說苑》，亦嘗據《群書治要》為據，舉例如下：

例6：《說苑‧復恩》「三行賞而不及」句

案：「三行賞」，今《說苑》作「行三賞」。劉文典無說。關嘉《說苑纂註》云：「《群書治要》作『三行賞』，下同。」[68]向宗魯云：「盧曰：『行三』二字，《外傳》三倒，下同。關曰：《群書治要》作『三行賞』，下同。承周案：《史記》亦作『三行賞』。」[69]向氏援引盧文弨說，指出盧說據《韓詩外傳》謂當作「三行」，而關嘉據《群書治要》謂作「三行賞」。向氏最後援引《史記》，以為亦作「三行賞」。朱季海云：「《治要》引作『三行賞』，下放此。尋今書『三行賞之後』仍作『三行賞』，與《治要》合。本條當從《治要》校正。」[70]以為當從《治要》校改《說苑》之文。金嘉錫認同盧文弨說，並云：「《群書治要》引『行三』亦作『三行』，下『行三賞而不及我也』同。與下文『三行賞之後而勞苦之士次之』合。《呂覽‧當賞篇》作『三出』，可作旁證。」[71]左松超補充書證，云：「《史記》下文作『君三行賞，賞不及臣，敢請罪。』亦作『三行賞』。」[72]諸君所言並是，《說苑》當據《治要》改作「三行賞」。

例7：《說苑‧政理》「誅之則為人主所案據腹有之」句

案：「案」，《說苑》原作「察」，學者多以為當改作「案」。朱季海、金嘉錫無說。日人關嘉《說苑纂註》云：「《群書治要》『察』作『案』。」[73]已察覺《群書治要》所引

---

66 汪辟疆：《工具書之類別及其解題》，收入《汪辟疆文集》（上海：上海古籍出版社，1988年），頁56。
　　案：汪氏援引其《方湖讀書記》所云，次之於《工具書之類別及其解題》一文「《淵鑒類函》」條下。
67 向宗魯：《說苑校證》，敘例，頁4-5。
68 〔日〕關嘉：《劉向說苑纂註》，卷6，頁2b。
69 向宗魯：《說苑校證》，卷6，頁118。
70 朱季海：《說苑校理》，卷6，頁35。
71 金嘉錫：《說苑補正》，頁58。
72 左松超：《說苑集證》，卷6，頁306。
73 〔日〕關嘉：《劉向說苑纂註》，卷7，頁16b。

異文。劉文典云:「許駿齋云:『「察」當作「案」,形近而誤也。《群書治要》、王楙《野客叢書》卷四引字竝作「案」。《晏子春秋・問上篇》作「誅之則為人主所案據,腹而有之」。《韓非子・外儲說右上篇》作「誅之則君不安據而有之」,「不」當為「又」,「安」與「案」同,「腹」與「覆」通,「有」為「宥」字之省。《史記・白起傳》:「趙軍長平以案據上黨民。」此「案據」連文之證也。』」[74]劉文典援引許維遹(1900-1950)之說,利用《群書治要》為說,指出「察」字為誤。向宗魯云:「『案』,舊作『察』,劉曰:『《晏子》作「案」,當從之。』承周案:《治要》正作『案』,據改。案猶依也,《韓子》作『安』,此當以『案據』絕句,『腹而有之』,當從《外傳》作『覆而育之』。」[75]約引劉文典說,指出「察」字當改作「案」。左松超《說苑集證》以為許維遹之說大抵本諸劉師培《晏子春秋補釋》,[76]但劉師培說法並無援引《群書治要》為證。其實,《群書治要》既作異文「案」,在詮釋時更為適順,《說苑》當據改。

例8:《說苑・政理》「不善進」句

案:此句《說苑》原作「不進善言」,盧文弨謂「不進善言」當作「不善言進」。[77]劉文典以盧說為是,續云:「《群書治要》引作『不善進』,雖無『言』字,猶可為旁證。」[78]盧氏無緣得見《群書治要》,仍以為當改作「不善言進」,以「進」字當置末;劉文典據《群書治要》見「進」字果置末,益證盧說有理。向宗魯改《說苑》作「不善進」,其云:「『不善進』,舊作『不進善言』,盧曰:當作『不善言進』。承周案:『言』字衍,與上條同,今從《治要》及《晏子》訂正。」[79]仍以盧註為基礎,復據《群書治要》與《晏子》,以為「言」字衍,此句當改作「不善進」。朱季海云:「《晏子春秋・內篇問上》作『善進』、『不善進』。此本以善與不善為對文,初無『言』字。《治要》引《說苑》與《晏子》同。是子政故書亦爾,宋以來校書者或誤認善不善為偏指進言,嫌有脫文,輒以意誣加,適成蛇足。上云『善言進』,下云『不進善言』,語亦不倫,盧蓋心知其未安而不得其說,故莫能去其衍文,使還舊觀,則其失亦鈞爾。」[80]朱說批評盧文弨心知「不進善言」句有問題,卻解釋未妥,無去衍文。其實,如要勘正此文,必待他書引文(他校法)而方得之,盧文弨之時雖有《晏子》,卻無緣得見《群書治要》,故無法改正錯誤。朱說是也。金嘉錫引盧文弨、劉文典說,以及《晏子》作「不善進」,同樣以為「不進善言」當改作「不善進」。[81]左松超仍據盧文弨、劉文典說,疑兩

---

74 賀友齡、諸偉奇點校:《說苑斠補》,收入《劉文典全集》第三冊,卷7,頁112-113。

75 向宗魯:《說苑校證》,卷7,頁166。

76 參左松超:《說苑集證》,卷7,頁431。

77 〔清〕盧文弨:《群書拾補》,說苑,頁14b。

78 賀友齡、諸偉奇點校:《說苑斠補》,收入《劉文典全集》第三冊,卷7,頁113。

79 向宗魯:《說苑校證》,卷7,頁167。

80 朱季海:《說苑校理》,卷7,頁50-51。

81 金嘉錫:《說苑補正》,頁80。

「言」字俱衍,《治要》引作「善進,則不善無由入矣;不善進,則善亦無由入矣」。善與不善,承上文善惡而言,二句不當有「言」字,故《治要》所引為是是,且《晏子》亦無「言」字,可為旁證。[82]據諸家所言而當據《治要》改為「不善進」,不當有「言」字。日人關嘉《說苑纂註》於此條無說。

例9:《說苑・尊賢》「夫聖王之施德而下下」句

案:「聖」,今《說苑》作「明」,當據金澤文庫本《群書治要》改。駿河版、天明本《治要》仍作「明」,今《說苑》亦同。諸家所見《治要》不及金澤文庫本,只據尾張本而已,故皆不出注。劉文典、向宗魯、朱季海、金嘉錫、左松超皆然。考諸《說苑》全書,「聖王」(19次)、「明王」(11次,其中兩次並非「明王」之謂,「明」字乃使動用法,故為9次)屢有所見,義皆可通,此中「聖王」一詞多為獨用,而「明王」則或與「明王聖主」(2次)、「明王聖君」(1次)、「明王聖帝」(1次)合用。金澤文庫本《治要》時代近古,保存典籍舊貌;天明本《治要》多據當時所見原典校改《治要》,失卻《治要》存舊之真,故此處當以作「聖王」者為是。

例10:《說苑・尊賢》「太子擊遇之」句

案:「遇」,《說苑》原作「過」。關嘉云:「《群書治要》『過』作『遇』。」[83]劉文典本已作「太子擊遇之」,[84]但無校。向宗魯云:「『遇』舊作『過』,宋本、明鈔本、經廠本,皆作『遇』,《治要》引同。」[85]向氏指出宋本《說苑》作「過」,而他本《說苑》,以及《治要》所引《說苑》俱作「遇」,故據改。左松超云:「程榮本、天一閣本、楊以漟本、關嘉本『遇』並作『過』,俱非。《史記・魏世家》作『逢』,《通鑑・周紀一》作『遭』,皆與遇同義。」[86]左氏指出諸本《說苑》作「過」者俱誤,復以,《史記》之「逢」、《通鑑》之「遭」,二字皆與「遇」義相近,故《說苑》亦當作「遇」。朱季海、金嘉錫無說。

例11:《說苑・法誡》「德不謙者失天下」

案:「失」,今《說苑》作「先」。劉文典云:「『先』當為『失』,形近而誤也。『失天下』、『亡其身』相對為文,今本誤作『先』,以『先天下亡其身』為一句,既非其指,又失其句讀矣。《韓詩外傳三》作『不謙而失天下,亡其身者』。《群書治要》引本書亦正作『失』,尤其塙證矣。今據正。」[87]援引《韓詩外傳》、《群書治要》為證,知

82 左松超:《說苑集證》,卷7,頁433。
83 〔日〕關嘉:《劉向說苑纂註》,卷8,頁17a。
84 賀友齡、諸偉奇點校:《說苑斠補》,收入《劉文典全集》第三冊,卷8,頁132。
85 向宗魯:《說苑校證》,卷8,頁194。
86 左松超:《說苑集證》,卷8,頁507。
87 賀友齡、諸偉奇點校:《說苑斠補》,收入《劉文典全集》第三冊,卷10,頁158-159。

當作「失」。向宗魯云：「『失』，舊作『先』，從《治要》改，《外傳》正作『失』。」[88]知向氏同樣根據《韓詩外傳》與《治要》改正《說苑》。左松超援引劉文典說為證，以為作「失」者是也。左松超僅援引劉文典說，[89]以之為是。關嘉、朱季海、金嘉錫無說。

例12：《說苑・反質》「萬丹朱而千昆吾、桀、紂」

案：「千」，今《說苑》作「十」。關嘉、劉文典、左松超所據本已作「千」。[90]向宗魯云：「『十』當從《治要》引作『千』。《御覽》四百五十六引作『萬萬丹朱而千千桀紂』，文雖小異，字亦作『千』。」[91]據所引《群書治要》及《太平御覽》書證，以改作「千」字者為是。朱季海、金嘉錫無說。

（三）據《群書治要》所見《說苑》異文例

典籍流傳既久，多有異文傳世。所謂「異文」，李家樹、黃靈庚云：「同一部古書，在幾番傳鈔、翻刻之後，某些字、詞乃至句段因版本不同而產生歧異的現象，這在校勘學和訓詁學上稱之為『異文』。」[92]在文獻校勘之時，不少異文因為本身意義相同或相近，故不便隨意校改，宜將異文錄下，以待來茲。其中異文而涉乎正誤之例，已見本文前一部分。此下舉例，則在廣搜之列，義多可通。

例13：《說苑・君道》「有一人寒」句

案：「民」，今《說苑》作「人」，顯為避唐太宗李世民名諱之遺。大抵典籍俱當歷經唐代鈔寫，自需避改李世民名諱，及後以作者本非唐人，故正文或於唐後回改，遂遺下時代烙印。可是，部分典籍或回改未盡，故殘留避唐諱之跡。盧文弨謂此句之「人」乃「當作『民』」。[93]劉文典亦嘗有注意，云：「盧說是也。《群書治要》引此文，『人』正作『民』。」[94]盧氏未嘗得見《治要》，劉文典補之，其說是也。向宗魯援引盧說，並云：「案《治要》正作『民』，《賈子》同。唐人避文皇諱，於古書『民』字多改作『人』，亦有改之未徧及後人仍改作『民』者。本書『人』『民』二字，引者錯出甚多，職是之由，後不具說。」[95]向說尚可補充，今《說苑》「民」與「人」交錯並見，並非

---

88 向宗魯：《說苑校證》，卷10，頁240。

89 左松超：《說苑集證》，卷10，頁619。

90 〔日〕關嘉：《劉向說苑纂註》，卷20，頁6b；賀友齡、諸偉奇點校：《說苑斠補》收入，《劉文典全集》第三冊，卷20，頁331；左松超：《說苑集證》，頁1298。

91 向宗魯：《說苑校證》，卷20，頁518。

92 李家樹、黃靈庚：《唐詩異文義例研究》（香港：香港大學出版社，2003年），前言，頁1。

93 〔清〕盧文弨：《群書拾補》，頁1b。

94 賀友齡、諸偉奇點校：《說苑斠補》，《劉文典全集》第三冊，卷1，頁13。

95 向宗魯：《說苑校證》，卷1，頁5。

當時「改之未徧」，而為後人回改未盡而已。今所見《群書治要》重要本子，包括日本平安時代九条家本、鎌倉時代金澤文庫本、元和二年駿河版，以及天明七年尾張本，此中九条家本雖為殘本，但鈔寫時代最早，保存舊貌最多。至於九条家本《群書治要》抄成之年代，今可據各卷之避諱情況得其端倪。卷二二避唐太宗李世民名諱，「民」字缺末筆。尾崎康云：「なお、『世』字は欠画しないが、『民』字は多く末画を欠き、その上で右に『人』と傍記する場合がある。」[96]據尾崎康所言，此卷載「世」字有缺筆，「民」字缺末筆，或於「民」字右旁標記「人」字，此皆其避唐太宗李世民名諱之證。島谷弘幸進一步推測，以為九条本乃從唐寫本轉抄而來。[97]除卷二二外，卷三三引《晏子》，其中如「人得其利」（第十紙），今《晏子春秋·問下》作「民得其利」（4.5），則屬改字避諱。卷三七引《孟子》「民有飢色」（第一紙），「民」字缺末筆，避李世民名諱。準此，是九条家本所據之底本俱為避唐太宗名諱之本子。九条家本《治要》雖無卷四十三引《說苑》之文，但據此本所呈現避唐諱現象，則未必如向宗魯所言「古書『民』字多改作『人』」，改缺末筆在寫本文獻亦屢有所見。左松超援引盧、劉二說，[98]蓋以之為然。關嘉、朱季海、金嘉錫無說。

例14：《說苑·臣術》「將順其美，匡救其惡，如此者，大臣也」句

案：「大臣也」之「大」字，今《說苑》作「良」。關嘉早據《治要》異文，指出「《群書治要》『良』作『大』」。[99]劉文典云：「『良臣』，《群書治要》、唐釋湛然《輔行記》第二之五引竝作『大臣』。」[100]左松超云：「《臣軌·公正》引、《長短經·臣行》亦俱作『大臣』。」[101]據關嘉、劉文典、左松超所引書證，包括《群書治要》、《臣軌》、《長短經》、《輔行記》等，皆為唐人編撰，知唐代所見《說苑》本子有作「大臣」者，殆無可疑。向宗魯、朱季海、金嘉錫無說。

例15：《說苑·臣術》「四曰明察極，見成敗」句

案：「極」，今說苑作「幽」。朱季海云：「《治要》引『幽』作『極』，是也。『幽』即『極』之壞字。」[102]金嘉錫但言異文，不言正誤，其云：「《治要》引『幽』作

96　〔日〕尾崎康：《群書治要とその現存本》，《斯道文庫論集》1990年第25號（1990年03月），頁135。

97　〔日〕島谷弘幸：《群書治要（色紙）》，《日本の國寶》1997年第44號（1997年12月），頁104。

98　左松超：《說苑集證》，卷1，頁13-14。

99　〔日〕關嘉：《劉向說苑纂註》，卷2，頁1b。

100　賀友齡、諸偉奇點校：《說苑斠補》，《劉文典全集》第三冊，卷2，頁31。

101　左松超：《說苑集證》，卷2，頁95。案：左松超此注先言「盧文弨」援引《群書治要》云云，觀其引文，當為劉文典《說苑斠補》，且勿論盧氏於此本無說，其人更無緣得見《群書治要》一書，故知此處必為左書手民之誤。

102　朱季海：《說苑校理》，卷2，頁14。

『極』。」[103]左松超引金說,續云:「《書鈔》二十九引此作『趣見成敗,防而救之』。
(孔廣陶《校註》:陳俞本「見」上有「明察幽」三字,「敗」下有「早」字。)《春秋繁
露》作『明見成敗』,《貞觀政要》作『明察成敗』(《長短經》同),《臣軌》作『察見成
敗』,皆與此不同,疑此文有脫誤。」[104]觀乎《說苑・臣術》此文,所言「六正」,「一
曰萌芽未動,形兆未見」云云,「二曰虛心白意,進善通道」云云,「三曰卑身賤體,夙
興夜寐」云云,「四曰明察幽,見成敗早」云云,「五曰守文奉法,任官職事」云云,
「六曰國家昏亂,所為不道」云云,在某曰以下,皆四字為句,則此處「明察幽/極」
句,似有殘脫,左說是也。桃井白鹿以為「明察幽」三字當作「察幽明」。[105]至於朱季
海以為《治要》作「極」者為是,證據未足,姑存一說。關嘉、劉文典、向宗魯無說。

例16:《說苑・臣術》「三曰中實險詖」句

案:「險詖」,今《說苑》作「頗險」。關嘉云:「《貞觀政要》『頗險』作『險
詖』。」[106]指出《貞觀政要》所引異文,其說是也。然關嘉理應可參《群書治要》,且
《治要》年代亦較《政要》為早,而關書他處亦有參考《治要》引文,此其弊也。向宗
魯云:「《治要》、《政要》、《長短經》,皆作『險詖』,『頗』、『詖』通。」[107]指出唐代
《群書治要》、《貞觀政要》、《長短經》援引此文皆作「險詖」,蓋唐本《說苑》有作
「險詖」者也。朱季海云:「《洪範》:『無偏無陂。』《釋文》:『陂,音祕,舊本作頗,
音普多反。』是《尚書》舊本作『頗』,此云『頗險』,疑亦故書如此。《治要》所引,
當出後人所改。」[108]以為《治要》所引「險詖」,當出後人所改,並非原本。在《尚
書・洪範》之中,作「陂」與「頗」讀音不同。《說文解字・言部》:「詖,辯論也。古
文以為頗字。从言皮聲。」[109]高亨《古字通假會典》以為「頗」與「詖」相通。[110]大
抵二字音義無別,高說是也。金嘉錫亦有援引《治要》,明其異文。[111]左松超指出
「頗」與「詖」為正字與假字的關係。[112]劉文典無說。總之,「險詖」與「頗險」於此
處於義無異。

---

103 金嘉錫:《說苑補正》,頁18。
104 左松超:《說苑集證》,卷2,頁95-96。
105 〔日〕桃井白鹿:《說苑考》(江戶書肆千鍾房梓),卷上,頁3a。
106 〔日〕關嘉:《劉向說苑纂註》,卷2,頁2a。
107 向宗魯:《說苑校證》,卷2,頁35。
108 朱季海:《說苑校理》,卷2,頁15。
109 〔東漢〕許慎:《說文解字》(北京:中華書局,1963年),卷3上,頁5b。
110 高亨纂著、董治安整理:《古字通假會典》(濟南:齊魯書社,1989年),頁689。
111 金嘉錫:《說苑補正》,頁19。
112 參左松超:《說苑集證》,卷2,頁97。

例17：《說苑·復恩》「顏色梨黑」句

案：金澤文庫本、駿河版《群書治要》作「梨」，尾張本《治要》「鑗」，今《說苑》作「黎」。關嘉云：「《群書治要》『黎』作『鑗』，面垢黑也。」[113]觀乎諸本《治要》此字各異，是知關嘉所據為尾張本《治要》。劉文典作「鑗」。[114]向宗魯云：「《治要》『黎』作『鑗』，《外傳》作『黯』。」[115]向氏所見只可以是尾張本《治要》，故不知金澤文庫本、駿河版復有異文。朱季海所引《說苑》作「顏色鑗黑」，云：「影明鈔本同。楊作『黎』，姚校作『梨』。是宋本不從黑。」[116]左松超援引關嘉說，復云：「『鑗』，各本俱作『黎』，《墨子·備梯》：『手足胼胝，面目鑗黑。』畢注：『黎字俗寫從黑。』」[117]可知「黎」為正字，「鑗」為俗字。金嘉錫無說。大抵「梨」、「黎」、「鑗」三字，在此皆解作「面垢黑也」，而尾張本《治要》所引最為明晰。

例18：《說苑·復恩》「唯賢者為能復恩」句

案：「復」，今《說苑》作「報」。向宗魯云：「『報』，《治要》作『復』，與篇名合。」[118]朱季海同樣援引《群書治要》，持見與向宗魯相若，並以《治要》作「復」為是。[119]考諸「報恩」與「復恩」二詞，如就切合本篇主題而論，固然以《治要》作「復恩」為佳。然校正古書，必以各本異文為最重要依據，否則當以保留異文較為矜慎。宋代《太平御覽》卷四七九「人事部一百二十」、[120]葉大慶《考古質疑》卷四[121]引《說苑·復恩》此文皆作「報恩」，可見宋代《說苑》與今所見本無別，則無版本證據以供改文明矣。劉文典、金嘉錫、左松超無說。此處「報恩」與「復恩」，義亦可通，不煩改作。

例19：《說苑·政理》「養善而進之者也」句

案：「之」，今《說苑》作「闕」。劉文典無說，所引《說苑》作「闕」。[122]向宗魯云：「『進闕』無義，宋本『闕』作『閣』，亦不可解，《治要》作『進之』，疑『之』當作『先』，脫去下半耳。」[123]朱季海亦列出《治要》之異文，謂《治要》引「闕」作

---

113 〔日〕關嘉：《劉向說苑纂註》，卷6，頁2b。

114 賀友齡、諸偉奇點校：《說苑斠補》，收入《劉文典全集》第三冊，卷6，頁84。

115 向宗魯：《說苑校證》，卷6，頁118。

116 朱季海：《說苑校理》，卷6，頁35。

117 左松超：《說苑集證》，卷6，頁307。

118 向宗魯：《說苑校證》，卷6，頁139。

119 參朱季海：《說苑校理》，卷6，頁41。

120 〔北宋〕李昉等：《太平御覽》（北京：中華書局，1960年），卷479，頁6b。

121 〔南宋〕葉大慶：《考古質疑》（上海：上海古籍出版社，1985年），卷4，頁36。

122 賀友齡、諸偉奇點校：《說苑斠補》，收入《劉文典全集》第三冊，卷7，頁98。

123 向宗魯：《說苑校證》，卷7，頁144。

「之」。[124]金嘉錫無說。關嘉注「養善而進闕者也」句云：「進闕者謂脩其過失也。」[125]關嘉既可得見《群書治要》，卻不引其異文「之」，則是不以《治要》所載為是。其注「進闕」，則是進言得失之謂，亦在闡析「闕」義。左松超引關嘉《說苑纂註》和桃井白鹿《說苑考》之說，並指出《治要》之異文，但亦不置可否，未知孰是。[126]進言之，《治要》引《說苑》作「德者，養善而進之者也」，下文則「刑者，懲惡而禁後者也」，是「德」與「刑」相對，而「進之」當與「禁後」相對。疑「進之」當為「進先」，「先」與「後」相對成文而工整，更為合乎前後文理。

例20：《說苑・政理》「齊桓公逐鹿而遠」句

案：「遠」，今《說苑》作「走」。金嘉錫謂「《治要》引『走』作『遠』。」[127]左松超亦只援引金說而已，[128]不作闡析。關嘉、劉文典、向宗魯、朱季海無說。齊桓公外出打獵，追逐一頭鹿而闖入山林之中。大抵《治要》「逐鹿而遠」較能呼應後文「入山谷之中」且「見一老公」之文。逐鹿而鹿必然奔跑，「逐鹿而走」本屬常態，走遠了，才能得遇愚公，方可得知治國之道。「走」與「遠」二未皆可通。

例21：《說苑・政理》「則百僚各獲其所宜而善惡分矣」句

案：「獲」，今《說苑》作「得」。關嘉、劉文典、向宗魯無說。朱季海云：「《治要》引『得』作『獲』，《晏子春秋・內篇問上》作『得』。」[129]金嘉錫云：「《治要》引『得』作『獲』，義同。」[130]左松超亦只援引金說而已，[131]不作闡析。考「得」與「獲」義同，故為異文，不必校改。

例22：《說苑・尊賢》「楚悉發四境之內」句

案：「境」，今《說苑》作「封」。向宗魯云：「『封』，《治要》『境』。」[132]朱季海云：「《治要》引『四封』作『四境』，然上文田忌對楚王作『四封』者，彼記言尚文，

---

124 朱季海：《說苑校理》，卷7，頁42。
125 〔日〕關嘉：《劉向說苑纂註》，卷7，頁2a。
126 參左松超：《說苑集證》，卷7，頁375。案：《說苑考》一書，左松超謂為岡本保孝所撰。今考岡本保孝著有《新序考》，桃井白鹿著有《說苑考》，而岡本氏似無《說苑考》之作。且據《說苑集證》所引《說苑考》之文，實見桃井白鹿書中，則其所謂岡本氏《說苑考》者蓋或有誤。又左松超此言「『闕』，疑『前』或『賢』，《群書治要》『闕』作『之』。」義不成文。觀乎《說苑考》原文：「未詳。闕，疑前若賢。《群書治要》『闕』作『之』。」（《說苑考》，卷上，頁9b。）大抵以為「闕」字或作「賢」，即「進賢」云云，方可通。左氏引《說苑考》之文有誤，標點亦然。
127 金嘉錫：《說苑補正》，頁74。
128 參左松超：《說苑集證》，卷7，頁387。
129 朱季海：《說苑校理》，卷7，頁50。
130 金嘉錫：《說苑補正》，頁80。
131 參《說苑集證》，卷7，頁432。
132 向宗魯：《說苑校證》，卷8，頁203。

此記事，故尚質邪？」[133]考諸前文《說苑》有「則楚悉發四封之內」，在田忌對話之中，《治要》引《說苑》作「四封」，及後之敘事文字，《治要》引作「四境」，而今本《說苑》兩次皆作「四封」。關嘉、劉文典、金嘉錫、左松超無說。「四封」與「四境」，二者於義無別，皆可通。

例23：《說苑・法誡》「往矣，子其無以魯國驕士也」

案：「往」，今《說苑》作「去」。朱季海云：「《治要》引『去』作『往』，……《韓詩外傳》卷第三作『往矣』，……。向故書疑本作『往也』。」[134]金嘉錫云：「『去』，《治要》引作『往』。」[135]左松超援引金說，而不作判斷。[136]關嘉、劉文典、向宗魯無說。此中朱季海根據《韓詩外傳》所見互見文獻，以為《說苑》原文亦當作「往矣」。下取《韓詩外傳》卷三之文，與今本《說苑》，以及《治要》所引《說苑》作對讀：

《韓》	往矣！子其無以魯國驕士　。吾　文王之子　，武王之弟，
《說》	去矣，子其無以魯國驕士矣！我，文王之子也，武王之弟也，
《群》	往矣，子其無以魯國驕士也！我，文王之子　，武王之弟，
《韓》	成王之叔父也，又相天子，吾於天下亦不輕矣。[137]
《說》	今王之叔父也，又相天子，吾於天下亦不輕矣。[138]
《群》	今王之叔父也，又相天子，吾於天下亦不輕矣。

據以上對讀，是知《說苑》此文與《韓詩外傳》有互見關係，[139]而《韓詩外傳》之文亦作「往矣」，與《群書治要》引《說苑》相同，故朱季海所言有理可參。質言之，究之「往矣」與「去矣」，意義上相去不遠，故亦不煩校改，視之為異文即可。

例24：《說苑・反質》「人主不塞其本而督其末」

案：「督」，今《說苑》作「替」。劉文典云：「『替』字無義。《治要》引作『督』，疑是。」[140]左松超援引劉文典的說法，並引唐寫本《說苑》為證，以為作「督」者蓋

133 朱季海：《說苑校理》，卷8，頁60。
134 朱季海：《說苑校理》，卷10，頁74。
135 金嘉錫：《說苑補正》，頁117。
136 左松超：《說苑集證》，卷10，頁617。
137 〔西漢〕韓嬰撰，許維遹校釋：《韓詩外傳集釋》（北京：中華書局，1980年），卷3，頁117。
138 向宗魯：《說苑校證》，卷10，頁240。
139 案：陳士珂《韓詩外傳疏證》亦有取《說苑・敬慎》此文作為互見文獻，詳參〔清〕陳士珂：《韓詩外傳疏證》（臺北：新文豐出版公司，1989年，據文淵樓叢書本影印），卷3，頁47-48。
140 賀友齡、諸偉奇點校：《說苑斠補》，收入《劉文典全集》第三冊，卷20，頁328。

是。[141] 斐云〈唐寫本《說苑‧反質篇》讀後記〉云:「『人主不塞其本而替其末』,唐寫本『替』作『督』。」[142] 據此,知唐本《說苑》有作「督」者,各本《治要》能夠保存唐本舊貌。據尾崎康〈群書治要解題〉所言,《群書治要》保留不少古文獻之唐前鈔本,有重要之文獻價值。其時房玄齡等修撰之《晉書》尚未成,魏徵等所見者當為十八家晉書;《漢書》注亦皆顏師古以前之舊注;子書皆兩晉或以前作品。《群書治要》摘錄諸書最為珍貴之部,採用六朝後期寫本(即公元七世紀以前)入文,吉光片羽,彌足珍貴。[143] 此處《治要》引《說苑》之文,據唐寫本《說苑》所見,大抵證成了尾崎康的說法。關嘉、向宗魯、朱季海、金嘉錫無說。

(四)尾張本《群書治要》不能存舊例

清嘉慶年間,《群書治要》流傳回國,[144] 為阮元收入《宛委別藏》。[145] 今《四部叢刊》本、《續修四庫全書》本《群書治要》悉據此本影印。《宛委別藏》本《群書治要》收入日本天明年間(1781-1788)尾張本,[146] 惟據細井德民所言:「我孝昭二世子好學,及讀此書,有志校刊。幸魏氏所引原書,今存者十七八,乃博募異本於四方,日與侍臣照對是正。」[147] 知尾張本乃日人對照魏徵所引原書重新校刊之本。類書之作用乃保存文獻被引錄時之舊貌,今細井等學者據所引原書回改,致使尾張本未有保留《群書治要》之原貌。是以阮元、王念孫等所見《群書治要》,皆是嘗經回改之尾張本。尾張本

---

141 左松超:《說苑集證》,卷20,頁1306。

142 斐云:〈唐寫本《說苑‧反質篇》讀後記〉,頁18。

143 〔日〕尾崎康:〈群書治要解題〉,載《群書治要》第7冊(東京:汲古書院,1989年),頁473:「これらの群書は、經史はほぼ後漢以前の著作であるが、晉書が當時未撰の通行の唐修晉書のはずはなくて、六朝時代に十八家が撰したといわれるものの一であり、同じく、漢書注が顏師古以前のものであり、また子書には魏吳晉代のものまでを含む。初唐に編纂が行われたのであるから、依據した本はそれ以前、おそらくは六朝後期の寫本で、本文に今本と異同があることは當然であろう。十一世紀以降の宋刊本に先行する經史子の寫本はほとんど傳存しないから、七世紀以前の寫本、それも勅命を奉じて祕府の藏書を用いたこの五十卷の本文は、各書とも抄出であってもすこぶる貴重である。」

144 〔日〕尾崎康〈群書治要解題〉云:「群書治要は天明七年に尾張藩で刊刻され、その寬政三年修本が同八年(一七九六)に清國へ運ばれた。」(頁473)寬政三年即清仁宗嘉慶元年,《群書治要》尾張本於其時運返中國。

145 阮元所輯《宛委別藏》共收宋元鈔本三十六種及其他稀見難得之書,並仿《四庫全書》之例,每部撰寫提要,收入《揅經室外集》中。

146 天明乃日本光格天皇之年號,《群書治要》天明本即指刊刻於天明七年之本。又,此本乃尾張藩所刊刻,故又稱「尾張本」。

147 〔日〕細井德民:〈刊群書治要考例〉,載《群書治要》,《四部叢刊初編縮本》影印日本尾張藩刻本,考例,頁1下-頁2上。

《群書治要》乃據原書文字回改之本，失卻《治要》存舊之真。是以《治要》所載《說苑》，亦得見其據原書回改之情況。今舉例如下：

例25：《說苑·君道》「是故知人者王道也」句

案：金澤文庫本、駿河版《治要》作「王」，尾張本《治要》、今《說苑》作「主」。朱駿聲云：「『王道』，當作『主道』。」[148] 左松超云：「『主』，明刊白口十行本、程榮本、天一閣本、楊以漟本、關嘉本作『王』。」[149] 可見諸本《說苑》有作「王」者，然據上下文「主道」當與「臣道」相對成義，作「王道」則指涉未明矣。然而，《治要》即使所載已誤，所反映亦為當世所見《說苑》，而尾張本輒據當時所見《說苑》校改《治要》，使《治要》失卻存舊之真。

例26：《說苑·復恩》「豈我忘是子哉」句

案：金澤文庫本、駿河版《治要》作「豈我」，尾張本《治要》、今《說苑》作「我豈」。《韓詩外傳》卷三有此文，與《說苑·復恩》幾同，亦作「我豈」。《太平御覽》卷六三三〈治道部十四〉「賞賜」引《說苑》此文亦作「我豈」。顯而易見，尾張本《治要》乃據當時所見《說苑》校改《治要》文字，故其作「我豈」而與《治要》他本作「豈我」相異。

例27：《說苑·復恩》「而告勞之士次之」句

案：金澤文庫本、駿河版《治要》作「告勞」，尾張本《治要》、今《說苑》作「勞苦」。據今《說苑》之文，與駿河版《治要》，可對讀如下：

《說》三行賞之後，而勞苦之士次之。夫勞苦之士，是子固為首矣！
《治》三行賞之後，而告勞之士次之，　　　　　子固為首矣！

此可見《說苑》在前句有「勞苦之士」四字以後，下句復有「勞苦之士」引領後文，故今本《說苑》有誤文之可能性並不高。至於駿河版《治要》所載，「告勞」即對別人訴說自己辦事的勞苦狀。大抵二處行文義皆可通，然而尾張本《治要》與今本《說苑》相同，可知尾張本輒據當時所見《說苑》校改《治要》，使《治要》失卻存舊之真。

例28：《說苑·復恩》「君臣皆絕纓而上火」句

案：金澤文庫本、駿河版《治要》作「君」，尾張本《治要》、今《說苑》作「群」。此言群臣皆扯斷了自己的帽帶，然後才點上燈火，最後盡興而散。如據金澤文庫本、駿河版《治要》而作「君臣」，則是國君與臣下皆有上述舉動，未免不合情理。

---

148 〔清〕朱駿聲：《說苑新序校評》（元和朱駿聲遺稿本），頁1b上。
149 左松超：《說苑集證》，卷1，頁28。

可知金澤文庫本、駿河版《治要》之「君」字，實乃《說苑》「群」誤脫偏旁所致，初不當作「群」字。尾張本《治要》與今本《說苑》相同，可知尾張本輒據當時所見《說苑》校改《治要》，使《治要》失卻存舊之真。

例29：《說苑·復恩》「臣所定者亦過半矣」句

案：金澤文庫本、駿河版《治要》作「定」，尾張本《治要》、今《說苑》作「立」。考駿河版《治要》引《說苑》此文前後合共三句：「夫堂上之人，臣所樹者過半矣。朝廷吏，臣所立者亦過半矣。邊境之士，臣所定者亦過半矣。」此中所言有三種人，一為「堂上之人」，二為「朝廷吏」，三為「邊境之士」，然後各以「臣所樹者」、「臣所立者」、「臣所定者」以描述。如取尾張本《治要》與今本《說苑》排比對讀，可得如下：

駿《群》	夫堂上之人，臣所樹者過半矣。朝廷　吏，
尾《群》	夫堂上之人，臣所樹者過半矣。朝廷之吏，
《說》	夫堂上之人，臣所樹者過半矣，朝廷之吏，
駿《群》	臣所立者亦過半矣。邊境之士，臣所定者亦過半矣。
尾《群》	臣所立者亦過半矣。邊境之士，臣所立者亦過半矣。
《說》	臣所立者亦過半矣，邊境之士，臣所立者亦過半矣。

準上所見，駿河版《治要》保留了「邊境之士，臣所定者亦過半矣」之「定」字，金澤文庫本《治要》亦同。相較而言，尾張本亦作「立」字，與今本《說苑》相同，可知尾張本輒據當時所見《說苑》校改《治要》，使《治要》失卻存舊之真。且就此例而言，校勘《說苑》諸家因不見金澤文庫本、駿河版等《治要》，故未能據此改正《說苑》之文，誠為憾事！質言之，可據金澤文庫本、駿河版《治要》校正今本《說苑》之文。

例30：《說苑·政理》「臣故畜牸牛」句

案：金澤文庫本、駿河版《治要》作「牸」，尾張本《治要》作「犆」，今《說苑》原作「犆」，向宗魯改作「牸」。向宗魯云：「『牸』，《治要》、《類聚》及《御覽》四百九十九、又八百九十九皆誤作『犆』。」[150]向氏只見尾張本《治要》，故有此論，實質金澤文庫本、駿河版《治要》俱不誤。左松超云：「『犆』，明刊白口十行本、楊美益本、吳勉學本、程榮本、楊以漟本並作『牸』。」[151]可知《說苑》各本有誤與不誤者。校勘《說苑》諸家因不見金澤文庫本、駿河版等《治要》，故未能據此改正《說苑》之文。

---

150 向宗魯：《說苑校證》，卷7，頁148。

151 左松超：《說苑集證》，卷7，頁387。

（五）金澤文庫本多誤衍

寫本文獻如加細分，蓋有寫本、稿本、鈔本、舊鈔本等數種。其中寫本為書寫時以手寫形式流傳的本子，稿本為作者的原稿，鈔本為根據底本傳錄而製成的副本，而舊鈔本指時代不詳的早期鈔本。[152] 相較刻本和寫本而言，刻本的字體比較規整，筆劃的鋒芒棱角比較明顯，但版面常有模糊殘缺之處，甚至會有斷裂痕蹟，此因木版多次刷印受潮腐爛等相關。刻本卷末空白置常有大塊墨蹟，乃刻工因省事而沒有將空白位置刮去所致。另一方面，寫本文獻乃人工鈔寫，字蹟生動流麗，帶著許多人性化的特色。刻本與寫本各有優劣，難分軒輊，故自宋代雕印本盛行以後，寫本仍然為學者所珍視。

寫本文獻因其罕見，每多價值連城，可是不少在寫本時代的材料，其文字還沒有定型，書手寫作的隨意性很大，例如敦煌史部文獻便有大量民間書手抄寫，其文化水平不一，難以一概衡量，因而俗字、別字、錯字、誤衍、脫漏等時有出現，為整理者帶來不少難度。

金澤文庫本《群書治要》較諸九条家本而言，時代雖然較後，約在宋元之際，然其既為全帙，即號之為善本矣。然而，金澤文庫本之誤文俯拾皆是，實非《治要》之善本。

例31：《說苑‧復恩》「死人者不如存人之身」之「之」字，金澤文庫本無；駿河版、尾張本、今《說苑》同。

例32：《說苑‧政理》「任人者固逸也」之「固」字，金澤文庫本無；尾張本眉校曰：「舊無『固逸』之『固』字，補之。」此所言舊本，正與金澤文庫本同。駿河版、尾張本天明本有「固」字。

例33：《說苑‧君道》「則我不能勸也」之「不」字，金澤文庫本原無，其旁校補之；駿河版、尾張本、今《說苑》皆有此字，可見金澤文庫本原誤。

例34：《說苑‧君道》「堯為君而九子者為臣」之「堯」字，金澤文庫本原無，其旁校補之；駿河版、尾張本、今《說苑》皆有此字，可見金澤文庫本原誤。

例35：《說苑‧君道》「仁昭而義立」句，駿河版「昭」字原在「而」下，據尾張本改，今《說苑》亦作「仁昭而義立」。金澤文庫本誤倒「昭而」為「而昭」，與駿河版同。

例36：《說苑‧君道》「鑿江通於九派」之「鑿江」二字，金澤文庫本錯誤倒作「江鑿」，駿河版、尾張本、今《說苑》皆不誤。

---

152 參自曹之：《中國古籍版本學》（武昌：武漢大學出版社，1992年），頁41。

四 《群書治要》摘取《說苑》篇章與「治要」之關係

　　劉向編撰《說苑》，目的在於言政事得失，並以舊事為戒。全書有二十篇，分為二十個主題，首兩篇已經開宗明義分別題為「君道」與「臣術」，則全書內容乃與治國相關明矣。盧文弨〈新校《說苑》序〉：「此書之言治術略備矣，人主得此亦足以為治矣。」[153] 趙善詒云：「《說苑》一書系劉向分類纂輯先秦至漢初史事和傳說，雜以議論，以闡明儒家的政治思想和倫理觀點為主旨。」[154] 比合而言，可見《說苑》滿載儒家治國之道，可供人主以史為鑒。

　　《群書治要》之編撰，用意乃在「昭德塞違，勸善懲惡」，[155] 希望君主可以史為鑒，從典籍所載治國之要道以見為國者之所應為。然而，歷代典籍眾多，「百家踳駮，窮理盡性，則勞而少功，周覽汎觀，則博而寡要」。[156] 魏徵等遂於群籍之中，擇其「務乎政術」[157] 者，「以備勸戒，爰自六經，訖乎諸子，上始五帝，下盡晉年，凡為五表，合五十卷，本求治要，故以治要為名」。[158] 是以其於群籍之中，皆擇取其與治道相關者，臚列其文，以為天子借鑒。至於《治要》所引《說苑》章節之重點，《群書治要譯注》指出：「其中既可看到王道、霸道的方法，也可看到儒、道、法諸家做人做事的觀念，並以歷史上發生的故事為主，將處世待人的理念與方法貫穿其中，使人在閱讀中獲得智慧和啟示。」[159] 所言可參。

　　據前文所載，《治要》採用《說苑》合共三十八章，如就多寡而論，以〈尊賢〉為最夥，次則〈政理〉、〈君道〉、〈反質〉、〈復恩〉、〈敬慎〉、〈臣術〉、〈正諫〉、〈善說〉、〈貴德〉、〈修文〉，共有十一篇之內容為《治要》所援引。此中《治要》採用了《說苑‧尊賢》十章。尊賢，即尊敬賢者之意。有國者如要追求長治久安，尊敬賢者實在是平治天下的關鍵。國君不可能單憑一己之力治國，必須謙卑恭敬禮待賢者，然後以群賢之力成就功業。《群書治要譯注》云：「本卷於此篇著墨最多，可知『尊賢』一事，當為執政者之要務。」[160] 其說是也。〈尊賢〉更對如何識別賢才，以及怎樣禮賢下士和使用賢才作論證。《治要》之編撰旨在輔助唐太宗李世民治國，編者包括魏徵、虞世南、褚亮、蕭德言等。援引〈尊賢〉之文，可見《治要》編者摘取之用心：

---

153 〔清〕盧文弨：〈新校《說苑》序〉，收入盧文弨：《抱經堂文集》（北京：中華書局，1990年），卷5，序4，頁59。

154 趙善詒：《說苑疏證》（上海：華東師範大學出版社，1985年），前言，頁1。

155 〔唐〕魏徵奉敕撰、尾崎康、小林芳規解題：《群書治要》（東京：汲古書院，1989年），序，頁5。

156 《群書治要》，序，頁7。

157 《群書治要》，序，頁7。

158 《群書治要》，序，頁10。

159 《群書治要》學習小組編：《群書治要譯注》第25冊（北京：中國書店，2011年），頁1。

160 《群書治要》學習小組編：《群書治要譯注》第25冊，頁37。

人君之欲平治天下而垂榮名者，必尊賢而下士。《易》曰：「自上下下，其道大光。」又曰：「以貴下賤，大得民。」夫聖王之施德而下下，將以懷遠而致近也。朝無賢人，猶鴻鵠之無羽翼，雖有千里之望，猶不能致其意之所欲至矣。是故絕江海者託於船，致遠道者託於乘，欲霸王者託於賢。非其人而欲有功，若夏至之日而欲夜之長也，射魚指天，而欲發之當也，雖舜禹猶亦困，而又況乎俗主哉！

此章原乃《說苑‧尊賢》之首章，並點出篇題「尊賢」二字。此言君主如欲治理天下且使功名永垂千古，便須尊重賢人，以及謙恭以待士人。誠如《易‧益》彖辭所言，在上位者，當謙恭地對待在下位者，如此其前途便當光明遠大。《易‧屯》象辭又指出，以尊貴的身份，謙卑地對待在下位者，便可大得民心。因此，英明的君主施行恩德以待臣民，即可以安撫偏遠的人而使附近百姓親附。朝廷裡沒有賢人，便像鴻鵠不長翅膀，即使有飛翔之夢，卻仍不可到達心中想到之處。因此，渡江者必用船，行遠路用馬車，如欲成就霸業王業者，便要起用賢德之人。如果用了不合適的人，卻欲建功立業，那便像在夏至那天而欲日短夜長，甚或像對著天空射魚而欲將魚射中，皆是不可能的事情。不用合適人才，即便虞舜、夏禹也要處於困境，更枉論只是一般的君主。《群書治要》的預設讀者乃是唐太宗李世民，《群書治要》採錄此文目的在於說明招納賢才的重要性。觀乎唐太宗之朝，賢臣眾多，自其即位以後，即按秦王府文學館的模式，新設弘文館，儲備天下文才。唐太宗知人善任，用人唯賢，不問出身，如房玄齡、杜如晦、長孫無忌、楊師道、褚遂良等，皆忠直廉潔；其他如李勣、李靖等，亦為一代名將。《群書治要》由魏徵主編，其實魏徵乃李建成舊部，但唐太宗亦能不計前嫌，加以重用，他如王圭、尉遲恭、秦瓊等皆是。唐太宗十分著重立德、立言、立功，以功臣代替世冑；又以科舉代替門第，吸納人才，使寒門子弟亦可入仕。

《群書治要》採錄《說苑‧尊賢》之文字十段，其中首兩段為提綱挈領之文，此下共有故事八則，列舉了自周公至戰國時期的尊賢故事八則。首章言周公不敢輕於寒士，「所友見者十二人，窮巷白屋所先見者四十九人，進善者百人，教士者千人，官朝者萬人。」重用人才至極，與前文引《易》「貴下賤，大得民」相符。次則為齊桓公「設庭燎」而能禮遇「以九九之術見者」，故「四方之士相携而並至」。次則淳于髡以滑稽之言譏諷齊宣王並無好賢之心，致使宣王無言以對次則以衛君用豐厚的賞賜以招攬人才，卻無人前來，說明「君之賞賜，不可以功及；君之誅罰，不可以理避」的道理，賢士知道來衛國必遭害，故皆不至。次則言魏文侯禮賢下士，既得賢人之利，而其心愈謙，更希望得賢人智者以輔己。次則載錄齊桓公與管仲之兩段對話，說明賢者如果不能富貴和不受國君親近信任，便難以發揮其作用；反之，如果君主尊任賢人而又能夠識別賢才，且加提拔重用，委以重任，信而不疑，且勿使小人干擾，否則霸業便有影響。最後引用了田忌對楚王的預言，在現實中得到了證實，說明尊賢愛眾者便能凝聚人心，此為晌子不

可戰勝之因由。[161]《治要》採錄眾多尊賢故事,舉證甚豐,讀者覽之,自可明白尊任賢人對管治國家的重要功用。

　　《群書治要》採用《說苑‧政理》之文共七章。政理,乃是為政之道理,即關於治國治民的政治思想與綱領,以及具體方略等。《群書治要》既以治國大道之要略為其採錄典籍之中心,則《說苑‧政理》之文自是與全書主題頗為關切。《治要》所引《說苑‧政理》首兩段是提綱挈領之文,說明政治有三大層面,一為王道政治,二為霸道政治,三為強國政治。德教與刑罰是治國的兩大關鍵,尚德簡刑為王者之治,德刑並用為霸者之治,先刑後德為強國之治。養善懲惡輔之以誅賞,教化便可大行於天下。此下《治要》採錄了〈政理〉之五則故事,分別是宓子賤與巫馬期、宓子賤與孔子、齊桓公與管子、齊侯與晏子的對話或軼事,從不同角度闡述了為政之道,皆可為有國者所參考借鑒。[162]

　　總之,《群書治要》既以治國作為其著書採文的目的,則《說苑》與此主題相關的文獻,便在其摘要採錄之列。《說苑》各篇主題,觀其篇題可知一二,「君道」乃為君之道,「臣術」乃為臣下之方法,「貴德」言重視德行,「復恩」言知恩報恩,「正諫」即直言規勸,「敬慎」(《治要》引作「法誠」)乃是為人處世當恭敬謹慎,「善說」即善於說服他人,「修文」意謂採取措施以加強文治,「反質」乃回歸質樸之謂。「政理」與「尊賢」已見上文討論,此不贅述。凡此種種,皆可供人君治國用人所資取。觀乎《說苑》的編者劉向,高似孫《子略》譽之為「炯炯丹心,在漢社稷」。[163]元帝時任宗正,奏章中多以天災附會時政,欲元帝「放遠佞邪之黨,壞散險詖之聚,杜閉群枉之門,廣開眾正之路」;[164]後因反對宦官弘恭、石顯亂政而下獄,免為庶民。成帝時,拜中郎使領護三輔都水,任光祿大夫,校閱經傳諸子詩賦等書籍,撰成《別錄》。屈守元謂劉向「好為直言極諫」,[165]今觀其所上奏疏,直諫漢帝,屈氏所言是矣。劉向生於前漢衰亡之際,成帝雖重用劉向,惟於其上疏諫營昌陵事,「甚感其言,而不能從其計」;[166]上書數十,彌補施政之失,「上雖不能盡用,然內嘉其言,常嗟歎之」;[167]上封事極諫,「書奏,天子召見向,歎息悲傷其意」;[168]因星孛東井,蜀郡岷山山崩雍江,上疏陳災異,「上輒入之,然終不能用也」。[169]準此,成帝非無重用劉向之心,然佞諛之臣當道,終

161 參《群書治要》學習小組編:《群書治要譯注》第25冊,頁37。

162 參《群書治要》學習小組編:《群書治要譯注》第25冊,頁26。

163 〔南宋〕高似孫:《子略》(北平:樸社,1933年),卷4,頁94。

164 〔東漢〕班固:《漢書》,卷36,頁1946。

165 屈守元:〈序言〉,載《說苑校證》,頁1。

166 〔東漢〕班固:《漢書》,卷36,頁1957。

167 〔東漢〕班固:《漢書》,卷36,頁1958。

168 〔東漢〕班固:《漢書》,卷36,頁1963。

169 〔東漢〕班固:《漢書》,卷36,頁1966。

亦不行,劉向匡扶社稷之心未能如願以償。《說苑》為劉向所編,其用心自是以此書規勸漢帝,以故事為鑒誡。魏徵等編撰《群書治要》,與《說苑》之用心無異,此為《治要》採錄《說苑》之因由。

五　結語

本文討論《群書治要》援引《說苑》之概況,從校勘與採摘內容之角度分析如上。今可總之如下:

1. 《說苑》全書二十篇,《群書治要》採錄其中十一篇共三十八章文字。各篇之中,以引用〈尊賢〉之篇幅最夥,多達十章。緊隨其後者,乃〈政理〉與〈君道〉二篇,分別引用七章及六章。《說苑》全書可分901章,《治要》援引其中38章,佔全書13.1%。至於〈建本〉、〈立節〉、〈奉使〉、〈權謀〉、〈至公〉、〈指武〉、〈談叢〉、〈雜言〉、〈辨物〉等九篇,《治要》不作援引。

2. 自清代以來,校勘《說苑》者眾,然採用《群書治要》與否,主要在於其能否得見此書,且諸家即有採用《治要》,亦只能及於尾張本《治要》。本文列舉盧文弨《群書拾補》、朱駿聲《說苑新序校評》、俞樾《讀書餘錄》、孫詒讓《札迻》、向宗魯《說苑校證》、劉文典《說苑斠補》、朱季海《說苑校理》、金嘉錫《說苑補正》、左松超《說苑集證》、關嘉《說苑纂註》、桃井白鹿《說苑考》等,皆嘗校勘《說苑》之文。此中如盧文弨研治《說苑》甚為用心,惜乎《群書治要》在清嘉慶初年始從日本回流中國,故盧氏無緣得見,因而不得利用。自劉文典以下諸家,皆嘗在不同程度上採用《治要》以作校勘,盡量回復文獻舊貌,卓然有成,可供借鑒。

3. 日人關嘉《說苑纂註》在使用《治要》勘正《說苑》而言,時代最早,且其身在日本,最能得見各本《治要》。可惜的是,《說苑纂註》未嘗充分利用《治要》之大,及後如向宗魯《說苑校證》才將《治要》之利用擴而充之,及於《說苑》全書,其功最大。

4. 王念孫校勘古籍,成就卓越,其校讎古籍之法眾多,其一為比勘唐宋類書徵引典籍與今本之異同。《讀書雜志》利用《群書治要》校理古籍,多所創獲。王念孫《讀書雜志》云:「凡《治要》所引之書,於原文皆無所增加,故知是今本遺脫也。」此可證《群書治要》於校勘之作用也。《群書治要》引文可證今本典籍之衍文,加之以校正字之誤寫,此乃《群書治要》用以校勘今傳典籍之兩大功能。本文據《群書治要》舉例勘正《說苑》之脫文與誤文,證成王念孫所言,可補正《說苑》文字。

5. 《群書治要》能保存其引用文獻之舊貌，故能用以校勘文獻，甚或可用以輯佚。然而，尾張本《治要》在整理之時，當時學者有以其所引文獻回改，失卻《治要》存舊之真。本文以尾張本《治要》所引《說苑》為例，取與金澤文庫本、駿河版《治要》，與今本《說苑》作比較，可見尾張本《治要》或正或誤，多與今本《說苑》一致，益可證金澤文庫本、駿河版《治要》彌為近古，吉光片羽，最為可貴。

6. 本文以《群書治要》卷四十三所引《說苑》為例，說明金澤文庫本《治要》作為寫本文獻的問題。前文從脫文、脫文而旁校補之、誤倒之文等舉例，討論金澤文庫本《群書治要》未能盡善之處。古籍整理追求「古、全、善」。《群書治要》採錄唐前典籍六十五種，遍及經、史、子三部。就引用《說苑》之卷四十三而言，此卷當以金澤文庫本、駿河版為主，尾張本為輔。

7. 《群書治要》以治國要道作為其著書採文的目的，《說苑》與此主題關係密切，故多加採錄。《治要》採用《說苑》十一篇之文，包括「君道」、「臣術」、「貴德」、「復恩」、「政理」、「尊賢」、「正諫」、「敬慎」（《治要》引作「法誡」）、「善說」、「修文」、「反質」等，觀各篇篇題，皆與為君治國之道多所關連，故《群書治要》用之，亦合乎編撰之道矣。

徵引書目

一　原典文獻

〔日〕桃井白鹿：《說苑考》，江戶書肆千鍾房梓。

〔日〕細井德民：〈刊《群書治要》考例〉，載〔唐〕魏徵等：《群書治要》，《四部叢刊初編縮本》影印日本尾張藩刻本，上海：商務印書館，1936年。

〔日〕細野要齋：《尾張名家誌初編》，安政丁巳（1857）皓月堂本。

〔日〕關嘉：《劉向說苑纂註》，日本寬政六年（1794）興藝館刻本。

〔西漢〕劉向原著，王鍈、王天海譯注：《說苑全譯》，貴陽：貴州人民出版社，1992年。

〔西漢〕韓嬰撰，許維遹校釋：《韓詩外傳集釋》，北京：中華書局，1980年。

〔東漢〕班固：《漢書》，北京：中華書局，1962年。

〔東漢〕許慎：《說文解字》，北京：中華書局，1963年。

〔唐〕魏徵奉敕撰、尾崎康、小林芳規解題：《群書治要》，東京：汲古書院，1989年。

〔唐〕魏徵等：《隋書》，北京：中華書局，1973年。

〔北宋〕李昉等：《太平御覽》，北京：中華書局，1960年。

〔南宋〕高似孫：《子略》，北平：樸社，1933年。

〔南宋〕葉大慶：《考古質疑》，上海：上海古籍出版社，1985年。

〔清〕王念孫撰，徐煒君等校點：《讀書雜志》，上海：上海古籍出版社，2015年。

〔清〕朱駿聲：《說苑新序校評》，元和朱駿聲遺稿本。

〔清〕朱駿聲：《說苑新序校評》，廣州：中山大學圖書館鉛印本，1951年。

〔清〕孫詒讓：《札迻》，北京：中華書局，1989年。

〔清〕陳士珂：《韓詩外傳疏證》，臺北：新文豐出版公司，1989年，據文淵樓叢書本影印。

〔清〕盧文弨：《抱經堂文集》，北京：中華書局，1990年。

二　近人論著

〔日〕石濱純太郎：《〈群書治要〉の尾張本》，收入《支那學論考》，大阪：全國書房，1943年。

〔日〕島谷弘幸：《群書治要（色紙）》，《日本の國寶》1997年第44號（1997年12月），頁104。

〔日〕尾崎康：〈群書治要解題〉，載《群書治要》第7冊，東京：汲古書院，1989年。

〔日〕尾崎康:《群書治要とその現存本》,《斯道文庫論集》1990年第25號(1990年03月),頁135。

《群書治要》學習小組編:《群書治要譯注》第25冊,北京:中國書店,2011年。

王利器:《文子疏義》,北京:中華書局,2000年。

王叔岷:〈《群書治要》節本《慎子》義證〉,《國立臺灣大學文史哲學報》32期(1983年12月),頁1。

左松超:《說苑集證》,臺北:臺灣國立編譯館,2001年。

朱季海:《說苑校理》,北京:中華書局,2011年。

李家樹、黃靈庚:《唐詩異文義例研究》,香港:香港大學出版社,2003年。

李　零:《蘭臺萬卷:讀〈漢書・藝文志〉》,北京:三聯書店,2011年。

汪辟疆:《工具書之類別及其解題》,收入《汪辟疆文集》,上海:上海古籍出版社,1988年。

屈守元:〈序言〉,載向宗魯:《說苑校證》,北京:中華書局,1987年。

金嘉錫:《說苑補正》,臺北:文盛印書館,1965年。

徐建委:《說苑研究:以戰國秦漢之間的文獻累積與學術史為中心》,北京:北京大學出版社,2011年。

徐漢昌:《慎子校注及其學術研究》,臺北:嘉新水泥公司文化基金會,1976年。

高亨纂著,董治安整理:《古字通假會典》,濟南:齊魯書社,1989年。

曹　之:《中國古籍版本學》,武昌:武漢大學出版社,1992年。

許富宏:《慎子集校集注》,北京:中華書局,2013年。

斐　云:〈唐寫本《說苑・反質篇》讀後記〉,《文物》1961年第3期(1961年04月),頁18。

賀友齡、諸偉奇點校:《說苑斠補》,收入《劉文典全集》第三冊,合肥:安徽大學出版社;昆明:雲南大學出版社,1999年。

趙善詒:《說苑疏證》,上海:華東師範大學出版社,1985年。

顧　實:《漢書藝文志講疏》,上海:上海古籍出版社,2009年。

治身與治國:《群書治要·老子》
文本的形成與應用詮釋

林朝成

國立成功大學中國文學系教授

摘要

　　《群書治要》乃為「欲覽前王得失」、「務乎政術」編選經史子六十八部典籍而成的著作,堪稱是唐初所進行的政治文化工程。成書五十卷的《群書治要》對貞觀朝起了文化資鑑的作用,成為君臣共同言說的語言和政治思維的方式。

　　《群書治要》以《老子河上公章句》為底本,透過翦截的方法,形成可供太宗閱覽的理想文本。一者經過編選的手法,《老子河上公章句》已被改造成「治國治身」的政治言說文本;二者該文本以「抑情損欲」為治身構面,以「動因循、為無為」為治國構面,二個構面的介面和共同導向則是「好安靜,不煩擾」,如此的結構,展現治國治身平行交涉、互為因果的一體結構。在這個結構下,「以百姓心為心」的政治關懷,成為唐初君臣共論政治理想所取資的觀念言說,成就貞觀朝以「為君之道,必先存百姓」的理念。

　　《貞觀政要》體現了《群書治要·老子》對貞觀君臣的影響,貞觀君臣應用詮釋《老子》,在君臣一體和勸諫的共同思維下,發展了新的詮釋面向,那就是走向群體思維,治國／治身的理念成為一可供共議、勸諫、溝通甚至決定政策的政治行動,塑造了唐初的政治文化。

關鍵詞:《群書治要》、《老子河上公章句》、魏徵、治身、治國

Self-cultivation and Governance of a Country: The Formation and Interpretation of the Qunshu Zhiyao Laozi

Lin Chao-Cheng

Professor, Department of Chinese Literature, National Cheng Kung University

Abstract

Designed to "observe the achievements and failures from previous sovereigns" and "guide a government's political measures", Qunshu Zhiyao is a compilation of 68 classical, historical and literary works. It is a creation that reflects the Early Tang political culture. The fifty-volume compilation provided cultural references for the Zhenguan government and became a common ground of language and political thoughts between the emperor and his officials.

Qunshu Zhiyao used Heshang Gong Zhangju as the main source of text and made it an ideal reading material for Emperor Taizong. Through content editing and passage selection, Heshang Gong Zhangju was transformed into a source for political discourses concerning self-cultivation and governance of a country. Additionally, the text constituted two aspects: First, self-cultivation that focused on suppressing sentiments and reducing desires. Second, governance of a country centring on acting non-purposively and according with the nature and situation of others. The two aspects shared a core concept that advocated tranquillity and eliminated annoyance and thus formed a structure that demonstrated an interplay between personal cultivation and state governance. Under this structure, the concept of "the sovereign takes as his own the cravings of the people" became a shared concern between Emperor Taizong and his officials. This concept formed a political ideal in the Zhenguan era. That is, "the way of a sovereign lies on the survival of his people".

Zhenguan Zhengyao embodied the influences of Qunshu Zhiyao Laozi on Emperor Taizong and his officials. Unified as one, the sovereign and officials in the Zhenguan era made practical use of the interpretation of Laozi and developed a new way of interpretation highlighting the importance of collective thinking. Such an approach made the concept of personal cultivation and state governance a political action fostering discussion, communication, admonition and policymaking and eventually shaped the political culture in Early Tang.

Keywords: Qunshu Zhiyao, Heshang Gong Zhangju, Wei Zheng, self-cultivation, governance of a country

一 前言

　　《群書治要》是魏徵（580-643）、虞世南（558-638）、褚亮（560-647）與蕭德言（558-654）所負責編撰，乃應唐太宗（598-649）「欲覽前王得失」的需求，[1]所進行的政治文化工程。「欲覽前王得失」的稽古資鑑是古代政治建構藍圖常用的方式，並不特別。《群書治要》的成就，在於它塑造了政治文化，[2]而成為當時君臣言論的共同論域和政治思維的方式。

　　對於《群書治要》的成書過程、編撰體例和設定的宗旨，魏徵有第一手的說明。據其《群書治要·序》所言：

> 故爰命臣等，採摭群書，翦截淫放，光昭訓典。聖思所存，務乎政術，綴敘大略，咸發神衷。雅致鈎深，規摹宏遠。網羅治體，事非一目。[3]

「採摭群書」即廣泛從五帝至晉為止的龐大典籍中選錄要籍，選錄結果計有經12部，史8部，子48部，總計68部著作。「翦截淫放」的手法，「淫」是過度修辭，敘述紛雜枝蔓；「放」是偏離主題，和政術無關；「翦」是刪除，「截」是截斷，即整段中只取部分文句。因此，「翦截淫放」是將過度華麗或枝蔓的文字裁去，或是刪除與政術無關的內容，截取部分文句以去蕪存菁，只留存達意的敘述。「網羅治體」乃力求全面搜集古人治國的綱領，「事非一目」指治體政術下的子目不侷限在某一方面，能展開治術的面向都加以囊括，主題式的消化各家思想。[4]魏徵在序言中敘述編撰方法，並扼要說明編纂宗旨，所選內容為治國理政的方略和途徑，是太宗所期盼得到的政治文化資本，即所謂的「政術」。

　　《群書治要》有可能改變原典的意義脈絡和論述的理路，調整成新的敘述和意旨。「翦截」有如《春秋》之筆削，典籍之或翦或裁，其中自有「政術」之理路可言，而「政術」的視野與文本的交融，形成再度詮釋的文本，也就可能是「以編代作」的新選

1　據《唐會要》所載：「貞觀五年九月二十七日，秘書監魏徵撰《群書理要》，上之。」文後有小注云：「太宗欲覽前王得失。……徵與虞世南、褚亮、蕭德言等始成凡五十卷。」見〔北宋〕王溥：《唐會要》（北京：中華書局，1955年），卷36，頁651。

2　「政治文化」依余英時（1930-2021）的釋義，大致是指政治思惟的方式和政治行動的風格。詳見氏著：《宋明理學與政治文化》（臺北：允晨文化，2004年），頁20-24。

3　〔唐〕魏徵等編撰，蕭祥劍點校：《群書治要（校訂本）》（北京：團結出版社，2015年），卷前序，頁6。為免繁複，以下引用本書，逕於文後標明頁數。

4　《群書治要三六〇》將《群書治要》概括為六條大綱，即君道、臣道、貴德、為政、敬慎、明辨，在每條大綱下，又歸納了《群書治要》論述的相關要點作為細目。參見馬來西亞漢學院編譯：《群書治要三六〇》（臺北：財團法人華藏淨宗弘化基金會，2018）。筆者的研究則將《群書治要》分成七大議題，即為君難、為臣不易、君臣共生、直言受諫、牧民、法制與戰兵。見林朝成：〈《群書治要》與貞觀之治——從君臣互動談起〉，《成大中文學報》67期（2019年12月），頁101-142。

本了。[5]研究《群書治要》選錄典籍的意涵，正是要透過細讀，將原典和羃截後的文本兩相對比，以呈現文本意義滑動或光照的面向，再置回「治要」的脈絡，觀察《群書治要》文本呈現的共同論域，如何貢獻於「治要」的政治實踐，如此就可以具體地說明選錄典籍的面貌和實踐動能。至於《群書治要》是否打開「政術」的共同論域和行動方針，其效果可在《貞觀政要》檢證。近來學者的研究指出，在吳兢（670-749）《貞觀政要》中，不論是為君的太宗，或者是魏徵、房玄齡（579-648）、王珪（570-639）等大臣，在表達治國理政的想法時，所引據的典籍之文本或觀念以極高的比例，互文於《群書治要》之中。[6]也就是說，彙集經、史、子典籍呈現多元子目結構的《群書治要》，與藉由君臣互動、對話來展現唐代政治思維的《貞觀政要》，兩者之間具有密切關係。這種關係就是形構共同論域，共享治國理政觀念的證明。

　　本文擬從《群書治要・序》所說明的羃截方法著手，以《老子》為群書範例，比對原典與《群書治要・老子》文本，以明魏徵等人如何將《老子》導向治國理政的目標，並重構《老子》成為《群書治要・老子》的文本，在治道上，做為共通的論域和觀念的資源；在君臣之間，成為共同思維、對話的依據。

二　《老子河上公章句》為底本的時代背景與編纂取向

（一）《老子河上公章句》作為底本的時代背景與選編者的視角

　　《群書治要・老子》所羃截的《老子》原本，是《河上公章句》的注本，[7]羃截後的文本選錄了「道經」2、3、5、9、12、17、19、22、23、24、25、26、27、28、29、30、31、33、37，共十九章，《老子》本文701字，注文1547字；於「德經」所選篇章為38、39、42、43、44、45、46、47、48、49、51、53、54、57、58、60、62、63、64、65、66、67、69、70、73、74、75、79、80、81，共選三十章，本文1367字，注文3339字。羃截後總計選錄四十九章，《老子》本文2068字，注文4886字。《群書治要・老子》對各章文本多屬截錄，極少選錄全章，對河上公注文雖有細微刪減，但大致是將所選文本的注文全部選錄，不作更動羃截，以呈顯原義。

　　在《群書治要》所選錄的六十八部典籍中，注文字數超過本文，甚至為本文二倍以

5　《群書治要》是「以編代作」的作品，論述詳見林朝成：〈《群書治要》與貞觀之治──從君臣互動談起〉，頁101-142；張瑞麟：〈轉舊為新：《群書治要》的編纂與意義〉，《文與哲》36期（2020年6月），頁81-134。本篇論文則以《群書治要・老子》的個案，試圖說明「以編代作」之詳情。

6　參見林朝成：〈《群書治要》與貞觀之治──從君臣互動談起〉，頁101-142。

7　本文所引《老子河上公章句》採用王卡點校：《老子道德經河上公章句》（北京：中華書局，1993年）的版本，簡稱《河上公章句》。以下引用該書時，為免繁複，逕於文後標明頁數。

上,《老子》是唯一的特例。細讀芻截後的文本,我們可以發現魏徵挑選文本的標準,是依據注文的觀點來決定是否選錄,注文主導了《老子》詮釋和意義的脈絡。《群書治要·老子》所取注文不是現今流傳最為廣泛的王弼(226-249)注,而是漢末時流傳的河上公注,何以唐初時魏徵等人編纂之《群書治要》所選為河上公本而非王弼本?可分別從《老子》的接受史、《老子》詮釋史、政治實踐的角度來觀察。唐代社會所流行之《老子》注本,即為河上公章句本,此可從開元七年(719)劉知幾(661-721)與司馬貞(679-732)之朝議論辯觀其梗概,據《唐會要》卷77載劉知幾言:

> 又今俗所行老子,是河上公注,……按《漢書藝文志》,注老子者三家,河上所釋,無聞焉爾,豈非注者欲神其事,故假造其說耶?其言鄙陋,其理乖詭,豈如王弼所著,義旨為優。必黜河上公,升王輔嗣,在於學者,實得其宜。[8]

劉氏認為當時俗世所傳之《老子》乃河上公注本,河上老人的傳說非真有其人,乃注者欲神其事的誇張說法,且所言多淺陋,相較於王弼注老,實不值推薦。從其言今需「黜河上公」、「升王輔嗣」可知,唐代社會在開元七年以前,實以河上公本為主流。

司馬貞不同意黜貶河上公本,提出河上本的價值,請求二注並行:

> 又注老子河上公,蓋憑虛立號,漢史實無其人,然其注以養神為宗,以無為為體,其辭近,其理宏,小足以修身絜誠,大可以寧人安國。且河上公雖曰注書,即文立教,皆旨詞明近用,斯可謂知言矣;王輔嗣雅善元談,頗深道要,窮神用於素篇,守靜默於元牝,其理暢,其旨微,在於元學,頗是所長。至若近人立徵,修身宏道,則河上為得。今望請王、河二注,令學者俱行。[9]

史家司馬貞以為河上公雖為虛設之名號,史無其人,但重點不在於作者,而是該書言說主題的價值。河注以養神為始,發揮「無為」之精神,辭淺而理宏,是以可依此而修身,亦可依此安邦定國。其書所以值得重視,在其書的義理和關涉的主題,流傳的原因更在於其敘述「即文立教,皆旨詞明近用」,詞明近用,表明其用語清晰,便於取用,具有更高的教化實踐的價值。王弼雅善玄學,故其注談理入微,二注各有所長,司馬貞期望能使二者並存,各取所需。由此二人的辯論,可知唐初時河上公注本盛行,除了唐初道教流行的緣由外,更在於《河上公章句》可作為修身治國的立教文本。

從《老子》注本的詮釋史來觀察,《河上公章句》乃東漢黃老學者的著作,[10]其注文的結構包含了三種領域:一為形上領域的「道—萬物—萬物存在」,二為治身領域

8　〔北宋〕王溥:《唐會要》,卷77,頁1406-1408。

9　〔北宋〕王溥:《唐會要》,卷77,頁1408-1409。

10　《河上公章句》的成書年代,頗多爭議。依陳麗桂的考證,《河上公章句》的成書上限為西漢末年,下限為東漢中期。參見氏著:《漢代道家思想》(臺北:五南圖書,2013年),頁230-233。

「君—自身精神—壽命」，三為治國領域「君—臣民—國政」，三個領域互相對應，形成黃老道家論述的特色。[11]而從《群書治要》編纂動機來考察，太宗的政治期待是務於「政術」，河本治國領域的明晰注解，相較於王弼本的談理入微，自更貼近於編選策略之需求。

對於《河上公章句》的定位，唐代學人有一致的看法。唐初陸德明（556-627）《經典釋文》評斷《河上公章句》時，明其主旨為「言治國治身之道」，[12]唐末杜光庭（850-933）敘述老子的眾多注本時，明確指稱「詮注解說六十餘家，言理國則嚴氏、河公，揚鑣自得。」[13]從唐代老學的視角出發，《河上公章句》做為理國之道或「治國治身」之道的注書，眾所承認。我們從《群書治要‧老子》的文本來分析，確實集中反應了這個現象。《群書治要》是對太宗負責的選編群書的工作，其第一讀者正是太宗本人，因此所選編的《老子》四十九章中，有二十六章是以君王為主角的論述。《河上公章句》原文中，出現「聖人」一詞時，皆可詮釋為君王，這樣的詮解計有〈養身〉第二、〈安民〉第三、〈虛用〉第五、〈益謙〉第二十二、〈巧用〉第二十七、〈鑒遠〉第四十七、〈任德〉第四十九、〈任契〉第七十九、〈獨立〉第八十、〈顯質〉第八十一，共十章。

至於主詞非聖人，或是普遍抽象的命題，河注判其主詞為國君者，所在多有。〈重德〉第二十九，《老子》原文「重為輕根」，《河上公章句》解為「人君不重則不尊，治身不重則失神，草木之花葉輕故零落，根重故長存也。」（頁815）以「人君」為主詞詮注之。〈論德〉第三十八，《老子》原文「上德不德」，河注「上德謂太古無名號之君，德大無上，故言上德也。不德者，言其不以德教民，因循自然，養人性命，其德不見，顧言不德也。」（頁819）將「上德」解為太上無名號之君，將「不德」解為「不以德教民」。因此，在《群書治要‧老子》所選錄之文本，皆可轉化為「治要」之文本，形上的文本亦轉為政治的文本。

（二）《老子河上公章句》如何回應初唐的政治處境

《老子》如何作為政治實踐可以參資引述的文本？首先面對的問題便是如何適應漢唐帝國的處境。《老子》八十章言「小國寡民」，這是《老子》社會思想的表述，《群書治要‧老子》截錄如下：

11 參見林明照：〈《老子河上公章句》治身與治國關係之思辯模式析論〉，《國立政治大學哲學學報》32 期（2014年07月），頁129-169。

12 〔唐〕陸德明：《經典釋文》（上海：上海古籍出版社，1985年），卷25，頁1393。

13 〔唐〕杜光庭：〈敘經大意解疏序引〉，《道德真經廣聖義》，收入〔明〕張宇初等編纂：《道藏》第14 冊（北京：文物出版社、上海：上海出店、天津：天津古籍出版社，1988年，據原上海涵芬樓影印本為底本，以上海圖書館藏上海白雲觀舊藏本補缺），卷1，頁310。

> 小國寡民，使民重死，而不遠徙。雖有舟輿，無所乘之。雖有甲兵，無所陳之。
> 甘其食，美其衣，安其居，樂其俗。鄰國相望，雞狗之聲相聞，民至老死，不相
> 往來。（頁828-829）

從字面上看，本章易於聯想到原始社會的烏托邦，近於遠古社會模式的理想藍圖。就
《老子》的應用詮釋而言，難於運用到漢唐大帝國的社會，以作為帝國政治社會情境的
借鏡。歷來注家對本章多有岐解，文本和注文不能相合，甚至背離原文，自成一路，這
多是考慮文本應用於時代脈絡所生的旁解。西漢後期的老學家嚴遵（？-？）《老子指
歸》，於治國理政有所得，我們可舉其著作觀其詮注的內容，再對比和河注並行的王弼
注，我們大致可以到觀察到該章注文的理解困境。

　　嚴遵的注文深刻理解戰國時期小國的危境，無足輕重的小國要生存下來非常不容
易，因此治國者是要有所作為：

> 是以，小國之君，地狹民少，德薄權輕，……無有丘阜之阻，江河之險，鄰國之
> 親，孤特獨處，存乎大國之間，……將相不附，百姓輕往，鄰人重求，故……常
> 處乎累卵之危。然則伐之不足以為暴，德之不足以為多，……是以，聖人之治小
> 國也，轉禍為福，因危為寧。富以舟輿，實以甲兵。器械便利，衣食有餘。牛馬
> 蕃息，畜積充滿。……庖廚不飾。絕身滅色，身為之式。……不厚其服。務以便
> 生，不為口腹。賦鮮徭寡，……當此之時，……安土樂生，故死於巖穴。……家
> 有舟輿，無所運乘。戶有甲兵，無所施力。[14]

嚴遵並非逐句作解，而是整章加以詮釋，明其歸趣。嚴遵注解時，心中有一個隱藏的文
本，就是面對小國的危境時，人君應如何作為。他看本章句是二層的，一為文本未說的
國君視野，一為文本已說的治理境界。小國的國君，需絕身滅色，去除身色情欲，以身
作則，滿足民生經濟的需求，使民安土樂生；戶有甲兵，維持兵力以自保，這是小國的
治國之道。《老子》原文所描述的現象成為治國的藍圖和成效，而不是家園的烏托邦。
嚴遵之人主，民得衣食有餘，人主則不厚其服；民得甘其食，人主則不為口腹之欲，得
減賦省役。人主得建立甲兵的堅實軍力，但只為防禦阻卻戰爭。嚴遵引申論述，不甚合
《老子》表面的文句，他視本章為國君治國，轉危為安所呈現的治道。問題是嚴遵扣緊
的脈絡視「小國寡民」，對於「大國眾民」的帝國，就難以提供參資思辨的功用。

　　王弼注本對本章句不甚重視，以其玄思，在《群書治要‧老子》的文本中，只在「小
國寡民」下注「國既小，民又寡，尚可使反古，況國大民眾乎！故舉小國而言也。」[15]

---

14 〔西漢〕嚴遵著，王德有點校：《老子指歸》（北京：中華書局，2009年），頁127。

15 〔魏〕王弼等注：〈王弼老子注〉，《老子四種》（臺北：國立臺灣大學出版中心，2018年），頁66。

於「民至老死不相往來」下注「無所欲求。」[16]旨約而難解。依文意，小國寡民難以反古，國大民眾則易。小國寡民尚可使反古，那麼舉難以明易，大國眾民反古之道如視諸掌上，應可清楚明白。王弼注為了和大國的治理有個關聯，編造出「舉小國而言也」的說解。遠古社會距離老子「小國寡民」的藍圖應是較為接近的，為何「國大民眾」反而更容易返回遠古社會呢？這個注解不知要轉幾層，才能有個確解，所以筆者判斷這是王弼注的敗筆，治國之道並非玄論可解，其論述亦非王弼所長，強作注解，便難自圓其說，以太宗「務乎政術」的要求，自難作為選材的依據。

《河上公章句》則對此章有切和於「政術」的詮釋，茲將《群書治要‧老子》所取注文綴述如下：

> 聖人雖治大國，猶以為小，儉約不奢泰，民雖眾，猶若寡乏，不敢勞也。君能為人興利除害，各得其所，則民重死而貪生也。政令不煩，則民安其業，故不遠遷，離其常處也。清靜無為，不好出入。無怨惡於天下。甘其蔬食，不漁食百姓也。美其惡衣，不貴五色。安其茅茨，不好文飾之屋。樂其質樸之俗。相去近也。無情欲也。（頁303-304）

注文主詞的聖人即君王，所以此處論述的是君王治理之道。「小國寡民」是譬喻的用法，用以表示觀看的心態和治理的方法，而不是用以表示理想的社會。治理大國取法「小國寡民」的模式，因資源和人民始終是有限的、匱乏的。因此，即使是治理大國，亦需「儉約不奢泰」、「不敢勞民」。這兩句是前提條件，在這兩個條件下，國君興利除害，使百姓各得其安所，當人民求生的本能和生活的安頓得到滿足，國君不侵擾漁食百姓，人民便會展現其貪生重死的本性。也就是說，貪生重死是人民最直接的生命態度，若國君治理不善，「民不畏死」便是政治為惡的人為災難。

「政令不煩」其效果是「民安其業，不遠遷徙，離其常處」。「清淨無為，不好出入」這句注語，主詞是人君，是人君該自守的指導原則。以「無怨惡於天下」解釋「雖有甲兵，無所陳之」，說明甲兵只是保衛的措施，天下無怨便沒有甲兵施展的場所。「甘其蔬食」、「美其惡衣」、「安其茅茨」都是人君不縱欲、不貪欲的作為，故人民情欲亦順受其化，無肆放淫縱，如此便能成就理想的社會。整段注文呈現治國治身的路徑。關鍵詞「儉約不奢泰」、「不敢勞民」、「政令不煩」、「清靜無為」、「質樸之俗」等，都在《老子》文本的政治詮釋下，構成了治大國之道，而其論述乃能切合唐帝國的實境。

透過《老子》八十章注文的解析，能夠明白注文具有引導正文理解的詮釋模式，在這個模式下注文才是代表性的文本，而《河上公章句》的「政術」取向，經由嚴遵注與王弼注的明顯對比，不單單僅是彰顯其特色，更能清楚描繪《群書治要》編纂取向的抉擇。

---

16 〔魏〕王弼等注：〈王弼老子注〉，《老子四種》，頁66。

貞觀之治所以形成一治國之典範，在後代人的認知中，直取「任賢」、「納諫」為達成太宗治績的主因，如宋朝曾肇（1047-1107）奏議所云：

> 太宗貞觀之治，論者以謂庶幾成、康，自漢以下莫及焉。雖聰明英武，出自天資，然其要乃在於廣延賢智，博考古今，容受直言，從諫不倦。[17]

「廣延賢智」是任賢用人，「「博考古今」是取資經、史、子傳統文化典籍，「容受直言，從諫不倦」是受言納諫，曾肇所言，也是貞觀君臣治國的共識，為時代的課題。《老子》主張「不尚賢」，和唐初的氛圍頗有違和，歷來注家也少有主張《老子》有尚賢文句。但在《河上公章句》中的〈法本〉第三十九，解讀《老子》本文「故貴必以賤為本」時，河注的說明是「言侯王當屈己下人，汲汲求賢，不可但欲貴高於人」（頁156）。河注為求賢、任賢提供了文證典據，因此任賢的時代課題不構成《老子》的難題，此為《河上公章句》可以回應政治實踐的明證。

三 《群書治要・老子》對《老子河上公章句》的芻截

釐清《群書治要・老子》選擇河上公注本的背景和緣由後，我們得探討從《河上公章句》到《群書治要・老子》芻截成書的文本，這中間究竟經過何種觀念的變動，影響了《老子》政術的面貌和取鑑的應用。《群書治要》是「以編代作」的作品，要理解魏徵等人賦予《老子》的意蘊，唯有掌握「芻」、「截」的手法，還原被裁芻的主題，才能洞悉《群書治要・老子》實際資鑑的狀況。筆者比對《群書治要・老子》和《河上公章句》的內容後，總結其中呈現的「六不選」現象，[18]這「六不選」正是《群書治要》凸顯「要旨」的方法，故需加以考察。

一不選，不選錄形而上的道論。道論為《老子》形上道體的描述，為道家開創形上學的論述傳統。《群書治要》不選〈體道〉第一、〈贊玄〉第十四、〈虛心〉第二十一、〈象元〉第二十五等篇章。舉凡描述道體之不可名狀、無可限量、無所限定、非經驗世界的文句，諸如「無狀之狀」（頁53）、「無物之象」（頁54）、「先天地生」（頁101）等，皆被刪除，視為無關「政術」之作。

二不選，不選錄宇宙生化論。凡言「道」為萬物之母，由道生化萬物，闡釋道為萬

---

17 〔北宋〕曾肇：〈乞觀《貞觀政要》陸贄奏議奏〉，收入曾棗莊、劉琳主編：《全宋文》第66冊（上海：上海辭書書版社，2006年），頁110。

18 「六不選」受李聖俊〈《群書治要》所錄《老子》與唐初治國方略之關係〉一文啟發，李聖俊言《群書治要》對《老子》不選錄者有五個面向，筆者全面比對、梳理文本，提出「六不選」的現象。參李聖俊：〈《群書治要》所錄《老子》與唐初治國方略之關係〉，發表於「第三屆《群書治要》學術研討會」，國立成功大學中文系主辦，2021年11月05日。

物之源的論述，皆不選。《群書治要》刪除〈無源〉第四、截刪〈道化〉第四十二、刪除〈歸元〉第五十二等篇章。凡「道生一」（頁168）、「道生之」（頁196）、「淵乎似萬物之宗」（頁14）等宇宙生化論之篇章，被視為宇宙之玄思，與「治體」無關。

三不選，不選錄涉及道之運行規律的論述。《老子》言道之運行為「反」，〈去用〉第四十「反者道之動，弱者道之用」為最基本的規定，河注「反，本也」（頁161），義為返回道之本體。「反」另有轉化至對立面，相反循環之義。〈微明〉第三十六「將欲歙之，必固張之；將欲弱之，必固強之；將欲廢之，必固興之；將欲奪之，必固與之，是謂微明」（頁141-142），或〈天道〉第七十七「天之道，其猶張弓乎？高者抑之，下者舉之，有餘者損之，不足者補之」（頁294），這些篇章皆被刪除。魏徵等人或許顧慮這些章句指意不明，容易流為陰謀，失去政治忠信的原則，因此皆不取用。

四不選，不選絕聖棄智、絕仁棄義、絕學無憂等牴觸儒家根本思想的篇章。魏徵等人頗有幾分黃老道家之思惟，故採河上公注本。而黃老道家採儒墨之善，並不排斥儒家，反而融合儒家思想，共構治術之一環。在這樣的編纂宗旨下，〈俗薄〉第十八「大道廢，有仁義；智慧出，有大偽」（頁73）、〈異俗〉第二十「絕學，無憂。唯之與阿，相去幾何？」（頁79）、〈論德〉第三十八「失道而後德，失德而後仁，失仁而後義，失義而後禮。夫禮者，忠信之薄，而亂之首」（頁149-150）不取。〈還淳〉第十九「絕聖棄智，民利百倍；絕仁棄義，民復孝慈」（頁75-76）、〈忘知〉第四十八「為學日益，為道日損」（頁186）遭截除。由於以上篇章皆易生歧義，明顯與儒家價值觀相違。在河注的詮解下，仍不足以消解疑慮，因此遭到刪除。五不選，不選虛心實腹、致虛守靜等修養功夫。修養功夫為《老子》道論的一環，透過修養功夫，以體證修道之身心效用，並觀照宇宙之生機，透過觀復和協同的作用，以歸向其根源。〈安民〉第三「虛其心，實其腹，弱其志，強其骨」（頁11）在《群書治要》中被截除，〈能為〉第十「載營魄。抱一，能無離，專氣致柔，能嬰兒」（頁34）、〈歸根〉第十六「至虛極，守靜篤，萬物並作，吾以觀其復。夫物芸芸，各復歸其根」（頁62）則被刪除。被刪除或截除之章句，乃《老子》工夫論之核心，為何會被刪除？依《群書治要・序》來推測，屬和治道無直接相關之內容，故不取。對「治身」偏取政治意涵和效應，這將在底下章節進一步說明之。

六不選，不選治身養氣、長生久壽之篇章。《河上公章句》側重「長生之道」，治身養生當愛養精氣，根據河注所言，判定一個人是生、是死、是存、是亡，其所依據的就是「精神」。精為氣之聚，神為五臟之神，存養精神以保持內在精神靈明，是愛養精神的終極。河注特別注重治身養生，使道家重視精神心靈的養生觀，終轉變為道教求仙壽不死的長生說，[19]如〈成象〉第六注曰：「人能養神則不死，神謂五藏之神。」（頁21）

---

19 陳麗桂言：「形神兼顧的黃老精氣養生論，和《老子》的原旨與重點有相當大的差距。到了東漢，經過《河上公章句》《太平經》、《老子想爾注》等養生家與宗教家的推闡與過渡，直到魏晉神仙家葛洪的《抱朴子》裏，表面上看來，這些著述對於「精神」的推崇力度似乎不會稍減，但對形身調養的

〈能為〉第十注曰:「言人能抱一,使不離於身,則長存。一者,道始所生,太和之精氣也。」(頁34)、〈仁德〉第三十五注曰:「用道治國,則國富民昌,治身則壽命延長,無有既盡時也」(頁140)人能養神則不死,抱一可長存,壽命延長而無有盡時。由此可見《河上公章句》中,對治身的重視,甚至不下於治國。因而注文常在治國的語脈下,插入治身的論述,以成「治國—治身」的相應結構。但《群書治要》編纂主旨既以治要為主,養生以長生不死的部分就被捨棄了,故不止上引三章完全不在《群書治要·老子》的編選範圍內,其他有關益壽延年的部分,也大量地被割捨。例如河注〈反朴〉第二十八,此章雖被選錄至《群書治要·老子》中,但注文的「德不差忒,則長生久壽」(頁114)就被裁刪。又如〈修觀〉第五十四,《群書治要·老子》取了《老子》本文「脩之於身,其德乃真」,注文部分則取「脩道於身,愛氣養神。其德如是,乃為真人」(頁823),但此處注文本有「益壽延年」四字(頁207),卻被魏徵等人刪除。魏徵等大臣翦截的手法也可與唐太宗言行相印證,《貞觀政要》記載太宗曾謂侍臣曰:

> 神仙事本是虛妄,空有其名。秦始皇非分愛好,為方士所詐,乃遣童男童女數千人,隨其入海求神仙。方士避秦苛虐,因留不歸,始皇猶海側踟躕以待之,還至沙丘而死。漢武帝為求神仙,乃將女嫁道術之人,事既無驗,便行誅戮。據此二事,神仙不煩妄求也。(頁332)

太宗批評秦始皇與漢武帝為求長生不死等虛妄之事,受方士所欺,又大加誅戮,終無所驗。是以我們由此可知,批判長生不死乃太宗與魏徵諸臣的共識,《群書治要·老子》並非將河注核心思想的文本皆加以節錄,此中還蘊含了魏徵等人的擇取意圖,反映出唐初思想的一個側面。在《老子》八十一章中,《群書治要·老子》擷取四十九章,刪除部分本文與注文的方式,進而形塑出《群書治要·老子》特有的思想面貌,讓文本聚焦在魏徵等人所關注的議題上。至於在經過六不選的翦截之後,共2068字的《老子》本文及4886字的河上公注文,這近七千字的選本是否構成新文本,呈現新的結構呢?答案應該是肯定的,這有待下一節仔細探討。

四 《群書治要·老子》對《老子河上公章句》的重構

唐代學人認為《河上公章句》的主旨是「治國治身之道」,進一步說,唐代老學正是

重視程度實際上一直在增強。最終,通過宗教長生不老修煉目標的提出,「形身」的重要性被推崇到了極致。而這一切,正是從黃老的形、神兼治過渡過去的。」見陳麗桂:《《老子》異文與黃老要論》(臺北:五南圖書出版股份有限公司,2020年),頁239-240。另參見陳麗桂:〈道家養生觀在漢代的演變與轉化——以《淮南子》、《老子指歸》、《老子河上公章句》、《老子想爾注》為核心〉,《國文學報》39期(2006年06月),頁35-80。

聚焦在治國治身論，方成就了唐代老學的特色。[20]在《河上公章句》的注文中，治國治身並提的有三十一例，先言治國後言治身的有九例，先言治身後言治國的有二十二例，其主旨乃在治國治身一理並重，甚至呈現由治國側向治身，強調治身為本的趨勢。[21]本文對《群書治要‧老子》對《河上公章句》的重構，以「治身治國」論為主軸，羅列相關的文本，分析其要旨和相應的治術，應是合乎唐初老學的理解方式。

《群書治要‧老子》言治國治身的文例，茲依序羅列於下，以便分析討論：

表一　《群書治要‧老子》治國治身文例

編號	《老子》原章次	《河上公章句》篇名	《老子》原文	《河上公章句》注文	頁碼
1	3	〈安民〉	聖人之治。	謂聖人治國，猶治身也。	813
2	43	〈偏用〉	無為之益。	法道無為，治身則有益精神，治國則有益萬民，不勞煩。	821
3			天下希及之。	天下，謂人主也。希有能及，道無為之治。無為之治，治身、治國也。	821
4	44	〈立戒〉	可以長久。	人能知止足，則福祿在已。治身者，神不勞；治國者，人不擾，故可長久也。	821
5	64	〈守微〉	其安易持。	治身、治國，安靜者易守持也。	825
6			治之於未亂。	治身治國於未亂之時，當豫閉其門也。	825
7	65	〈淳德〉	古之善為道者。	說古之善以道治身及治國者。	826
8	74	〈制惑〉	民不畏死。	治國者刑罰酷深，民不聊生，故不畏死也；治身者嗜欲傷神，貪財殺身，民不知畏之也。	827

表列中的八則注文，比對原文，和原文字面意義並不相涉，是注者的詮釋衍伸出來的治身治國一體的理路。「聖人之治」原文明顯可見其論治國，《河上公章句》卻解為「謂聖

---

20 唐代老學不論是以河上公為尚，還是以王弼為高，其發展的主軸不約而同都趨向治身治國一體的論題。參見董思林：《唐代老學：重玄思辨中的理身理國之道》（北京：中國社會科學出版社，2002年）。

21 參見陳麗桂：《漢代道家思想》，頁235-268。文中治國治身並論，依二十二例製表。

人治國，猶治身也」將注者的關注層面和注者認為《老子》應該蘊含的意義，灌入注文的脈絡中。「可以長久」，注文「人能知止足，則福祿在已」，已切中原旨。注者又衍生「治身者，神不勞；治國者，人不擾，故可長久也」，這顯然是注者整體融會後，拈出主旨，給予「可以長久」的政治治理架構的說明。「治之於未亂」、「古之善者為道者」原文的脈絡皆論治國，注者以為不足以說明問題之根源，故治身治國並論。「無為之益」、「天下希及之」原文只是抽象地說明「無為」之效益，注者明確指出其所指涉的是「治身治國」的範疇。「民不畏死」原文談的是治國之事，注文「治國者刑罰酷深，民不聊生，故不畏死也」已可說明文意。注者轉加「治身者嗜欲傷神，貪財殺身，民不知畏之也。」治身者的主詞應是「治國者」，治國者嗜欲旺而傷精神，如此的身心狀態，蒙蔽了理性和生存的認知，貪欲氾濫，雖有殺身之禍卻不知畏懼。注者或認為需追加「治身者」的論述，才能完整解釋不知畏懼的緣由。民不知畏懼，即使是嚴刑峻罰，也難以威攝百姓，達到良善的治理。

歸納這八則文句，原文指涉範圍皆言治國之事，注者皆詮為「治身治國」之事，治身治國一體而論，打開了注者的詮釋視角。因此，原文就在注文的光照和引導下，讀者的理解，也順著注文的脈絡，依著注者的版本解讀，突出了治身治國並行的對應結構。「無為之治，治身治國也」、「法道無為，治身則有益精神，治國則有益萬民，不勞煩」，治身治國一理相通，無為之治也。然《群書治要・老子》不取治身之修養論，也不取治身養氣、長生久壽之篇章，則治身在哪一個側面言治身之意涵？茲將《群書治要・老子》言治身之文例，依序羅列於下，以便分析治身之內涵：

表二　《群書治要・老子》治身文例

編號	《老子》原章次	《河上公章句》篇名	《老子》原文	《河上公章句》注文	頁碼
1	9	〈運夷〉	金玉滿堂，莫之能守。	嗜欲傷神，財多累身。	814
2	12	〈檢欲〉	難得之貨，令人行妨。	妨，傷也。難得之貨謂金銀珠玉，心貪意欲，則行傷身辱也。	814
3	29	〈無為〉	是以聖人去甚、去奢、去泰。	甚謂貪淫聲色也，奢謂服飾飲食也。泰謂宮室臺樹也。去此三者，處中和，行無為，則天下自化。	817
4	33	〈辯德〉	自勝者強。	人能自勝己情欲，則天下無有能與己爭者，故為強也。	818

編號	《老子》原章次	《河上公章句》篇名	《老子》原文	《河上公章句》注文	頁碼
5	44	〈立戒〉	知足不辱。	知足之人，絕利去欲，不辱於身也。	821
6			知止不殆。	知可止則止，則利不累於身心，聲色不亂於耳目，則終身不危殆。	821
7	46	〈檢欲〉	罪莫大於可欲。	好淫色也。	822
8			咎莫大於欲得。	欲得人物，利且貪。	822
9	74	〈制惑〉	民不畏死。	治身者嗜欲傷神，貪財殺身，不知畏之。	827
10	75	〈貪損〉	奈何以死懼之。	人君不寬其刑罰，教人去情欲，奈何設刑罰，以死懼之。	828

「嗜欲」、「情欲」所指涉的內涵為何？考察〈無為〉第二十九及〈檢欲〉第四十六的注文，其所指主要是「貪」，「貪」為「情欲」、「嗜欲」之首，貪的對象和目標則是：（1）甚，貪淫聲色；[22] 奢，服飾飲食；泰，宮室臺榭。（2）財，難得之貨，即金銀珠寶。（3）利。貪的後果則是傷神、傷身。《河上公章句》以身體生命所受累身之患，如精神散亡、精神失明、躁動不安等危害，來說明傷神、傷身。據河注的觀點，身心不離，兩者交感生發，所以傷身、傷神雖有所偏重，但傷身可引申傷神，傷神也可引伸傷生，所以有時同言「身心」，如「知可止則止，則利不累於身心」便是身心合論，「行傷身辱」則是就交相引申的效應來論。所以「治身」，其實可以引申為「治身心」之說。而對治「嗜欲」、「情欲」的方式，則是「絕」、「去」，杜絕去除。諸如「去甚、去奢」、去泰」、「絕利去欲」、「教民去情欲」，皆是對於「絕」、「去」的說明。

《群書治要‧老子》排除了河注「精氣養生」的進路，而是偏重於和「治術」相關的另一進路。耙梳《群書治要‧老子》文本，我們可以分為「情欲初萌擾動時」、「情欲強烈激化時」、「情欲未有滿足時」以上三種情況來分析。

（一）情欲初萌擾動時

情欲初萌時，易於破除導正。這種狀況的描述，見於〈守持〉第六十四。《老子》正文「其安易持，其未兆易謀，其脆易破，其微易散，為之於未有，治之於未亂」（頁825），並未言及敘述的脈絡，而是一般性的論述。河注卻將此視為論述情欲之作，而情

---

22 《老子》第四十六章有「可欲」一詞，河注解為「好淫色」，可包括在「甚」的範圍。

欲關係到治身治國，注文中先論治身，後論治國：

> 情欲禍患，未有形兆時，易謀正。禍亂未動於朝，情欲未見於色，如脆弱易破除
> 也。其未彰著，微小，易散去也。欲有所為，當以未有萌芽之時，塞其端也。治
> 身，治國於未亂之時，當豫閉其門也。（頁825）

對治情欲禍患尚未有徵兆時，應堵塞它的端倪（治身），關閉禍亂之門（治國），而歸於安靜的本性和無為的事態。〈立戒〉第四十四注云：「治身者神不勞，不勞則安寧去欲。」（頁816）這是就「不勞」言治身治國之成效。情欲未萌，對治它時容易矯正破除，所以察覺情欲未萌時，要在安靜的心態下把握它，這是訴諸於「聖人欲質樸」（頁825）、「好安靜」（頁814）的本性。

（二）情欲強烈激化時

情欲熾烈激化的情境，是《河上公章句》論述的一般狀況，前文所列表二治身文例，皆是此情境的脈絡發言。其對治的方法，是「去」、「絕」，杜絕去除，也就是抑情損欲。若就國君而言，人生情欲強烈，往往可以假借其權力，滿足所欲為，其後果常是傷害人民，甚至失去了政權。《群書治要‧老子》錄〈益證〉第五十三所言：

> 大道甚夷，而民好徑。朝甚除，田甚蕪，倉甚虛。服文采，帶利劍，厭飲食，財
> 貨有餘，是謂盜夸，非道也哉。（頁823）

《河上公章句》注云：

> 夷，平易也。徑，邪不平也。大道甚平易，而人好從邪，不平正。高臺榭，宮室
> 脩。農事廢，不耕治。五穀傷害，國無儲也。好飾偽，貴外華。尚剛強，武且
> 奢。多嗜欲，無足時。百姓不足，而君有餘者，是猶劫盜以為服飾，持行夸人，
> 不知身死家破，親戚并隨之也。人君所行如是，此非道也。（頁823）

比對《河上公章句》〈益證〉第五十三章和〈無為〉第二十九的注文，正好相應合。去甚、去奢、去泰是針對人君來說的，〈益證〉言人君甚、奢、泰的情狀，導致人民「農事廢，不耕治」、「百姓不足」、「不知身死家破，親戚并隨之也」的慘狀。人君如是作為，如同強盜偷來衣服，穿在身上遊行來誇耀，這是不合乎「道」的，《老子》給予嚴厲的批判，謂之「盜夸」。人君情欲、嗜欲導致的後果，關係到人民之生活、經濟、財產和生命，所以《群書治要‧老子》便以之為主要論據。導入「去」、「絕」的方法，以保障人民的安居樂業，這是治身的政治詮釋，也是防止國君結合強烈的情欲和己身的權力，而侵害人民、侵害政權的正當性。

（三）情欲未有滿足時

情欲未滿足時，需知足。若不能知足，易生驕矜之心，反生危殆，不能長久。〈立戒〉第四十四對《老子》原文「知足不辱，知止不殆，可以長久」（頁821），做出進一步的詮釋和提醒：

> 知足之人，絕利去欲，不辱於身也。知可止則止，財利不累於身，聲色不亂於耳目，則終身不危殆。人能知止足，則福祿在己，治身者神不勞，治國者人不擾，故可長久也。（頁821）

知足、知止，則財、利、聲色不會變成累贅，困擾耳目。當欲望不斷發動擾亂，終使身心勞累，不得安靜，不得享福，不可長久。不知止，情欲縱有滿足也未有停止之時，情欲需求所得愈多，所耗費精神愈大，或有所得，將生驕矜之心，反生禍患。《群書治要・老子》警惕驕矜之禍，有如下的警語：

表三　《群書治要・老子》警惕文例

編號	《老子》原章次	《河上公章句》篇名	《老子》原文	《河上公章句》注文	頁碼
1	9	〈運夷〉	富貴而驕，還自遺咎。	夫富當振貧，貴當憐賤，而反驕恣，必被禍患也。	814
2	22	〈益謙〉	不自矜，故長。	聖人不自貴大，故能長久不危也。	815
3	24	〈苦恩〉	自矜者，不長。	好自矜者，不以久長。	815
4	30	〈儉武〉	果而勿矜。	當果敢謙卑，勿自矜大。	817
5			果而勿驕。	驕，欺。勿以驕欺也。	817
6	45	〈洪德〉	大盈若衝。	謂到德盈滿之君也。如衝者，貴不敢驕，富不敢奢也。	822
7	58	〈順化〉	福兮，禍之所伏。	禍伏匿於福中，人得福而為驕恣，則福去禍來。	824

富貴之人，或貴為人君，當振貧憐賤，若自不滿足，自恃自誇，驕縱恣肆，終不能長久，福去禍來。矜驕是富貴症候群，對治的方法是知足知止，或抱持謙卑的態度，如江海大河，處謙下虛和。河注提示「當果敢謙卑」（頁817），以行動去除驕矜心態。此三類狀態的治身之道，其對治之法皆是原則性的表述，而無操作方法或修養工夫的論說，在應用「治身」概念於具體情境時，便有引申、再詮釋的判斷空間。

　　《群書治要・老子》有言:「治天下常當以無事,不敢勞煩民也。及其好有事,則政教煩,民不安,故不足以治天下。」(頁823)其言治國,側重在「民不擾」、「不勞煩」、「有益萬民」,可以長久的「為無為」。不擾民即使民安靜的政策,這在〈居位〉第六十「治大國若烹小鮮」,有清楚生動的譬喻,《群書治要・老子》截取河注文句:「鮮,魚也。烹小魚,不敢擾,恐其糜也。治國煩則下亂,治身煩則精去也。」(頁824)以烹飪小魚為例,不敢翻動,恐怕糜爛了。治國的政策也是如此,清簡不繁,不以政策法令擾民,即無為之治國。無為之治國,採取的必然是寬政,《老子・順化》第五十八原文「其政悶悶,其民醇醇;其政察察,其民缺缺」(頁824),《群書治要》全選《河上公章句》注文:「其政教寬大,悶悶昧昧,似若不明也。政教寬大,故民醇醇富厚,相親睦也。」(頁824)本章的政策取向,和無為治國是一致的。若從「治身」的角度來考察,有益精神的治身,神不勞的治身,其政治成效也正是不擾民。

　　治國者為無為,在黃老的思想脈絡中,即以因循來詮解。司馬談〈論六家要旨〉界定黃老「道家」之術為「以虛無為本,以因循為用」,[23]《河上公章句》即順著黃老核心精神,以「因循為用」詮釋《老子》之無為。茲將《群書治要・老子》論因循的章句羅列於下:

表四　《群書治要・老子》論因循文例

編號	《老子》原章次	《河上公章句》篇名	《老子》原文	《河上公章句》注文	頁碼
1	3	〈安民〉	為無為,則無不治。	不造作,動因循。德化厚,百姓安。	813
2	38	〈論德〉	上德不德。	上德謂太古無名號之君,德大無名,故言上德也。因循自然,養人性命,其德不見,故言不德也。	819
3	49	〈任德〉	聖人無常心,以百姓心為心。	聖人重改更,貴因循,若自無心也。百姓心之所便,因而從之。	823
4	64	〈守微〉	以輔萬物之自然,而不敢為焉。	教人反本實者,欲以輔萬物然之性也。聖人動作因循,不敢有所造為,恐遠本。	826

23　〔劉宋〕裴駰集解,〔唐〕司馬貞索隱,〔唐〕張守節正義:《史記集解》(臺北:藝文印書館,2005年,據乾隆武英殿刊本影印),頁1350。

黃老思想以「因循」為操作原則，「因時」、「因物」、「因」一切該「因」的條件與事物，行事故能理想而有效。[24]黃老道家轉化《老子》「自然」之本旨，提煉出「因」與「時」的義理，以為解釋「自然」的效度。《群書治要‧老子》的選錄，其主旨則有異於此，並不重視「時」的要素，反而拈出「因」的對象為「百姓心」的意旨。

〈安民〉、〈論德〉言「因循」的一般義。「因循」是行事所循的原則，因循自然，無所造作，故對人、物，皆無恩無德可述，也不執著依恃為己之功、己之德，故人、物皆依其本性，自發自為，此乃所謂的「德化厚」、「養人性命」的真實義。〈守微〉則以「動因循」為道之動的原則，教人反本。反本，即以非主導性的行事，輔助萬物自然之性的自發呈現，是消極的「不敢有所造為」，不外加不適當的作為以致妄作，由此作用地保全萬物之自性的發露。〈任德〉則從因循的對象著眼，因循之所緣即「百姓心」。《老子》本文並無「因循」的字義，也未將「無為」和「百姓心」接連起來，一併思考，全文的重點在於達成「百姓皆注其耳目，聖人皆孩之」，也就是百姓自為，各用聰明，聖人皆使和而無欲。《群書治要‧老子》截刪「百姓皆注其耳目，聖人皆孩之」的文句，使本章的重點集中在「貴因循」，「因循」在政治領域的「用」，顯題化地標示出來。河注詮解〈任德〉一章對治國的核心意涵，全章注文皆出自正面的表述。《群書治要‧老子》所截取注文，則明白直指聖人貴因循，是因循百姓心，言「百姓心之所便，因而從之」。聖人無心，不存成見、先見，也不以己之情欲指導、限制或濫用百姓之情欲性向，只是主觀地讓開一步，讓百姓之好惡隨其所便，表現出來。又言「百姓為善，聖人因而善之；百姓為惡，聖人化之使善」（頁823），依循人心事理，百姓之善惡可各自有其用，也就不用壓抑百姓之性情，促使其在威權下表現統一的行為取向，成為虛假的和諧面貌。隨順對象，以百姓心為心，是治國之一大原則，在此原則下，達成無為不擾民的結果。

從文本的角度著眼，我們可以面對儒家倫理如何被《群書治要‧老子》融會取用的問題。《群書治要》不選絕聖棄智、絕仁棄義、絕學無憂等牴觸儒家思想的篇章，偶亦添入某些儒家德目與思維，如忠孝、忠信等德目。從黃老之學本有「採儒墨之善」的特質，《河上公章句》有這些德目的詮解，有其思想脈絡可說。但就《群書治要‧老子》本身治身治國的架構，是否有其內在的理路和義理？為了說明《群書治要》儒道共同對話的德目內涵，我們略為疏理出現的儒家德目篇章：

24　參見陳麗桂：〈齊文化與黃老的核心精神〉，收入《《老子》異文與黃老要論》，頁243。

表五　《群書治要‧老子》儒家德目文例

編號	《老子》原章次	《河上公章句》篇名	《老子》原文	《河上公章句》注文	頁碼
1	5	〈虛用〉	聖人不仁。	聖人愛養萬物，不以仁恩，法添地，行自然。	813
2	38	〈論德〉	處其實。	處忠信也。	820
3	54	〈修觀〉	修之於國，其德乃豐。	修道於國，則君信臣忠，政平無私，其德如是，乃為豐厚。	823
4	67	〈三寶〉	慈，故能勇。	以慈仁，故能勇於忠孝。	823

上引四處注文，「忠孝」、「忠信」等條目並非原文所有，顯然是注者外加的詮釋。在截取的四則注文中，河上公認為聖人愛養萬物，是行自然之道，雖其行為有類於「仁」，但並非是施人以恩惠。〈三寶〉的注文，慈仁為忠孝之源，出之於慈仁的本性，故能勇於忠孝。〈修觀〉〉則將君信臣忠視為修道的效應，整個篇章皆以「其德如是」做為效應的轉語，「其德如是，乃為某某」為一定型句，修身言「其德如是，乃有餘慶」，直至「修道於天下」言：，「其德如是，乃為普博。」因此，身、家、鄉、國、天下，修道人的不同層級的實踐場域，其表現的德目，皆是「德」的表現，也就是「道」體現在實踐場域的「德」，由此，基於修道的觀點，修身、修家、修鄉、修國、修天下，皆相應於「道」的具現。引申而論，德目不來自於私欲，故皆可視同自然、無為的衍生物，倫理德目符合自然。

　　《河上公章句》將儒家倫理相類比於自然之德，以此消化融通儒家的德目思維，如此一來，便可和儒家共享德目的論域，成為儒、道共構的範疇，從河上公的角度論德目，與儒家所不同者，為「德」不可佔有、不可貪為己功。〈養身〉第二「為而不恃」，河注云：「道所施為，不恃望其報也。」（頁813）〈虛用〉第五「以萬物為芻狗」，河注云：「天地生萬物，視之如芻草狗畜，不責望其報。」（頁813）河注以芻狗的象徵意義就是自然之道，故不自恃其功，不期望回報。所行才合乎自然之道。納入道家體系的儒家德目，其愛養萬物乃合乎自然，不可執為己功，以此忠孝、忠信可類比於道的具體化，擺脫有恩有為的規範脈絡。

　　儒家德目的道化，原為《老子》所不有、所批判的。在黃老之學中加以消化融通，至《河上公章句》已完成了融通的原則，以作為治國的支翼，《群書治要‧老子》亦吸收此一詮釋的成果，成就忠孝、忠信、慈仁等倫理在於政治規範和倫理實踐的地位。

五　道治的政治思維與應用詮釋

（一）貞觀時期治術的兩個源流

　　「道治」文化起源甚早，與儒家「禮治」、法家「法治」為中國古代政治文化典型，三者在歷史過程中不斷地相互批判、相互吸收、融會時用，本文所言之「道治」即是以道家為本，進而主動吸收儒家思想的政治文化。如果說《老子》、《莊子》是道治文化的源頭，那黃老之學即是道治文化的開展，從稷下開始，我們就可以看到道家不斷地吸收儒家之思想，如《黃老帛書》、《文子》、《鶡冠子》中，儒家之禮、仁等核心思想皆由反面轉向正面。而《群書治要‧老子》所採用之注本《河上公章句》，即是黃老思想之一脈，也是「道治」一詞最早出現之文獻。

　　《群書治要‧老子》中出現「道治」的觀念共有二處，為〈養身〉第二「聖人處無為之事」，河注云：「以道治也。」（頁813）以及〈淳德〉第六「古之善為道者」，河注曰：「說古之善以道治身及治國者。」（頁826）《群書治要‧老子》並未盡取《河上公章句》「道治」之文句，但此兩條亦足以說明道治的內涵。「道治」即無為之治，用無為之道以治身及治國。《群書治要‧老子》道治觀念的內容及其結構的開展，已於前節加以探析分論，就《群書治要‧老子》的文本來論，它主動吸納了儒家忠孝、忠信、慈仁、謙虛、求賢等儒家德目，卻未見其融通法家的思想，甚至將政教法治化的傾向，視為民不聊生、日以疏薄的原因，〈順化〉第五十八「其政察察，其民缺缺」所注「其政教急疾，言決於口，聽決於耳。民不聊生，故缺缺，日以疏薄。」（頁824）便是批判法家的言論。故在黃老的思潮中，《群書治要‧老子》和儒家對話，共構政治的思維，對於法家則採取否定的態度，這和傳統黃老思想融會法家是有所不同的。

　　從《貞觀政要》來考察，貞觀時期，治國之術有二個源流，一為儒家仁義誠信之治，一為道家清靜無為之治。二者交互為用，君臣皆各有所述。貞觀元年（627），太宗標舉為政之道：

> 朕看古來帝王以仁義為治者，國祚延長，任法御人者，雖救弊於一時，敗亡亦促。既見前王成事，足是元龜。今欲專以仁義誠信為治。望革近代之澆薄也。（頁249）

這是以前王成事的效驗，批判法治之失，抉擇仁義之治為治國指導原則。貞觀二年（628）太宗謂侍臣：

> 故堯、舜率天下以仁，而人從之；桀、紂率天下以暴，而人從之。……朕今所好者，惟在堯、舜之道，周、孔之教，以為如鳥有翼，如魚依水，失之必死，不可暫無耳。（頁330-331）

將堯舜仁政視為不可暫無的生存條件，為政治國缺之不可，其譬喻貼切生動，宣示堯舜
之道為治國之常規，教化百姓之常道。由此二則太宗自述，顯然以仁義之治標治自己施
政風格，取得君臣為政之共識，以革隋代澆薄之失，企盼致治。

另一個源流為道治文化，近人研究頗有發揮，並以之論述道家政治的治國方針。[25]
根據《貞觀政要》的記載，魏徵等人在回顧貞觀初年的施政時說道：

> 陛下貞觀之初，無為無欲，清靜之化，遠被遐荒。……陛下貞觀之始，視人如
> 傷，恤其勤勞，愛民猶子，每存簡約，無所營為。（頁531）

貞觀二年，王珪應太宗之問：

> 古之帝王為政，皆志尚清靜，以百姓之心為心。（頁29）

貞觀二十二年，賢妃徐惠（627-650）上疏諫宮室互興：

> 妾又聞為政之本，貴在無為。竊見土木之功，不可遂兼。（頁493）

以上三則，顯示貞觀時期，道家「無為」乃施政之本，崇尚為政清簡，清淨不煩擾。從
《貞觀政要》的文本考察，《老子》的思想語彙常出現在選錄的文本中，以貞觀十一年
（637）魏徵所上疏文為例，茲節錄其運用《老子》的文句：

> 思安處於卑宮，則神化潛通，無為而治，德之上也。若成功不毀，即仍其舊，除
> 其不急，損之又損。……人君當神器之重，居域中之大，將崇極天之峻，永保無
> 疆之休。不念居安思危，戒奢以儉，德不處其厚，情不勝其欲，斯亦伐根以求木
> 茂，塞源而欲流長者也。（頁17）

《貞觀政要》中的疏文或君臣問答，運用《老子》治術思想或《老子》文句，並不少見。

儒道二家政治思想的源流，在貞觀時期互為主軸，群臣少對兩家思想異同辯論，似
乎接受二家政治思想的調和，共為治國之術，以為君臣行動和論辯施政得失的言說理據。

（二）百姓為先與因循為用

《貞觀政要》首篇〈君道〉，本篇共五章，首章為太宗與魏徵的對話，言為君之道
的要旨。就全書的結構來說，每一篇章按時序編序，貞觀初年為理政治道的形成與建立
時期，有著定錨的重要性。因此，本文以首章為論述核心，透過和《群書治要・老子》

---

25 參見董思林：《唐代老學：重玄思辨中的理身理國之道》，頁175-239、張成權：〈魏徵：唐初推行道
　家政治的中堅〉，《道家與中國哲學（隋唐五代卷）》（北京：人民出版社，2005年），頁150-167。

的對話，衍伸闡發唐太宗君臣探尋致治之道的論述，如何取用、發展《群書治要・老子》的治身治國之道。

《貞觀政要》的體例，凡以「太宗謂侍臣曰」起頭的，有二種敘述方式，一者夫子自道，自敘太宗為君治國之道、施政之作為、理政得失的評判、決策考量以及希冀君臣共守的從政原則。一者君臣的對話，對話的大臣以魏徵為首，依序有善於品評諸大臣的諫議大夫、侍中王珪，貞觀十七年（643）魏徵去世後的褚遂良等人。君臣對答，一為建立共識，以確定、堅定君臣共評的施政作為；一為臣以事理洞見，直言勸諫君王，竭誠公心，輔佐君王。

〈君道〉首章便是君臣的對答方式呈現：

> 貞觀初，太宗謂侍臣曰：「為君之道，必須先存百姓。若損百姓以奉其身，猶割股以啖腹，腹飽而身斃。若安天下，必須先正其身，未有身正而影曲，上治而下亂者。朕每思傷其身者不在外物，皆由嗜欲以成其禍。若耽嗜滋味，玩悅聲色，所欲既多，所損亦大，既妨政事，又擾生民。且復出一非理之言，萬姓為之解體，怨讟既作，離叛亦興。朕每思此，不敢縱欲。」諫議大夫魏徵對曰：「古者聖哲之主，皆亦近取諸身，故能遠體諸物。昔楚聘詹何，問其治國之要，詹何對以修身之術。楚王又問治國何如，詹何曰：『未聞身治而國亂者。』陛下所明，實同古義。」（頁11-12）

君臣對話間陳述了四大問題：（1）先存百姓乃為君之道；（2）君民一體，利害與共；（3）嗜欲成禍，妨政事，擾生人；（4）理身為理國之本。同列《貞觀政要》第一卷「政體」的君臣對答，王珪對於帝王為政的說法是：「古之帝王為政，皆志尚清靜，以百姓之心為心。」（頁29）二者同論為君之道，「以百姓之心為心」和「先存百姓」的說法又如何會通？

《群書治要・老子》中「聖人無常心，以百姓之心為心」（頁823）一句，河注的要點是「貴因循」，遵從「百姓心之所便」而行之。這是一般性的原則，就「貴因循」的邏輯來說，必有某事某理為先，乃有「因循」可言，故將「先存百姓」視為「以百姓之心為心」積極開展，融會了儒、道之義，是有理路可說的，問題是「百姓心之所便」如何得知？因循之效，乃為了安百姓，〈忘知〉注云：「民不安，故不足以治天下。」

就實際的作為來說，如何判定「百姓心之所便」的「所便」的內容和相關因素，便是治術應用的一大問題。「所便」的因子眾多，考量的角度不同，便有不同的行動準則，如以利益為所便，則有效益的原則，如以正義為所便，則有分配的原則。《貞觀政要》將這問題放在君臣對答或勸諫的論述，以求取解方。《貞觀政要》並不只求助於個人的內在直觀，形成獨白式地思維，也不認定人之誤判、誤解、誤知是完全可避免，所以它轉向「群體」，「群體」的多方思維，以趨近「因百姓心之所便」或「先存百姓」的目的。

貞觀時期的群體思維，即君臣共生或君民共治的思維，其「群體」指的是君臣的共同體。貞觀五年（631），太宗云：

> 今天下安危，繫之於朕，故日慎一日，雖休勿休。然耳目股肱，寄於卿輩，既義均一體。宜協力同心，事有不安，可極言無隱。（頁33）

「耳目股肱」之說，為貞觀君臣常用的譬喻。股肱，大腿和胳膊，為身體行動和支撐身體結構最重要的部分，就身體功能而言，乃和心腦共為一體。魏徵明確表示：

> 臣聞君為元首，臣作股肱，齊契同心，合而成體，體或不備，未有成人。然則首雖尊高，必資手足以成體；君雖明哲，必藉股肱以致治。（頁402）

以身體為類比的思維，生動說明君臣相需，臣輔佐君王以成一體的政治關係的認知。「耳目」為視聽的器官，聽得見，看得見，以知覺事物的情態，乃耳目之功。人民的需要、人民的方便、大家的利益，也要透過眾臣的「耳目」，明朗起來，反應出來。

太宗深刻明白己身位高權重，對人民難以有較全面的了解，故對眾臣有所期許：

> 朕既在九重，不能盡見天下事，故布之卿等，以為朕之耳目。莫以天下無事，四海安寧，便不存意。（頁33-34）

古之帝王衰亡之道，皆因遮蔽耳目，不知施政得失，太宗身居九重深宮，其聞見更是受到制約式地限制，不可能將天下事盡皆聽聞，其蔽為不可免。因此，憑藉著眾臣之窗，眾臣之所見所聞，君得以明白百姓之需、施政得失。集君臣之耳目，以了知「百姓心之所便」，乃是邁向君臣群體思維之方式，經由君臣的論辯對話，君臣共體「先存百姓」之意，或君臣群體「以百姓之心」為心，方是《貞觀政要》應用詮釋老子「以百姓之心為心」的衍伸涵義。

由此，進一步的論題便是「君民關係」，《貞觀政要·君道》首章對「君民關係」有生動的譬喻和論述。「若損百姓以奉其身」，國君可為擁有權力的剝削者，為滿足己身之情欲，而損害百姓維生所需資產、食糧。「猶割脛以啖腹，腹飽而身斃」，有如割掉大腿肉來填飽肚子，肚子飽了，人也死了。是什麼情況人會做出這種行為？唯有認為大腿肉和人體沒有關係，方才有如此愚蠢的行為，但事實上是「腹飽而身斃」，脛不是人身體無關緊要的部分，它是人身體重要的部分。以身體為思維方式，君和民是一體相關，並非是外在於民的存在體。君與百姓，既是一體關係，百姓應是君所關注的對象，而不是剝削傷害的對象。太宗也常藉由歷史的教訓，從齊王的敗亡省思百姓與君主間的緊密依存關係，「朕常謂此猶如饑人自食其肉，肉盡必死。人君賦斂不已，百姓既弊，其君亦亡，齊主即是也。」（頁468）

「割脛啖腹，腹飽身斃」的譬喻，乃太宗思考君民依存關係的模式。追溯這個譬喻

的原型，可見於《河上公章句》，《群書治要‧老子》曰：「一曰慈，二曰儉。」河注云：「愛百姓若赤子，賦歛若取之於己。」（頁826）河注以為聖人愛百姓，乃出於慈，己同身受，乃出於儉。「賦歛」若取之於己，同為一體之所有，太宗用「饑人自食其肉」加以生動話表述，從親身經歷、歷史事實、政治效應廣論君民相互依存關係。君民一體，或君臣相互依存的關係，引生愛民的關懷模式，這個模式在《群書治要‧老子》即為「慈」的模式。河注又云：「夫慈仁者，百姓親附」。（頁827）可見百姓親近歸附，乃自發的行為，不是君王自居其功，希望獲得回報，由此引發的報恩行為。「愛百姓若赤子」為河上公黃老道家融合儒家的詮釋，此一解也為道家的政治思想有了儒家的面貌。同樣的模式，魏徵則應用成儒家的政治思想有了道家的面貌。貞觀二年，唐太宗欲納鄭仁基（？-？）美麗的女兒為嬪妃，聘為「充華」。魏徵聽說鄭氏女已許配給陸家，急忙勸諫說：

> 陛下為人父母，子愛萬姓，當憂其所憂，樂其所樂。自古有道之主，以百姓之心為心，故君處臺榭，則欲民有棟宇之安；食膏粱，則欲民無饑寒之患；顧嬪御，則欲民有室家之歡。此人主之常道也。今鄭氏之女，久已許人，陛下取之不疑，無所顧問，播之四海，豈為民父母之道乎？（頁113）

魏徵之論，頗有孟子推己及人，推恩保四海之涵義。然魏徵將之建構在《老子》「以百姓之心為心」的論點上，稼接「為人父母，子愛萬姓」的前提，[26]以融會儒道之宗旨。在君民相依的關係中，「愛百姓若赤子」的論點，行成儒道共通的取徑。

（三）抑情損欲與理在不疑

《群書治要‧老子》抑情損欲之論，在上一節已有說明，本節主要是放在《貞觀政要》的文本中，論抑情損欲的相應說法。有關情欲之為害，《貞觀政要》皆取自貞觀朝君臣之自身經驗而來，少引述經籍文獻，但觀念清楚明白，與《群書治要‧老子》相應契合。究其實，「嗜欲成禍，妨政事，擾生人」之論，史部典籍有諸多可借鏡之處，儒道典籍中也多闡揚這個根本問題，以為教誡。我們如何判斷其為儒家或道家系統的論說？從敘述的方式和引用的觀念可有助於我們的判斷，以確認其思想的歸趣和詮釋的方法。

先從「抑情損欲」的用辭和觀念應用的脈絡說起。《貞觀政要》記載了貞觀二年太宗和王珪的對話，論及「凡事皆須務本」（頁423）的問題，太宗對這段對話下了結語，認為：「夫安人寧國，惟在於君。君無為則人樂，君多欲則人苦。朕所以抑情損欲，克己自勵耳。」（頁424）「抑情損欲」乃道家的用詞，其觀念亦可從《老子》身上得到解

---

26 刊本作「撫愛百姓」。

釋。如《群書治要·老子》原文「損之又損之」，河注云：「損情欲，又損之，所以漸去也。」原文「以至於無為」，河注云：「情欲斷絕，德與道合。」（頁823）損情欲乃道家功夫之一環，其終極目標則是「情欲斷絕，德與道合」。因此，「損情欲」是體道工夫的歷程，它有明顯的老子色彩。太宗君臣用「抑情損欲」這個觀念，明顯是在《老子》的脈絡中。

面對情欲過度可能導致的禍患，貞觀君臣有如下的對話：

> 貞觀十六年，太宗問魏徵曰：「觀近古帝王有傳位十代者，有一代兩代者，亦有身得身失者。朕所以常懷憂懼，或恐撫養生民不得其所，或恐心生驕逸，喜怒過度。然不自知，卿可為朕言之，當以為楷則。」徵對曰：「嗜欲喜怒之情，賢愚皆同。賢者能節之，不使過度，愚者縱之，多至失所。陛下聖德玄遠，居安思危，伏願陛下常能自制，以保克終之美，則萬代永賴。」（頁546-547）

太宗從嗜欲成禍的歷史經驗提出反省，以此議題，諮詢魏徵，尋求解方。魏徵則從「節情制欲」的角度以應答。「節情制欲」顯為儒家的觀點，魏徵的說法自有其代表性。然考察《貞觀政要》全書，仍以「抑情損欲」之說為主流。也就是說，對治「情欲過患」，《貞觀政要》兼採君臣儒道兩家之說，而以「抑情損欲」說為主導觀念，故其詮釋乃立基於《老子》的思想上。

分辨對治「嗜欲成禍」的思想歸屬，另有一判準，即「動靜說」。《群書治要·老子》所見「好安靜」說、「無為之治」說、「不勞煩、人不擾」之說，其基底皆可歸為「靜」；反之，「妄動」說、「有為」說、「多欲」說，則歸為「動」，動靜對比，是《群書治要·老子》的特色。

貞觀九年（635），太宗言及自己親見煬帝的貪求興事、嗜欲成禍，提出自己的對治方法：

> 往昔初平京師，宮中美女珍玩無院不滿。煬帝意猶不足，徵求無已，兼東西征討，窮兵黷武，百姓不堪，遂致亡滅。此皆朕所目見，故夙夜孜孜，惟欲清淨，使天下無事。遂得徭役不興，年穀豐稔，百姓安樂。夫治國猶如栽樹，本根不搖，則枝葉茂榮。君能清淨，百姓何得不安樂乎？（頁41）

「惟欲清淨，使天下無事」是《老子》治道的方法、綱領，「清淨」一詞於《群書治要·老子》所選的注文中共三見：

> 上化清淨，下無貪人。（〈安民〉第三，頁813）

> 清淨不言，萬物自成。（〈象元〉第二十五，頁865）

能清能靜，則為天下長持正，則無終己時也。（〈洪德〉第四十五，頁822）

「清淨」為國君內心清淨，下化百姓，則無貪人。「清淨」行不言之教，任萬物各自生成，各自成就。能清能靜，則保政權長久。唐太宗目睹隋末的「動」（東西征討，窮兵黷武）的動盪，反襯出自己施政的「靜」（徭役不興），「動」、「靜」對論，以明施政得失。

清淨則無事，「無事」的脈絡在於「無為」，《群書治要‧老子》注文言及「無事」有三處：

上無所為，則下無事，家給人足，物自化也。（〈鑒遠〉第四十七，頁822）

治天下常當以無事，不當勞煩民也。（〈忘知〉第四十八，頁823）

我無徭役，故皆自富。[27]（〈淳風〉第五十七，頁823）

無事即為無為之效益，不當勞煩民，正是治國的目標。因此，太宗的言論，完全貼合在《群書治要‧老子》的脈絡，以己之施政經驗和目標，具體詮釋《群書治要‧老子》治國之道。

而在《貞觀政要》中，動靜對比以論得失，亦所在多有，以下略舉二例：

貞觀二年，太宗謂侍臣曰：「凡事皆須務本。國以人為本，人以衣食為本，凡營衣食，以不失時為本。夫不失時者，在人君簡靜乃可致耳。若兵戈屢動，土木不息，而欲不奪農時，其可得乎？」（頁423）

頤神養性，省游畋之娛；雲奢從儉，減工役之費。務靜方內，而不求闢土；載櫜弓矢，而不忘武備。（頁527）

不失其食、人君簡約，為靜；屢興兵戈、土木不息，為動。頤神養性、從儉減工，為靜；宴游畋獵、開闢疆土，為動。動靜之論，皆對應於具體事態，或針對繇役，或針對闢土，或針對農務，或針對帝王的遊娛，貞觀君臣皆善用動靜之論，以為譬喻立說，勸戒自省。動靜論乃道家的思維方式，太宗君臣以己之親目所見、親耳所聞之政治經驗，應用《老子》的言語系統，這也是何以《貞觀政要》的「抑情損欲」說所用的語言，多出自於《群書治要‧老子》。

太宗初掌政權，面臨內憂外患，採取無為不擾民之政策，其對情欲之敗政道，正面直對之，故在《貞觀政要》所載，頗多「抑情損欲」之論。貞觀五年，太宗和房玄齡有個談話，說明太宗對情欲的態度：

---

27 為「我無事，而民自富」之注文。

自古帝王多任情喜怒，喜則濫賞無功，怒則濫殺無罪。是以天下喪亂，莫不由此。（頁87）

情之為惡，正在其無節制的放任，權力擁有者任情喜怒、濫情賞罰，將有天下喪亂的後果。從結果論來說，太宗君臣親見煬帝之縱欲任情，深有警戒批判。但本則是以「自古帝王」來論說，可見是總結歷史經驗的通則性論說。重點是本則說法是放在〈求諫〉章，也就是在「求諫」的脈絡討論這個問題。帝王的喜怒，惡化了君臣關係，也無由建立起受諫的氛圍。「況欲諫諍，必當畏犯逆鱗」（頁87），「人臣欲諫，輒懼死亡之禍」（頁88），所以為了諫諍友善環境的塑造，使其成為君臣公共治理的一環，君王的「抑情損欲」，是必要的治身之道，以使人君得匡諫之臣，得隨事諫正。

順著「自古帝王多任情喜怒」，太宗接著說：

朕今夙夜未嘗不以此為心，恆欲公等盡情極諫。公等亦須受人諫語，豈得以人言不同己意，便即護短不納？若不能受諫，安能諫人？（頁87）

放在求諫、納諫的脈絡，對治任情喜怒，方能期望「盡情極諫」，太宗特別要求房玄齡等大臣明白，受諫是君臣共同的課題，「不能受諫，安能諫人？」抑情損欲也就是君臣共需的治身治國良方。在「君臣同體」的思維下，「求諫」、「納諫」將「治身」帶進了政治的思考，對治情欲為禍，乃共成「納諫」氛圍的先行條件，由此也可說，治身為納諫之本，對治情欲正是納諫、受諫要求下的集體思維。《貞觀政要》的納諫觀，擴展了《群書治要‧老子》的應用面向，也在應用詮釋的脈絡中，給予《群書治要‧老子》新的取向和面貌。

《貞觀政要》紀錄了求諫、受諫的具體事例和情境，從受諫、納諫的實務操作，可發現有不同於喜怒哀樂感性的情，而是由得理不疑而生發的「理情」，由理生情。這種情感常扮隨著理而來，在某些情境產生巨大的力量。這種力量可說是執著的力量。善者擇善固執，惡者以理殺人，執惡敗政，這是施政上理性容易誤入的陷區，其解方得承認個人理智認知的有限，需有不同的視角的挑戰和異議的見解，方能打破觀念的牢籠。

貞觀十三年（639），越王與魏徵等大臣衝突，太宗大怒，以為大臣輕蔑越王，來到齊政殿，召集三品以上大官坐定，怒氣斥責諸大臣。房玄齡等人聽到這番責罵嚇得戰慄不已，唯有魏徵嚴肅地勸諫，申明這是國家法令的排位，非諸大臣有人輕蔑越王。越王更不可隨意摧抑侮辱大臣。太宗因自己大怒，聽魏徵之言，有以下的反應和言論：

太宗聞其言，喜形於色，謂群臣曰：「凡人言語理到，不可不服。朕之所言，當身私愛；魏徵所論，國家大法。朕向者忿怒，自謂理在不疑，及見魏徵所論，始覺大非道理。為人君言，何可容易！」（頁136）

太宗的情緒來自於「自謂理在不疑」，理在而對非理之行為產生忿怒，這是理生情，理
情的情感，所謂的義憤也是這種情感表現。要解開理情的氾濫執著，也唯有理到之言，
方能發現自己所見並非完全合理，而得以擺脫理情的定限。就「抑情損欲」來說，理情
是另外一種型態的感情，非只是感官的情感，因此在勸諫論理中，方能得解。這樣的情
感在勸諫的情境中，應不少見。所以，就應用詮釋來說，《貞觀政要》開拓了《群書治
要・老子》的應用案例和對接受異論的心理基礎。

（四）道治文化與偃武戢兵

　　《貞觀政要》具備道治文化的要素，就政治思維來說，「為無為」、「不擾民」、「治
身治國」為基本的思維模式；就政治行動風格來說，「君臣一體，以民為先」乃行動的
指導原則。這是切合《群書治要・老子》的思想而來的應用詮釋所塑造的文化。《貞觀
政要》首篇首章魏徵以詹何（？-？）「未聞身理而國亂者」回應太宗反思「嗜欲以成其
禍」的言論。詹何故事，亦收入《群書治要》中，可見魏徵對本則論說的重視。《群書
治要・列子》紀錄了楚莊王（？-591 B.C.）和楚國隱者詹何的對話：

> 楚莊王問詹何曰：「治國奈何，詹何蓋隱者也。」詹何對曰：「何明於治身，而不
> 明於治國也。」楚王曰：「寡人得奉宗廟社稷，願學所以守之。」詹何對曰：「臣
> 未嘗聞身治而國亂者也。又未嘗聞身亂而國治者也。故本在身，不敢對以末。」
> 楚王曰：「善。」（頁837）

詹何以治身為本，治國為末，這種本末觀和《群書治要・老子》治身治國一體說有所差
異，但同是重視治身治國的關係模式，這是古來的傳統，所以魏徵說：「陛下所明，實
同古義。」這個傳統為儒家思想的資產，《大學》提供了修身、齊家、治國、平天下的
架構，詹何為戰國時隱者，其說近於道家，黃老道家則有修身治國之論。唐初道家流傳
理國理身一體或治國治身一體的思潮，其中《群書治要・老子》的治身治國論，該是最
為完備的治身治國之論著，其思想見於本文前節之論析。因此，如果說詹何之文本可外
推到《群書治要・老子》文本，為君臣論議的共同課題，應不是沒有根據的說法。
　　道治文化本是反戰的思想，就不擾民的根本原則來說，戰爭大規模地動員人民，妨
害人民正常農作的經濟生活，犧牲性命，不能保全人民貪生、愛生的本能。〈偃武〉第
三十一陳述了《老子》的基本態度：「兵者，不祥之器，非君子之器，不得已而用
之。」河注進一步作出解釋：「兵革者，不善之器也。謂遭衰逢亂，乃用之以自守也。」
（頁817）為這段話提供了明確的原則，劃下了底限，戰爭只有遭遇衰變或者動亂時，
才用它來自衛。自守自衛，是不得已才使用兵戈甲胄，這可稱為自衛原則。《老子》又
說：「恬淡為上，勝而不美，而美之者，是樂殺人也」。河注曰：「不貪土地，利人財

寶。雖得勝，不以為利美。美得勝者，是為樂殺人也。」（頁817）戰爭的目的不應貪圖他國的土地、財寶，不得美化戰爭的殘酷，以為有利，否則就是以殺人為樂了。《老子》言：「禍莫大於輕敵，輕敵幾喪吾寶。」河注則言：「夫禍亂之害，莫大於欺輕敵家，侵取不休，輕戰貪財也。幾，近也。寶，身也。欺輕敵家，近喪身也。」（頁827）「欺輕敵家，侵取不休」在老子的眼中，即是好戰份子，所貪者無非是財利與土地，乃近於喪身之道。《群書治要・老子》所取篇章，反戰意旨明確，幾乎無它解的空間，這也是傳統反戰思想的源頭。

《貞觀政要》所載，太宗君臣對於窮兵極武的禍害，有一致的共識。太宗指出：

> 自古以來窮兵極武，未有不亡者也。苻堅自恃兵強，欲必吞晉室，興兵百萬，一舉而亡。隋主亦必欲取高麗，頻年勞役，人不勝怨，遂死於匹夫之手。（頁475）

長年的征戰，耗費龐大的資源，物力、人力皆出於人民，國力終不可持久。民心怨離，終究導致滅亡。貞觀君臣所以注重戢兵，也是親身之感受，目睹隋末之動亂，強盛的隋代亦因輕易發起戰爭而滅亡，這面歷史的鏡子便成為初唐的教誡。

在《貞觀政要・議征伐》的篇章中，貞觀君臣論征戰，皆引用《老子》思想以為根據，所引用的論據即「兵者，凶器，不得已而用之」（頁475），通篇〈議征伐〉，貞觀君臣皆是引用《老子》思想以為論說。但太宗並非是反戰者，唐太宗三次之征討高句麗即為明證。貞觀二十三年（649），太宗為防高麗成為後世隱患，第三次興兵征討，重病的房玄齡不惜性命，上疏勸諫太宗「知足不辱，知止不殆」、「且兵，凶器也；戰者，危事也，不得以而用之」，直言「願陛下遵皇祖老子止足之誡，以保萬代巍巍之名」（頁488）。這都是在《老子》的語言系統中提出的勸諫。

太宗征討高句麗，諸大臣尚未凝聚共識，太宗深明戰爭之禍害，為何征討高句麗不停息？房玄齡認為征伐高麗，「內為舊王雪怨，外為新羅報讎，豈非所存者小，所損者大」（頁487），房玄齡以戰爭造成的生命消逝與人民冤痛來彰顯用兵高麗是個錯誤的決策，只是為了報讎雪怨，並不構成征伐的正當理由，所以說「所存者小，所損者大」。但太宗另有說法，《貞觀政要》收錄了太宗於貞觀二十二年（648）所作的《帝範》，其中太宗的軍事政策是：

> 夫兵甲者，國之兇器也。土地雖廣，好戰則人凋；邦國雖安，忘戰則人殆。凋非保全之術，殆非擬寇之方。不可以全除，不可以常用，故農隙講武，習威儀也。是以勾踐軾蛙，卒成霸業；徐偃棄武，遂以喪邦。何也？越習其威，徐忘其備。孔子曰：「以不教人戰，是謂棄之。」故知弧矢之威，以利天下。此用兵之機也。（頁484）

太宗雖引用《老子》文句，用兵政策的衡量基準卻是「以利天下，此用兵之機也」。他

並沒有遵行《群書治要・老子》「不得已而用之」的根本原則。用兵是用來自守自衛是太宗用兵之機的說詞，「以利天下」凌駕了「不得已而用之」。從《貞觀政要》的文本來看，「兵甲者，國家之凶器」為君臣共知共守的原則，其應用在具體事件的詮釋，皆以之為論據。但是否為優先原則，在君臣的理解中各有不同，太宗顯然是以政治的角度來看這問題，然「以利天下」君臣各有不同的判準，房玄齡不認同征伐可以達成以利天下的效益，所以說「所存者小，所失者大」。就《貞觀政要》應用詮釋《群書治要・老子》而言，便顯示出應用觀點的共識和其歧義之所在。

六　結語

本文首要關心的是《群書治要・老子》的文本是如何形成的。《群書治要》對古代典籍採取「翦」、「截」的手法，形成一敘述樸實、簡潔流暢的節要文本，在「六不選」和「務乎政述」的翦截原則下，《群書治要・老子》給出的《老子》文本，幾乎可視為一新的《老子》版本，或可說是一部「以編代作」的《老子》文本。因此，比對《群書治要・老子》和選編的《河上公章句》底本，回溯《群書治要》的編選方法，可以解明《群書治要・老子》的文本是如何形成的問題。

再者，本文探討該文本是否具足義理結構，形成有系統的思想。翦截之後的《老子》文本，其結構正是朝向治身治國一體的唐初老學思潮來呈現，但不同於唐初老學著作，《群書治要・老子》已轉化為一純粹的政治思想文本。純化後的《老子》政治文本，治身以抑情損欲為主要構面，治國則以「動因循，民不擾」為主要構面，兩個構面共通的介面則是「為無為，好安靜，不煩擾」，如此的相關性形成治身治國平行又相互交涉，互有因果的一體結構。在這個結構下，呈現了「因循百姓心」的政治思維，並為唐初的政治論述所取資衍義。

三者，本文回歸選編企圖，窺探《群書治要・老子》如何被詮釋應用，並發揮政治論辯參資取證的功能。本文採用《貞觀政要》對《群書治要・老子》的接受和在現實政治情境中的取用為準，回觀《群書治要・老子》如何被詮釋和應用。《貞觀政要》在治身治國一體的思維下，取用《群書治要・老子》，又在「君臣一體」和「求諫、納諫」的共同思惟下，發展了新的詮釋面向，那就是走向群體的思維，治身治國，成為一可供共議、勸諫、改過甚至決定政策的政治行動，在政治行動中，塑造了唐初的政治風格。

四者，本文認定《河上公章句》為黃老道家思想的一環，《群書治要・老子》又如何從政治思想的觀點，融通儒家思想？如前所述，貞觀時期的君臣，共論治國之術有二個思想源流，一為仁義誠信之治，一為清淨無為之治。二者交互為用，互補共生。《群書治要・老子》反應了時代的走向，凡有關抨擊儒家倫理、絕聖棄智、絕仁棄義、絕學無憂等嚴屬否定儒家根本思想的文句皆被翦除，積極的一面則是全面選取《河上公章

句》調和儒家忠孝、忠信、慈仁、求賢的所有文句，以為《群書治要・老子》文本的內容。《河上公章句》以道家思維方式在「道所施為，不恃望其報也」的前提和心態下，儒家德目皆可視為自然所衍生的德行，仁義合乎自然。儒家思想是潛在的對話文本，太宗為理想讀者，儒道的融會形成《群書治要・老子》治身治國主結構下，不可忽視的子結構的一環。

　　總結前述，《群書治要・老子》做為獨立的文本，其架構足以成為「治身治國」之道的體系，發展道治文化的思想。《群書治要・老子》也是《貞觀政要》對單一典籍取資最為深廣的文本，其對「貞觀之治」典範的形成，應有政治文化形塑之功，並可藉以說明《群書治要》「務於政術」的一方面貌。

徵引書目

一　古代典籍

〔西漢〕嚴遵著，王德有點校：《老子指歸》，北京：中華書局，2009年。

〔魏〕王弼等注：《老子四種》，臺北：國立臺灣大學出版中心，2018年。

〔劉宋〕裴駰集解，〔唐〕司馬貞索隱，〔唐〕張守節正義：《史記集解》，臺北：藝文印書館，2005年，據乾隆武英殿刊本影印。

〔唐〕吳兢撰，謝保成集校：《貞觀政要集校》，北京：中華書局，1976年。

〔唐〕杜光庭：《道德真經廣聖義》，收入〔明〕張宇初等編纂：《道藏》第14冊，北京：文物出版社、上海：上海出店、天津：天津古籍出版社，1988年，據原上海涵芬樓影印本為底本，以上海圖書館藏上海白雲觀舊藏本補缺。

〔唐〕陸德明：《經典釋文》，上海：上海古籍出版社，1985年。

〔唐〕魏徵等編撰；蕭祥劍點校：《群書治要（校訂本）》，北京：團結出版社，2015年。

〔北宋〕王溥：《唐會要》，北京：中華書局，1955年。

〔北宋〕曾肇：〈乞觀《貞觀政要》陸贄奏議奏〉，收入曾棗莊、劉琳主編：《全宋文》，上海：上海辭書書版社，2006年。

二　近人論著

王卡點校：《老子道德經河上公章句》，北京：中華書局，1993年。

牟宗三《政道與治道》，臺北：廣文書局，1961年。

余英時：《宋明理學與政治文化》，臺北：允晨文化，2004年。

林明照：〈《老子河上公章句》治身與治國關係之思辯模式析論〉，《國立政治大學哲學學報》32期（2014年07月），頁129-169。

林朝成：〈《群書治要》與貞觀之治──從君臣互動談起〉，《成大中文學報》67期（2019年12月），頁101-142。

馬來西亞漢學院編譯：《群書治要三六〇》，臺北：財團法人華藏淨宗弘化基金會，2018。

張成權：《道家與中國哲學（隋唐五代卷）》，北京：人民出版社，2005年。

張瑞麟：〈轉舊為新：《群書治要》的編纂與意義〉，《文與哲》36期（2020年06月），頁81-134。

陳麗桂：〈道家養生觀在漢代的演變與轉化──以《淮南子》、《老子指歸》、《老子河上公章句》、《老子想爾注》為核心〉，《國文學報》39期（2006年06月），頁35-80。

陳麗桂:《《老子》異文與黃老要論》,臺北:五南圖書出版股份有限公司,2020年。

陳麗桂:《漢代道家思想》,臺北:五南圖書,2013年。

湯一介:《魏晉南北朝時期的道教》,臺北:東大圖書股份有限公司,1991年。

董思林:《唐代老學:重玄思辨中的理身理國之道》,北京:中國社會科學出版社,2002年。

先王與先王之道：論《群書治要》
資鑑的理想政治與君主理型

宋惠如

國立金門大學華語文學系教授

摘要

　　《群書治要》具以編代作的性質，當中成書與形式、體例、版本、流傳固可為研究對象，然不可忽略其編作主要目的，乃為唐太宗治政參要。在進行大量的刪節、統整後的文本，那麼所形成的文本思想內涵如何？必然涉及編撰者的識見與思想傾向。當唐太宗有意識的以前人為鑑，《群書治要》中君主議題與思想、內涵，在編撰者編作之下，極富引導與教化君王的意味，那麼編修群臣對於政治的設想，並獲得太宗首肯的關注為何？在古代理想政治中具有極高主導性的聖王，《群書治要》論及於此，指稱其為帝王、聖王、聖人、先王等，其中又以「先王」的指稱內涵明確且為多數，是以本文以《群書治要》收錄六經部類為考察對象，就其提及「先王」之經典與注言語述，試探其抉擇與採檢後先王之道的內涵，藉以窺見《群書治要》於理想君主與理想政治的考究、設想。

關鍵詞：《群書治要》、聖人、聖王、先王之道

The Way of Ancient Sage Kings: On the Ideal Politics and Kings in *Qunshu Zhiyao*

Sung Hui-Ju

Department of Chinese Studied, National Quemoy University

Abstract

Qunshu Zhiyao (The Essence of Governing) was edited and complied by Wei Zheng in Chinese Tang Dynasty on Tang Taizong's order and served as the emperor's guidance in governing ancient China. What exactly is the essence of its content? It seems inevitable that this compilation would be contaminated by editor's thoughts and ideas. Taizong would like to learn from ancient kings, and the art of governing in *Qunshu Zhiyao* compiled by the editor aims to serve as a guidance and education of the kings. The question is, to what extent is this principle of editing *Qunshu Zhiyao* given the approval or the attention of Taizong? This article aims to examine the Six Ancient Classics as they were contained in *Qunshu Zhiyao*, targeting at its discourses and comments on entries about the Ancient Sage Kings. It will explore how the ways of the Ancient Sage Kings were edited in or out of *Qunshu Zhiyao* so as to get to a better understanding of QZ' examination and presumptions of the ways of the ideal kings and ideal politics.

Keywords: *Qunshu Zhiyao*, Tang Taizong, Ancient Sage Kings

一　前言

　　大業十二年（616），唐太宗年十六，武勇奮進，「高祖擊歷山飛，陷其圍中，太宗馳輕騎取之而出，遂奮擊，大破之。」高祖起兵後，「太宗率兵徇西河，斬其郡丞高德儒。」往後，太宗亦奔赴各方，「自南原馳下阪，分兵斷其軍為二而出其陣後，老生兵敗走，遂斬之。進次涇陽，擊胡賊劉鷂子，破之。唐兵攻長安，太宗屯金城坊，攻其西北，遂克之。」征戰各地割據勢力，破自稱河西涼帝的李軌，殺自稱西秦霸王薛舉之子薛仁杲，敗宋金剛、劉武周、竇建德，降王世充等當世群雄。武德四年（621）高祖以太宗功高，古官號不足以稱揚其功，於是加號「天策上將。」[1]武德五年（622）太宗討伐平定徐圓朗，以及河、濟、江、淮州諸郡城鎮都。武德七年（624），突厥來犯，太宗率兵談判，與之結盟後突厥軍撤離。武德九年（626），玄武門變後，突厥又趁際來犯，太宗使之設盟退走。貞觀元年（627）即位後，仍有內亂，二年有吐蕃來犯。至此，太宗連年征戰，長達十二年，年近三十。

　　唐太宗年少時多聚眾博戲，尚武而不拘細行，是以自謂「朕少尚威武，不精學業，先王之道，茫若涉海。覽所撰書，博而且要，見所未見，聞所未聞，<u>使朕致治稽古</u>，臨事不惑。其為勞也。不亦大哉！」[2]對於底定天下之後的朝政文治，有意識的「致治稽古」，以為政教之道，俱在典籍內。貞觀三年（629）太宗始於太極殿聽政，在位四年，即國內大治。《新唐書》記載此前太宗曾與封德彝、魏徵關於初期設立政策原則的論辯。封氏認為「三代之後，澆詭日滋。秦任法律，漢雜霸道，皆欲治不能，非能治不欲。」[3]從現實面指出，各代世況不同，三代以後人心澆詭，是以秦、漢統治天下不免雜霸、揉法，他懷疑書生之言、讀書能有效治國。所謂書生之言，針對的是魏徵借鑑上古治政理想的路向。當時魏徵駁謂：

> 五帝、三王不易民以教，行帝道而帝，行王道而王，顧所行何如爾。黃帝逐蚩尤，七十戰而勝其亂，因致無為。九黎害德，顓頊征之，已克而治。桀為亂，湯放之；紂無道，武王伐之。湯、武身及太平。若人漸澆詭，不復返樸，今當為鬼為魅，尚安得而化哉！[4]

以政治的主要對象為人民，人心是否澆薄並非五帝三王教化成功的主因，包括黃帝、顓頊、商湯、周武都經歷征戰，最後仍致政太平。太宗接受魏徵的政治路向與指導，並在

---

[1]　〔北宋〕歐陽修：〈本紀第二〉，《新唐書》（上海：商務印書館，1936年），卷2，頁1-5。〔後晉〕劉昫：《舊唐書》（上海：商務印書館，1936年），卷2，頁2。載太宗初出兵為年十八。

[2]　〔唐〕唐太宗：〈答魏徵手詔〉，《唐新語》，《欽定四庫全書》本，卷9，頁1。

[3]　〔北宋〕歐陽修：〈志第二十二〉，《新唐書》，卷97，頁4。

[4]　〔北宋〕歐陽修：〈志第二十二〉，《新唐書》，卷97，頁4-5。

世治之後並對群臣說：「此徵勸我行仁義，既效矣。惜不令封德彝見之！」[5]太宗施政之初，群臣多有尚文、尚武、王道或霸道的路線之爭，然而貞觀初期的治政成效，證明魏徵由典籍教化而來的政治理想與理論是可執行落實的，這更促成唐太宗對於文教事業的尊崇，在治政上亦欲深入掌握前人為王之道，以為參酌。

虞世南作《帝王略論》，為與太宗講述帝王之學的論對。對於帝王之道如何，太宗治政前期謙虛的就教於典籍，晚年則頗有心得的自著其書《帝範》，〈序〉謂：

> 是以翠媯薦唐堯之德，元圭錫夏禹之功。丹字呈祥，周開八百之祚；素靈表瑞，漢啟重世之基。由此觀之，帝王之業，非可以力爭者矣。[6]

唐堯、夏禹、周、漢為太宗推崇之君王與朝代，太宗提及朝代肇基奠業有三點：祥瑞得天命，周國祚八百，以及非可以力爭者。<u>唐已得天命，那麼最重要的課題是如何國祚永續，其方法為非以力爭，此或為太宗對先王之道最基本的體會，那麼與此相符者為三代治政，尚不包括漢代。</u>太宗即位之初，詔令魏徵、虞世南、褚亮、蕭德言編纂一部關於治國理政要領的典籍，貞觀五年（631）書成[7]，往後此書流傳於朝廷王室之家，未能廣佈，過後百年佚失，嘉慶年間方經日本回流中國，蓋因此書主要教化對象為帝王之家。由編撰者觀之，《群書治要》本質上以群臣為編纂視角，欲以為太宗及後世帝王理想治政的參考；因此也可以說，藉由對六經、諸子史籍的編輯、節選，為魏徵等對於理想君主及其施政的設想與期待。太宗觀後甚嘉許之，肯定並接受此以「以編代撰」的群臣之言，以之為執政理要的善典，由此或者也可以說《群經治要》為太宗君臣共同形塑，並接受當中對於理想君主與治政的要求與期待。

前人研究《群經治要》文獻與版本比對成果頗豐，如學者指出，此間思想上的考究猶方興未艾。[8]本文以太宗主要關注帝王之業的延續，取法先王之道的視角觀之，以太宗關切的三代聖王治世之道為焦點。然則《群書治要》論及君王，「帝王」、「聖王」、甚

5　〔北宋〕歐陽修：〈志第二十二〉，《新唐書》，卷97，頁5。

6　〔唐〕李世民：〈帝範序〉，《欽定全唐文》（北京：中華書局，1983年），卷10，頁120。

7　〔北宋〕王溥：《唐會要》，《欽定四庫全書本》，卷36，頁1。〈修撰〉載：「貞觀五年九月二十七日，祕書監魏徵，撰《群書理要》上之，太宗欲覽前王得失，爰自六經，訖于諸子，上始五帝，下盡晉年。徵與虞世南、褚亮、蕭德言等始成為五十卷。」

8　可參考林朝成：〈無為於親事，有為於用臣——論《群書治要・莊子》中「聖人」觀之流衍〉，收錄於《第一屆《群書治要》國際學術研討會論文集》（臺北：萬卷樓圖書股份有限公司，2020年），頁353-354。林朝成：〈《群書治要》與貞觀之治——從君臣互動談起〉，《成大中文學報》67期（2019年12月），頁101-141。林朝成：〈《群書治要》與貞觀之治——以「牧民之道」為例〉，《成大中文學報》68期（2020年03月），頁115-154。陳弘學：〈從《群書治要》文獻特質論唐太宗刑罰思想及其歷史實踐〉，《第一屆《群書治要》國際學術研討會論文集》（臺北：萬卷樓圖書股份有限公司，2020年），頁355-383。施穗鈺：〈為君之難，為臣不易——以《群書治要》之納諫與勸諫為主軸〉，《第一屆《群書治要》國際學術研討會論文集》（臺北：萬卷樓圖書股份有限公司，2020年），頁409-433。

至「聖人」皆為指稱統治者用語，也有作為對前代先王的指稱。如論及「聖人」最多，達三百餘次，論及「聖王」達百次，然聖人與聖王均含有對理想君王的設想，「聖人」亦不必指稱聖王，稱「帝王」者則以史書與秦漢諸子為多。本文以「先王」為論，一則含具必為歷史事實的要件，二則六經、先秦諸子所稱頌的經典注言最多，達二百餘次，可見《群書治要》稱引與關注之多，因此先試就《群書治要》編輯六經論及先王與先王之道者[9]，觀察編撰者之節選及其形成的先王治道的具體內容，以明唐代初期君王論理型的塑造與形成，以及理想政治的具體內涵。

《群書治要》論及「先王」共209次，除去漢代史籍與漢代諸子書，仍有162次。《易》、《書》、《詩》列次後即為《左傳》、《禮記》與《周禮》，雖然《左傳》上、中、下缺上卷，經典統計有29次，注文13次，餘則以諸子之論為多；諸子本文引述多，注文僅有《孟子》3則。當中稱引「先王」次數最多的是成書時代，較後的《禮記》與《呂氏春秋》，同時也可以看到諸子稱述「先王」亦為數眾多。再者，見諸經典文本者十有八、九，注、疏不多，因此主要被視為編纂者意向者，仍在經文引述中見。在此約百餘次引述中，有作為敘事需要、亦有作為先王之法、先王之制、先王之體、先王之道的各種論述。說明上述「先王」之論，有兩種方式，第一是主題式的論列《群書治要》節錄各項「先王」的意義與內涵如何，綜合性的開列並掌握編纂者關注先王之道範圍。第二是依成書先後，一方面可見「先王」論述在東周時序變遷，二方面就引述經典次數的多寡，個別經典在此論述方式中，可以有較多的觀察與說明。以下採第二種方式依序分為二組：（一）《易》、《書》、《詩》，（二）《左傳》、《禮記》、《周禮》，說明《群書治要》對六經先王之道的經文、注疏的節錄，與所涉及的思想內涵。以下依次論之。

二　引錄《周易》、《尚書》、《詩》經傳之論「先王」

《隋書‧經籍志》經部著錄依序為《易》《書》《詩》，魏徵撰〈經籍志〉，總領《群書治要》的編撰，因此兩者文獻分類與說明次序一致，理所當然。〈經籍志〉指《周易》注解：「至隋，王注盛行，鄭學浸微，今殆絕矣。」採王弼《注》，《尚書》注解則「至隋，孔、鄭並行，而鄭氏甚微。」則為孔《傳》，《詩》「唯《毛詩鄭箋》，至今獨立。」[10]採鄭玄《箋》注，亦可見《群書治要》引用相關注疏之原委。

9　此外亦有堯、舜、文王、武王、周公等聖王個別的篇章，然此又為個別君王論的說明，本文暫不討論，有俟他日，謹此說明。

10　〔唐〕魏徵、長孫無忌：〈隋書‧經籍志〉（上海：群學社，1931年），頁18、23、28-29。

（一）引錄《周易》經傳之論

　　《群書治要》節錄《周易》十卷，論及「先王」3則，引〈象傳〉論〈比〉、〈觀〉、〈噬嗑〉等卦。

　　首先第一則：

> 比。〈象〉曰：地上有水，比，先王以建萬國，親諸侯。[11]

比卦內容不少，《群書治要》但引此。此卦下坤上坎，坤為地，坎為水。〈象〉是以指其「地上有水」，並指先王憑藉分封土地，推建眾國，親善群國諸侯。《群書治要》又節引王弼〈注〉指以「比」建萬國、親諸侯。《周易正義》解釋：

> 「建萬國親諸侯」，非諸侯以下之所為，故特云「先王」也。「建萬國」謂割土而封建之。「親諸侯」謂爵賞恩澤而親友之。萬國據其境域，故曰「建」也。「諸侯」謂其君身，故云「親」也。地上有水，猶域中有萬國，使之各相親比，猶地上有水，流通相潤及物，故云「地上有水，比」也。[12]

先王眾建諸侯，與之相親並比，有如地上之水，流通潤澤及物。換言之，王弼以水之流通潤澤，指先王以「比」建萬國、親諸侯之行。這是天子看待諸侯及封建眾國應有的立場與態度。

　　對於習取先王聖君的治政經驗，《群書治要》顯示的立場偏向封建制。對於封建制的討論，《唐會要・封建雜錄上》載：

> 貞觀二年十二月十六日。太宗以宇內清晏，思以致理，謂公卿曰：「朕欲使子孫長久。社稷永安。其理如何？」尚書右僕射宋國公瑀對曰：「臣觀前代，國祚所以長久者，莫不封建諸侯。」[13]

太宗關切國祚如何長久，蕭瑀提出封建諸候，為太宗所然，於是始議分封裂土之制。當時魏徵卻認為彼時不可行，《新唐書》載：

> 徵意以唐承大亂，民人雕喪，始復生業，遽起而瓜分之，故有五不可之說。百藥稱帝王自有命，歷祚之短長不緣封建。又舉春秋二百四十二年之禍，亟於哀、

11　〔唐〕魏徵等：《群書治要》，《四部叢刊初編》景上海涵芬樓藏日本尾張刊本（上海：商務印書館，1936年），卷1，頁11。

12　〔漢〕孔安國傳，〔唐〕孔穎達疏，《十三經注疏》整理委員會整理：《尚書正義》（北京：北京大學出版社，2000年），頁65。

13　〔北宋〕王溥：《唐會要》中，頁824。

　　平、桓、靈，而詆曹元首、陸士衡之言以為繆悠。而顏師古獨議建諸侯，當少其

　　力，與州縣雜治，以相維持。然天子由是罷不復議。[14]

保守的主張唐於建國初期，時機未至，尚不得推行；李百藥則不認同封建制為延長國祚

方式；顏師古採調和之姿，又較偏向封建，主張與郡縣並行。雖然群臣並不認同封建制

的推行，《貞觀政要》仍載貞觀十一年（637）封「子弟荊州都督荊王元景、安州都督吳

王恪等二十一人，又以功臣司空趙州刺史長孫無忌、尚書左僕射宋州刺史房玄齡等一十

四人。」[15]主要原因在於：

　　太宗以周封子弟，八百餘年，秦罷諸侯，二世而滅，呂后欲危劉氏，終賴宗室獲

　　安，封建親賢，當是子孫長久之道。[16]

顯然太宗仍傾向以封建作為王室屏障，為周朝子孫長久，國祚永續的根本基礎，而欲實

習之。

　　其次，推擴至比卦整體來看，卦辭謂「比，吉，原筮，元永貞，无咎。不寧方來，

後夫凶。」《正義》釋謂：

　　「比吉」者，謂能相親比而得具吉。「原筮，元永貞，无咎」者，欲相親比，必

　　能原窮其情，筮決其意，唯有元大永長貞正，乃得无咎。「元永貞」者，謂兩相

　　親比，皆須「永貞」。「不寧方來」者，此是寧樂之時，若能與人親比，則不寧之

　　方，皆悉歸來。「後夫凶」者，夫，語辭也。親比貴速，若及早而來，人皆親

　　己，故在先者吉。若在後而至者，人或疏己，親比不成，故「後夫凶」。或以

　　「夫」為丈夫，謂後來之人也。[17]

親近所依附的能得吉，而且要追根溯源，慎重考慮，親比須（元）善、（永）久、（貞）

真，方得無過，那麼不安順的諸侯亦會歸來朝王所，那些落於人後未朝王所的，會有其

負面果應。[18]周朝的歷史經驗，以及《周易》比卦釋理所指向，當為唐太宗考量經國大

體，以封建制度為依歸的重要根據，立意執行漸次的封建諸侯。

　　若從《群書治要》的編選此則的可能期待來看，魏徵當時雖然表示反對，指出推行

封建的時機不對，同時顏師古卻相對表示贊同推行，並在朝臣反對下，退而求與郡縣並

行。顏師古受魏徵舉薦修《隋史》，在魏徵、虞世南之後，擔任秘書監之職，掌管國家

14　〔北宋〕歐陽修：〈列傳第三〉，《新唐書》，頁26-27。

15　〔唐〕吳兢：〈論封建第八〉，《貞觀政要》，《攝藻堂四庫全書薈要》本，卷3，頁28。

16　〔唐〕吳兢：〈論封建第八〉，《貞觀政要》，頁28。

17　〔魏〕王弼注，〔唐〕孔穎達疏，《十三經注疏》整理委員會整理：《周易正義》（北京：北京大學出

　　版社，2000年），頁64。

18　參考金景芳，呂紹綱：《周易全解》（長春：吉林大學出版社，1989年），頁89。

藏書，兩者意向或有所同；面對群臣反對行封建，魏徵以退，顏師古以半進，結果仍往封建的方向推行。由此觀之，魏徵等人的立場，當是佐導並支持唐太宗法式先王，推行封建改體的政策。

第二則節錄觀卦，《群書治要》：「〈象〉曰：風行地上，觀。先王以省方、觀民、設教。」[19]《正義》釋謂：

> 「風行地上」者，風主號令行于地上，猶如先王設教在於民上，故云「風行地上，觀」也。「先王以省方觀民設教」者，以省視萬方，觀看民之風俗，以設於教，非諸侯以下之所為，故云「先王」也。[20]

觀卦為坤下巽上，是為風主號令，行於地而吹拂萬物，有如先王在民之上，設教行化。相對而言，設教須由省視萬方、觀民之風俗而來，是為先王治民之首要。那麼如何省視、觀民？原本《周易》先言〈象〉，再論〈彖〉，此處《群書治要》則刪節原文與注文，將〈象〉置後而續論，擇部分觀卦傳解，分為三段：釋〈彖〉、釋六四與釋九五。

首先引釋〈彖〉：「〈彖〉曰：順而巽，中正以觀天下。觀天之神道，而四時不忒。聖人以神道設教，而天下服。」[21]依《正義》釋《群書治要》之節選〈彖〉者，謂：「又順而和巽，居中得正，以觀於天下，謂之觀也。此釋觀卦之名。」坤為順，故曰「順而巽」；「居中得正」，即九五居中而得正，以觀天下。釋「觀天之神道」一段，《正義》指觀天之神明化行展現在四時運行無差失，而且其展現方式：

> 「神道」者，微妙无方，理不可知，目不可見，不知所以然而然，謂之神道，而四時之節氣見矣。

微妙不可見知，是以謂之神道，聖人之設教亦用此神道：

> 「聖人以神道設教，而天下服矣」者，此明聖人用此天之神道，以「觀」設教而天下服矣。天既不言而行，不為而成，聖人法則天之神道，本身自行善，垂化於人，不假言語教戒，不須威刑恐逼，在下自然觀化服從，故云「天下服矣」。[22]

聖人法天之神道，有二要點，一、身自行善，二、不假言語，不必以威刑，以此行化設教，能使天下人民誠服。

至於觀義，《群書治要》引六四爻辭並附王弼《注》：

---

19 〔唐〕魏徵等：《群書治要》，卷1，頁11。
20 〔魏〕王弼注，〔唐〕孔穎達疏，《十三經注疏》整理委員會整理：《周易正義》，頁115。
21 〔唐〕魏徵等：《群書治要》，卷1，頁11。
22 〔魏〕王弼注，〔唐〕孔穎達疏，《十三經注疏》整理委員會整理：《周易正義》，頁115。

六四：觀國之光，利，用賓于王。居觀之時，最近至尊，觀國之光者也。居近得位，明習國儀者也。故曰：利用賓于王也。[23]

六四最近九五，所觀最明，是以稱之「觀國之光」。觀國即是觀九五，「最近至尊」，也就是最近君王之位者。即六四為最近君王之位，對觀國、觀君之盛德最是真切。「賓于王」指的是仕進於王，在朝為王賓，因能近觀國之光，是以「居近得位」。「利用賓于王」指的是有賢德能觀國之光者，王者應禮賓之。這是君王應有的對臣屬根本性質的理解；為臣因為位於君側，是以能觀君王之盛德光輝，明習國儀，君上應皆禮遇之。

又引觀卦九五爻辭，並附王弼《注》：

九五：觀我生，君子無咎。上之化下，猶風靡草，故觀民之俗，以察己道，百姓有罪，在余一人；君子風著，已乃無咎。上為化主，將欲自觀，乃觀民也。[24]

九五為君上，「觀我生」為觀自我出者；王弼指君王教化如風行草偃，觀民風化如何，即為君王觀我察己所出所形成的教化如何。因此，人民有罪，君王亦當歸罪自省，方得無過。換言之，君王觀神道以設教，君王作為教化根源，觀人民如何，即自君王所出的教化如何；是以君王有二層觀照，觀神道之化如何，觀人民之風化如何，說明理想君王治政的主動性、能動性與政治責任。

《群書治要》引《周易》及於「先王」，第三則在噬嗑卦。對此卦的解釋，《周易》原典先引〈彖〉後引〈象〉，《群書治要》顛倒其序，先引〈象〉，後釋〈彖〉，並刪「噬嗑而亨」句。引〈象〉曰：

雷、電，噬嗑，先王以明罰敕法。[25]

觀雷電噬嗑之象，具威與明，雷可震物是以威，電為光可明物，先王以之為明罰、敕法，一方面須預知可能的罪行，一方面明佈其法以威阻之。因此先王亦以法治國，然而明罰敕法主要作用不在於犯罪後的懲治，而是施於犯罪未形之前，將法的價值置於震懾與整飭，防範於未然的層次。《群書治要》復引〈彖〉謂：

〈彖〉曰：剛柔分動而明，雷電合而彰。剛柔分動，不溷乃明。雷電並合，不亂乃章。皆利用獄之義也。[26]

噬嗑卦，䷔，三陰三陽各半，剛柔相間，分居內外卦，是以謂剛柔分，為上下未動的

---

23 〔唐〕魏徵等：《群書治要》，卷1，頁6。
24 〔唐〕魏徵等：《群書治要》，卷1，頁6。
25 〔唐〕魏徵等：《群書治要》，卷1，頁6。
26 〔唐〕魏徵等：《群書治要》，卷1，頁6。

靜態，雷電合則下震上離，震為動，離為明，是以下動上明，此為由未噬而噬，由噬而嗑，口中有物則噬，噬則嗑而去之的過程。《正義》釋王弼《注》指：

> 剛柔既分，不相溷雜，故動而顯明也。雷電既合，而不錯亂，故事得彰著，明而且著，可以斷獄。[27]

剛柔既分，則能明辨事象，使不相溷雜，是以雖有變化仍能顯明。雷電合，既威且明，而事象不錯亂，彰著顯明，則能斷獄。噬嗑卦在用獄，《群書治要》改易了原典的傳解順序，先表明先王對於明罰敕法，乃在防範於未然時，收其既威且明的效用，其次至斷獄時，則有明辨事象，不相雜錯，彰明顯著之期待與要求。

比、觀、噬嗑卦，若深論其內容，當中《易》學傳注與原理實為紛然複雜，因此《群書治要》編撰時，變化傳解與注釋的前後順序，並大量刪節繁複的傳釋注解，直取其簡要之義，使便於快速掌握其理，乃為必要。其中論及先王者，說明先王推建分封，比親諸侯以屏障王室，以永續國祚，至觀神道設教，使臣觀國，以人民為自觀的自省，再至對法治應有的思考與態度，簡要而明晰，實有益於對先王重要治政經驗的掌握。若由編撰者視角論之，當中無不隱寓著對君王的教導與諫喻，太宗年號「貞觀」，出自《周易‧繫辭下》：「天地之道，貞觀者也。」韓康伯《註》：「明夫天地萬物，莫不保其貞，以全其用也。」《正義》：「謂天覆地載之道，以貞正得一，故其功可為物之所觀也。」[28]可見太宗對《周易》義理的接受與認同。

（二）引錄《尚書》經傳之論

《尚書》是五經中稱述「先王」次數最多的經典，《群書治要》亦引《尚書》論及「先王」者較多，《虞書》1則，《商書》3則，《周書》5則。當中引全篇〈大禹謨〉，部分〈太甲中〉、〈說命〉、〈畢命〉、〈君牙〉等多為古文《尚書》篇章，雖然在閻若璩《尚書古文疏證》之後被視為偽篇，然當時編纂群臣視之為《尚書》篇章，從內容上肯定其義理價值，因此可以就《群要治要》所收篇章，包括經文與經注，實皆承載他們對先王之道的理解與想像。

首先，《群書治要》引錄《虞書‧大禹謨》涉及「先王」之述者，為近篇末之一段，講述禹接受帝舜的任命，統率百官，當時苗民不從，於是舜派禹前去征討，於是禹會合諸侯、告戒眾人：

> 濟濟有眾，咸聽朕命。會諸侯，共伐有苗也。軍旅曰誓。濟濟，眾盛之貌也。蠢茲有

---

27 〔魏〕王弼注，〔唐〕孔穎達疏，《十三經注疏》整理委員會整理：《周易正義》，頁119。

28 〔魏〕王弼注，〔唐〕孔穎達疏，《十三經注疏》整理委員會整理：《周易正義》，頁348。

苗，昏迷弗恭，蠢，動也。昏，闇也。言其所以宜討也。侮嫚自賢，反道敗德。<u>狎侮先王</u>，輕嫚典教，反正道，敗德義也。君子在野，小人在位，廢仁賢，任姦佞。民棄弗保，天降之咎。言民叛之、天災之也。肆予以爾眾士，奉詞伐罪，肆，故也。爾尚一乃心力，其克有勳。[29]

對「侮嫚自賢，反道敗德」，《群書治要》引錄《注》指「狎侮先王，輕慢典教，反正道，敗德義也。」《正義》釋之「慢先王典教，自謂己賢，不知先王訓教。」[30]對於三苗之亂，《正義》據《呂刑》指出，堯初誅三苗，舜即位後隨即往徙三苗，可見三苗為數度逆亂，干犯王法，是以禹受命之初亦征伐三苗。此段引禹即位之初即往治苗亂，數其狎侮先王、輕慢典教之罪。

第二則為《商書・太甲中》引文為伊尹述事「『先王』子惠困窮」指商湯，為敘事上的稱述，指涉意義不多。第三則為《商書・說命下》。《說命》為殷商王高宗（武丁）任命傅說為相的命詞；武丁為盤庚之姪，當時得到賢臣佑助，開創「武丁盛世」。《群書治要》幾乎全篇取錄，上篇記述高宗夢得傅說，中篇為傅說總百官、戒王為政，下篇王欲師說為學，說報王為學有益，王又屬說以伊尹之功，君臣交談的過程。[31]〈說命下〉在《尚書》原典可分為「王曰」、「說曰」及再一次「王曰」三段。《群書治要》於前二段部分引錄，第三段則為全段引錄。有趣的是在，〈說命〉中，傅說亦曾述及「先王」，中篇高宗請傅說進言，傅說慎重的回應，知不難，在行之難，君王若能誠心效行亦不難，如此則能合於先王之德。在〈說命下〉，傅說表達師從古訓、先王的意思更強烈：

說曰：「<u>王，人求多聞，時惟建事，學于古訓，乃有獲。事不師古，以克永世，匪說攸聞</u>。惟學遜志，務時敏，厥修乃來。允懷于茲，道積于厥躬。惟敩學半，念終始典于學，厥德脩罔覺。監于先王成憲，其永無愆。惟說式克欽承，旁招俊乂，列于庶位。」[32]

《群書治要》節錄此段僅取傅說論師從古訓一段，「惟學……」以下未取，沒有述及《尚書》原典「監于先王成憲」。《群書治要》未取段落，為傅說請高宗謙遜求學，努力刻苦，以求進益，並誠念古訓，以積道聚德。傅說主張教導和自學為學之兩面，重要的是當自始至終以典學為要，以進德修業。最後並強調借鑑先王的典法，將永遠不致於有過。〈說命下〉高宗稱引「先王」的內涵，立場不同於臣屬，其謂：

29　〔唐〕魏徵等：《群書治要》，卷1，頁5。

30　〔西漢〕孔安國傳，〔唐〕孔穎達疏，《十三經注疏》整理委員會整理：《尚書正義》（北京：北京大學出版社，2000年），卷4，頁118。

31　參考〔西漢〕孔安國傳，〔唐〕孔穎達疏，《十三經注疏》整理委員會整理：《尚書正義》，頁292-293。

32　〔西漢〕孔安國傳，〔唐〕孔穎達疏，《十三經注疏》整理委員會整理：《尚書正義》，頁300-301。

> 昔先正保衡，**作我先王，**保衡，伊尹也。作，起也。正，長也。言先世長官之臣也。乃
> 曰：「予弗克俾厥后惟堯、舜，其心愧恥，若撻于市。」言伊尹不能使其君如堯、
> 舜，則心恥之，若見撻于市也。一夫弗獲，則曰：「時予之辜！」伊尹見一夫不得其所，
> 則以為己罪也。右我烈祖，格于皇天。言以此道左右成湯，功至大天。爾尚明保予，罔
> 俾阿衡專美有商，汝庶幾明安我事，與伊尹同美也。惟后非賢弗乂，惟賢非后弗食，
> 言君須賢以治，賢須君以食也。其爾克紹，**乃辟于先王，**永綏民。能繼汝君於先王，長
> 安民，則汝亦有保衡之功也。[33]

殷高宗以伊尹輔烈祖湯為例，可歸結為三個意思：一、期許賢臣有二項使命，致君堯舜上，並安頓人民生命，如伊尹自謂若不能使君王做堯舜，便慚愧羞恥有如在鬧市受刑，若有一人不得其所便以為己過。期許、勉勵傅說亦當如是。二、君臣相依，尤其是君王得賢臣方能得治，三、總體目標在輔佐君王紹承先王之治，以求長久的安治人民。由殷高宗視成湯，為一遠紹先王治政的示範，由唐太宗視殷高宗，也可以形成同樣的範型：效法先王善任具有使命、自覺的賢臣，方得成就君王的理想治政。

《周書‧畢命》為成王之子康王，命畢公高治理周郊，辨別殷商舊臣之善惡。全篇478字，《群書治要》取其部分，大量的刪節、簡為107字，簡約後的要點在善別善惡、化民之俗：

> 王曰：「烏虖，父師，畢公代周公為大師，為東伯，命之代君陳也。政貴有恒，辭尚體
> 要，弗惟好異。政以仁義為常，辭以體實為要，故貴尚之，若異於先王，君子不好也。商
> 俗靡靡，利口惟賢，餘風未殄，公其念哉！紂以靡靡利口為賢，覆亡國家；今殷民利
> 口，餘風未絕，公其念絕之也。[34]

畢公為輔周四代之臣，是以康王尊稱為「父師」。《群書治要》引《注》釋畢公，說明畢公身份，略去原典康王命畢公要處理的事務，直接引錄康王施政的原則，以政治行常，言辭須精要，不崇奇好異，此乃相對於殷俗侈靡而言，康王認為殷商俗侈靡，巧辯為賢，餘風未絕，要求畢公前往治正。接著《群書治要》跳引《尚書》原典，減省多處深澀難懂的原文，相對增加《注》文的引錄說明：

> 我聞曰：「世祿之家，鮮克由禮，以蕩陵德，實悖天道。」世有祿位而無禮教，少不
> 以放蕩陵邈有德者，如此實亂天道也。獎化奢麗，萬世同流，言弊俗相化，車服奢麗，雖
> 相去萬世，若同一流者也。茲殷庶士，驕淫矜侉，將由惡終，閑之惟艱，言殷士驕恣過
> 制，矜其所能，以自侉大，將用惡自終，以禮禦其心惟難也。惟周公克慎厥始，惟君陳克

---

33 〔唐〕魏徵等：《群書治要》，卷1，頁17。

34 〔唐〕魏徵等：《群書治要》，卷1，頁29。

和厥中，惟公克成厥終，周公遷殷頑民，以消亂階，能慎其始也；君陳弘周公之訓，能和其中也；畢公閼二公之烈，能成其終也。欽若先王成烈，以休于前政。敬順文武成業，以美於前人之政，所以勉畢公。[35]

所引錄康王要旨有四點，一、享有世代俸祿者易失禮常，侈靡敗德，萬世皆如此。二、有如殷商眾人驕恣自誇，將會惡終，禮亦難以收束其行。三、推崇周公謹慎遷民，開啟平亂之初幾，君陳繼周公，和諧維中，勉勵畢公終能以功成。四、敬奉先王大業，紹承前人德政以勉之。康王勉畢公之語，在對象上包括君、臣，皆為享有世代俸祿的統治階層，當中的關懷有二；從消極來說，世代食祿者難以為禮教所收束，終不免惡果，從積極面來說，消除亂惡是長期投入、建設的結果，因此當順成、敬奉先王之業，為君臣所當從事的。

《周書・君牙》為周穆王任命君牙為大司徒的冊書，穆王享壽百年，為西周統治在位最久的君王。〈君牙〉原典本身篇幅就小，《群書治要》仍有所刪減，其論及「先王」的段落：

惟予小子嗣守文武成康遺緒，亦惟先王之臣，克左右亂四方，惟我小子，繼守先王遺業，亦惟父祖之臣，能佐助我治四方，言己無所能也。心之憂危，若蹈虎尾、涉于春冰。言祖業之大，已才之弱，故心懷危懼也。虎噬，畏噬；春冰，畏陷，危懼之甚也。[36]

穆王自述承繼文、武、成、康之業，希望任用有如先王之臣者能輔佐治政，對此二事，心中憂危，戰戰兢兢。簡短的話語中，指出承先王之業，亦必須有如先王之臣者，相對而言，作為君王，心中憂危、如履薄冰乃承前先王之業、善任賢臣本具之謹慎態度。

最後，《周書・冏命》篇，為周穆王任命伯冏為太僕之長的冊書。孔穎達《正義》以太僕長與君同車，與君最為親近。[37]《群書治要》取原典約二分之一篇幅，其中論其「先王」，在《注》文部分：

惟予一人無良，實賴左右前後有位之士匡其弗及，惟我一人無善，實恃左右前後有職位之士匡正其不及，言此，責群臣正已者也。繩愆糾謬，格其非心，俾克紹先烈。言恃左右之臣彈正過誤，撿其非妄之心，使能繼先王之功業也。[38]

穆王自陳，僅君王一人無法成就良德，實有賴左右眾臣匡正所不及者，經糾舉校正，正其非妄之心，方得承繼先王功業。以承繼先王之業為目的，那麼舉賢臣糾舉君過乃為必

35　〔唐〕魏徵等：《群書治要》，卷1，頁29。
36　〔唐〕魏徵等：《群書治要》，卷1，頁31。
37　〔西漢〕孔安國傳，〔唐〕孔穎達疏，《十三經注疏》整理委員會整理：《尚書正義》，頁624。
38　〔唐〕魏徵等：《群書治要》，卷1，頁31。

要。特別君王近臣，穆王勉之：

> 僕臣正，厥后克正；僕臣諛，厥后自聖，言僕臣皆正，則其君乃能正；僕臣諂諛，則其君
> 乃自謂聖。后德惟臣、弗德惟臣，君之有德，惟臣成之；君之無德，惟臣誤之。言君所行
> 善惡專在左右也。爾無昵于憸人，充耳目之官，迪上以非先王之典。汝無親近憸利小
> 子之人，充備侍從，在視聽之官，導君上以非先王之法也。[39]

僕侍近臣正直，君主才能正直；僕侍近臣諂媚，君主便會自以為聖明。君主有德乃由於
臣正直，君主失德亦必來自臣的諂媚。是以太僕長不應親近奸邪利口之人，作為近於君
王的耳目之官，當啟迪君王用先王之法。

　　《群書治要》引《尚書》「先王」所指涉內涵，包括一、舉先王之道之幟，不順從
先王之道者則為亂，如引〈大禹謨〉禹往治苗亂，數其狃侮先王、輕慢典教之罪，二、
警戒統治者之驕矜敗德，如〈畢命〉引康王論殷商遺臣，更多論及「先王」者在三、君
王以紹承、順成先王之業為目標，如〈說命下〉殷高宗，〈畢命〉周康王敬奉先王大
業，周穆王在〈君牙〉「嗣守文，武，成，康遺緒」、〈冏命〉「迪上以非先王之典」，其
中，務必善任賢臣，同時強調在追跡先王的大業中，君臣皆須小心、謹慎與格正。

　　其次，《群書治要》採《尚書》所引述「先王」，主要採君王視角，以大禹之言、武
丁之述，周康王、周穆王君王的言語與歷史經驗。當中採傅說之言先王者，亦引領君王
順從古訓、古典與先王之道，然而引臣屬論「先王」為論者，相對鮮少。原因之一可能
在於《尚書》原典本就君王述及「先王」者為多，然《尚書》稱先王42次，臣屬稱述
「先王」者不在少數。另一個可能原因，當稱述古典或先王由臣屬推闡，一則強調師
古、古典與先王之論太過，以致臣屬以古典與先王之論作為限制君王之方法，而恐為僭
上之巧門，二則君王對臣屬強調古典、先王之道太過，形成的限制與壓力，易導致君王
不滿與反感。因此對殷高宗與傅說都稱述先王，《群書治要》皆選錄高宗自述習效先王
的言論，只有一則出於敘事需求，由傅說引述「先王」。尤其秦漢行郡縣、統一天下之
後，根本性的改易中國的政制體質，君主專權為一必然之勢，《群書治要》雖然主要呈
現編纂眾臣的視角與選擇，卻又必須顧慮君臣上下之勢，在《尚書》武丁與傅說之間、
在太宗與群臣之間已然不同，是以有意識的顧慮君臣之勢的實然之下，編撰眾臣必須謹
慎擇取，以防言語文字可能產生負面波盪。

（三）引錄《詩》經傳之論

　　相較《周易》《尚書》經文之澀難，《詩經》較為平易近人，然經文原本述及「先

---

39 〔唐〕魏徵等：《群書治要》，卷1，頁31。

王」僅3則，相關篇章，《群書治要》未取，而〈詩序〉1則及〈詩序〉《箋》文1則，經《箋》2則。首先見於〈詩序〉者為一般熟知「故正得失，動天地，感鬼神，莫近於《詩》，先王以是經夫婦，成孝敬，厚人倫，美教化，移風易俗。」[40]一段，對於《詩》移風化俗，端正得失、感化意志與敦厚人倫之效的講述，為先王於文教風化的關切與善俗之法。

其次，《群書治要》引錄《小雅・鴻雁》之〈詩序〉謂：

> 〈鴻雁〉，美宣王也。萬民離散，不安其居，而能勞來還定安集之，至乎鰥寡，無不得其所焉。宣王承厲王衰亂之獎而興，復先王之道，以安集眾民為始。[41]

〈詩序〉說明周宣王派遣使者，安集因厲王衰亂離散在外的眾民，〈鴻雁〉即在稱宣王能振衰起弊，復先王之道，即表現在安集眾民，復居其業上，是以為美。

《群書治要》引及「先王」，又在《大雅・行葦》之《箋》注：

> 敦彼行葦，羊牛勿踐履，方苞方體，維葉泥泥，敦，聚貌也。行，道也。葉初生泥泥然，苞，茂也。體，成形也。敦敦然道旁之葦，牧羊牛者無使蹈履折傷之，草物方茂盛，以其終將為人用，故周之先王，為此愛之，況於其人乎。……[42]

詩以道旁蘆葦新芽起興，見其柔嫩潤澤，令人不忍聽任牛羊踐踏，《群書治要》引《注》說明周之先王思及草物茂盛，終將為人所用，是以不忍，以此厚愛草木萬物之心，亦必施及於人，睦親敬老。先王仁德敦厚，自其愛物可見，而況於人。

再者，見《大雅・板》引鄭《箋》，〈詩序〉指此詩為周卿士王伯刺厲王之詩，另一首《群書治要》引錄「先王」者也在《大雅・蕩》鄭《箋》，〈詩序〉指其為召穆公傷周室大壞，同樣是指陳厲王昏政之詩。

首先《群書治要》對〈板〉的引錄：

> 上帝板板，下民卒癉，出話不然，為猶不遠，板，反也。上帝以稱王者，癉，病也。話，善言也。猶，謀也。王為政反先王與天之道，天下民盡癉，其出善言而不行之也。以此為謀，不能遠圖，不知禍之將至也。[43]

《箋》釋本章，以比於上帝之王者，乃反於先王，又反於天道的君王，而致使人民蒙受惡政，即有善言亦不能行，即有善政亦不能久遠，為政如此淺近則肇禍不遠。《正義》

---

40 〔西漢〕毛亨傳，〔東漢〕鄭玄箋，〔唐〕孔穎達疏，《十三經注疏》整理委員會整理：《毛詩正義》（北京：北京大學出版社，2000年），卷1，頁11-12。

41 〔唐〕魏徵等：《群書治要》，卷2，頁13-14。

42 〔唐〕魏徵等：《群書治要》，第3卷，頁46。

43 〔唐〕魏徵等：《群書治要》，卷3，頁24。

將「反於先王與天之道」，直接解釋成「不重聖人之法」、「不依聖人之法」[44]，並指出兩個後果，君王將「任意自恣而無所依據」，而且「為不實誠信之言」，當中的借鑑舉厲王為例，因其未從先人之道，是以為政不善、不信，亦不能久遠，甚至引發災禍。就此而言延順先王之法至少有兩個重要作用，一則使君王行事有所依據，二則可推就君王之言成為善實誠信之言，取得政治信任。

在〈蕩〉，《群書治要》引錄：

> 文王曰咨，咨汝殷商，匪上帝不時，殷不用舊，此言紂之亂，非其生不得其時，乃不用先王之故法之所致也。雖無老成人，尚有典刑，老成人，謂若伊尹，伊陟，臣扈之屬也。雖無此臣，猶有常事故法可案用。曾是莫聽，大命以傾，莫，無也。朝廷君臣皆任喜怒，曾無用典刑治事者，以至誅滅也。殷鑒不遠，在夏后之世。此言殷之明鏡不遠也。近在夏后之世，謂湯誅桀也。後武王誅紂，今之王何以不用為戒乎。[45]

此處同樣引暴政之例，然引文王評鑑之言，指出商紂之亂，非生不得時，主要仍在「不用先王之故法」。那麼先王之故法何在？詩指二處：老成人與典型。《箋》注謂老成人即伊尹等賢臣，若無賢臣，亦有常事故法，也就是循往之事例與法則，為先王故法存在之所。相對的，一旦未能循常事故法理政，則終致覆滅。

總上所言，《群書治要》論及先王者，有自正面立論者，如引〈詩序〉先王有經夫婦、成孝敬、厚人倫、美教化、移風易俗的理想與要求，引〈鴻雁〉在論先王振衰起弊、安民之志，〈行葦〉則論先王之厚德載物。亦有從反面論暴君之政，商紂與厲王德行當然有很多問題，但施政上的根本問題，皆有不從先王之法這一項。〈板〉、〈蕩〉所論先王之法／道的關注層面不同，一在形成君王行事之準則、根據來談，當行事有據，那麼施政便能使人信服，二則行事之據當來自先王之法／道，而先王之法／道又自賢臣與往例典型中來。

三　引錄《左傳》、《禮記》、《周禮》經傳之論

在成書較前的《易》《書》《詩》之後，《隋書・經籍志》著錄為禮學；先載《周官》，後錄《禮記》，但是《群書治要》依序編錄卷五、六為《左傳》、卷七為《禮記》、卷八為《周禮》，《周禮》反而在最後。若依〈經籍志〉所指「漢時有李氏得《周官》。《周官》蓋周公所制官政之法，上於河間獻王。」[46]《周官》其得書次序當在《禮記》

---

44 〔西漢〕毛亨傳，〔東漢〕鄭玄箋，〔唐〕孔穎達疏，《十三經注疏》整理委員會整理：《毛詩正義》，頁1344-1345。

45 〔唐〕魏徵等：《群書治要》，卷3，頁25。

46 〔唐〕長孫無忌：〈隋書・經籍志〉，頁38。

之後，因此《群書治要》撰錄經傳的次序，乃依成書、得書先後來分。以下依次論《左傳》、《禮記》、《周官》所引「先王」之述，其中又以《禮記》為多。

（一）論《左傳》所引「先王」

今所見《群書治要》引錄《左傳》原有三卷，卷上佚失，僅存卷中、下。《左傳》原典引述「先王」共49次，分別在文、襄、昭公年間，昭公部分佔一半以上。《群書治要》所引《左傳》「先王」一詞共4次，分別為昭公四年（538 B.C.）、六年（536 B.C.）、九年（533 B.C.）、二十五年（517 B.C.）經文。

昭四年記述楚靈王意圖稱霸，為求取諸侯擁戴，先派椒舉至晉國請求晉平公的支持。平公與臣子商議，不欲應允，認為晉國有天險為障，不怕楚國來攻，但是司馬侯提出不同意見，則勸平公順成楚王來使之意，他主張：

> 恃險與馬，不可以為固也，從古以然。是以先王務修德音，以亨神人亨，通也。不聞其務險與馬也。鄰國之難，不可虞也。……恃此三者，而不修政德，亡於不暇，又何能濟，君其許之，紂作淫虐，文王惠和，殷是以殞，周是以興，夫豈爭諸侯。[47]

國君所當為者，為積極致力於修明德行，以溝通神、人，憑恃地險和軍力，以及鄰國禍難，而不去修明政事和德行，終淪為挽救自身危亡還不及之境。司馬侯更舉紂王暴虐，文王慈藹，是以殷滅而周興，要關注的不是諸侯爭奪這一層次，而當識見周之所以興起主要在文王的修明德行。

其次，昭六年鄭人鑄刑書刻於銅鼎，以為國法，對這件事晉叔向對子產表達不解與不認同，他認為刑法治世為三代末法，先王對於治政的考量深遠：

> 昔先王議事以制，不為刑辟，懼民之有爭心也臨事制刑，不豫設法，法豫設，則民知爭端。……民知有辟，則不忌於上權移於法，故民不畏上也。並有爭心，以徵於書，而徵幸以成之因危文以生爭，緣徵幸以成其巧偽也。弗可為矣。為治也。[48]

杜預《集解》解釋先王衡量行事輕重以斷定罪行，不制定刑法，在避免百姓有爭執之端。何以如此？《左傳正義》解釋，據《尚書・呂刑》及《周禮》「司刑」所載，周世確實有豫制刑法，那麼叔向所謂「臨事制刑，不豫設法」當如何理解？《正義》指出先王雖有刑法，但僅為大綱而已，最重要的仍在依情之淺深，罪之輕重，臨事而議。也就是

---

47 〔唐〕魏徵等：《群書治要》，卷6，頁3-4。
48 〔唐〕魏徵等：《群書治要》，卷6，頁6-7。

先王議罪的立場，在有法而無法，基本精神仍在於「不豫設定法，告示下民，令不測其淺深，常畏威而懼罪也。」[49]用意在於為免於民眾知法而犯法，是以不明訂法條，令人民因不知法之深淺，而有所畏懼，不敢以身試法。相對的，如果百姓掌握刑法明細，得以徵引刑法以為證明，有機會藉此巧智僥倖成功，將有爭奪之心，而不知敬畏。尤其，《群書治要》引杜預《集解》指出「權移於法，故民不畏上也」[50]，此點議論尤其指出叔向的擔憂；當民眾關注在執法者如何判罪輕重，乃由於刑法某種程度的不明確性，而依賴者執法者的明智處置，然而當刑法明細公諸於世，執法如何或如何執法，便成為執法者與民眾的爭議焦點，同時也失去了執法者的權威性。簡言之，成文法之公告於眾，將令民眾關注便在於法，而當治政必須以法作為驅使時，權勢便不在執法者，而在法本身。這是論法與執法者的細微處，更是法作為治政主體時所具有的危險性的說明。

　　確立了成文法的危險性與底限，回到原來的治罪問題。不能以法令作為禁制犯罪的主要方法時，當如何治政？《群書治要》引《左傳》謂：

> 猶不可禁禦，是故閑之以義，閑，防也。糾之以政，行之以禮，守之以信，奉之以仁奉，養也。制為祿位，以勸其從勸從教也。嚴斷刑罰以威其淫淫，放也。懼其未也。故誨之以忠，聳之以行，聳，懼也。教之以務時所急也。使之以和悅以使民，臨之以敬，蒞之以彊施之於事為蒞，斷之以剛義，斷恩也。猶求聖哲之上，明察之官上，公王也。官，卿大夫也。忠信之長，慈惠之師，民於是乎可任使也，而不生禍亂。[51]

主張以道義防範，以政令約束，制定禮儀使人民奉行，同時賞罰分明。往後叔向所敘，為積極的教誡與化民的方式。叔向所指先王，在面對刑法與執法的思考謹慎而細膩，對於犯罪，至少有兩層思考，第一不以法令本身的禁制與威嚇作為主要方法，反而透過法的不明確性以仰賴執法者的判斷，形成執法者的權、勢。這其實說明了法的本質，執法者如何執法？實為法治的根本關鍵。相對的，無法形成執法者權威時，法令反而成為執法者與犯罪／可能犯罪者的爭端。第二，與其將思考圍繞在消極的禁制與威嚇上，不如積極的教化人民，使之明禮知義，從根本上消解犯罪的可能。雖然叔向這一長段話不被子產所接受，然子產亦明確指出「不能及子孫，吾以救世也」，以法為救世之用，不能澤及子系，其實也承認刑法不是理想的治世之則。《群書治要》引此先王之道，同樣是將其視為理想治政的歆慕與領從，作為對法令與執法思考與示範。

---

49 〔周〕左丘明傳，〔晉〕杜預注，〔唐〕孔穎達疏，《十三經注疏》整理委員會整理：《春秋左傳正義》（北京：北京大學出版社，2000年），頁1411。

50 〔唐〕魏徵等：《群書治要》，卷6，頁3-4。

51 〔唐〕魏徵等：《群書治要》，卷6，頁3-4。

其次，《群書治要》在昭九年，也述及「先王」，所引《左傳》長段述事，記載周大夫與晉大夫爭奪土地，後晉人竟同陰戎人攻周邑，周天子遣詹桓伯責晉，談到西周文、武、成、康諸王分封諸侯，為是屏障王室，一旦周勢衰頹，又得以兄弟邦國間互濟。針對晉人與陰戎人這事，詹桓伯同時指出：

> 先王居檮杌于四裔，以禦螭魅言檮杌，略舉四凶之一也。故允姓之姦，居於瓜州允姓，陰戎之祖，與三苗俱放於三危也。瓜州，今敦煌也。伯父惠公歸自秦，而誘以來僖公十五年，晉惠公自秦歸，二十二年，秦晉遷陸渾之戎於伊川，使逼我諸姬，入我郊甸，戎有中國，誰之咎也咎在晉，后稷封殖天下，今戎制之，不亦難乎后稷修封疆，殖五穀，今戎得之，唯畜牧也。[52]

在對外政策上，先王安置他們於四邊遠方，然後晉惠公自秦歸，引陸渾之戎前來，從而威逼姬姓諸國，戎人侵據，形成困難之勢。詹桓伯論述先王的外交政策與分封制的立意，在透過兄弟之邦的安置以禦可能的戎犯。

最後，《群書治要》引《左傳》昭二十五年在鄭子太叔論「禮」，最後提到「先王」：

> 禮，上下之紀，天地之經緯也。經緯錯居以相成也。民之所以生也。是以先王尚之，故人之能自曲直以赴禮者，謂之成人。大，不亦宜乎！曲直以弼其性。[53]

從兩方面談禮的價值，一則，先王特別尊崇禮，乃因禮為上下綱紀、天地秩序，也是人民生存的依靠。二則人能自我曲伸，使其情志達到「禮」的要求，乃為「成人」，因此從宏觀的天地、人間秩序來看，就個人生命情志而言，「禮」實宏大深奧。此段引先王之道，關注禮在治人與持己上的價值。其價值在實際上如何形成？《群書治要》引禮學所及「先王」，《禮記》13次，《周禮》1次，有較為深入的展現。

（二）論《禮記》《周禮》所引「先王」

《群書治要》引禮學論及「先王」的次數多，談論的層面也很廣，禮樂制度文明本為周公以後，周世為人稱道的主因，如何轉化繁複的禮學知識系統，形成君王易知易行的知識架構，甚至成為政治趨向與切實可行的政策，必須具體掌握依循、順成之法，這又建立在對先王之道的追尋與一再確認中。《群書治要》所引禮學所論先王之道，首先肯定禮的細潤無間，改易人心之功，《群書治要》引〈經解〉之語：「故禮之教化也微，其正邪於未形，使人日徙善遠罪而不自知也。是以先王隆之也。《易》曰：君子慎始，

52 〔唐〕魏徵等：《群書治要》，卷6，頁10。
53 〔唐〕魏徵等：《群書治要》，卷6，頁19。

差若毫釐,謬以千里,此之謂也。隆,謂尊盛之也。始,謂其微時也。」[54]《正義》以預防的概念解釋此段,見事於微,端正尚未成形的邪僻,推崇禮的預先教化,自源頭／萌芽之際即已施行其效,尤其禮之教化乃是使人在日常中不甚自知、不甚指斥的狀況下遷善遠罪,其以先見之明,防微杜漸,以防謬以千里的嚴重後果,乃為先王治政隆禮之因,而為無形的化民之方。其下分五個層面談禮所及治政化民的意義與價值:一、總論先王立禮的基本精神與價值,二、為順人情之制,三、祭祀以致敬,四、為節行治亂之教化,五、禮樂以和。

1 先王立禮之意與禮的價值

《群書治要》引〈禮運〉、〈禮器〉篇2則論及「先王」,主要從整體設置禮之所由來,與立禮之由,總論禮的意義與價值。

〈禮運〉篇中,孔子講述三王得禮則興,失禮則亡,何以如此緊要?孔子謂:

> 夫禮者,先王以承天之道,以治人之情,故失之者死,得之者生。《詩》云「人而無禮,胡不遄死。」故聖人以禮示之,天下國家可得而正。民知禮則易教也。[55]

指出禮出於先王承天之道,治理人情;違背此天之道則亡,善加運用則得以生,有如《詩・鄘風・相鼠》強烈指陳,人若無禮則形成眾多傷害;是以,聖人以禮裁成、治正天下國家。此段文句有二個重點,一則如《禮記正義》云「又言禮之所起,其本尊大,故云『夫禮必本於天』,言聖人制禮,必則於天。」[56]將禮的起源歸諸於天,為先王以天為則的制作,將禮的位階拔高至天道、先王之制的高度,極度推崇。其次指出禮主要用於治人之情,《群書治要》引鄭玄《注》說明民知禮則易於教化,治政之本在教化,而禮又為善教的根本方法。

〈禮器〉論禮器,至少有二義,除了物質器用之義之外,又如《禮記正義》所言「言禮能使人成器,故云禮器也。既得成器,則於事無不足。」[57]禮可使人身成器,成器之意,具體乃如〈禮運〉云自「人情以為田」,「脩禮以耕之」,至「食而弗肥」,成器便能於事無不足,無不足則為大備,講求禮體用一致,能備全人身之大用。禮為人所見者,為外在之儀,至於其本質如何,本篇論及「先王」者便談到立禮之形、質,減省數句原典,其謂:

---

54 〔唐〕魏徵等:《群書治要》,卷7,頁25。

55 〔唐〕魏徵等:《群書治要》,卷7,頁10。

56 〔東漢〕鄭玄注,〔唐〕孔穎達疏,《十三經注疏》整理委員會整理:《禮記正義》(北京:北京大學出版社,2000年),頁774。

57 〔東漢〕鄭玄注,〔唐〕孔穎達疏,《十三經注疏》整理委員會整理:《禮記正義》,頁836。

> 先王之立禮也，有本有文。忠信，禮之本；義理，禮之文。無本不立，無文不
> 行，言必外內具也。禮也者，合於天時，設於地財，順於鬼神，合於人心，理萬物
> 者，故天不生，地不養，君子不以為禮，鬼神弗饗。天不生，謂非其時物也。地不
> 養，謂非其地所生也。[58]

先王制禮，具有內在實質，又有其外在儀文。忠信為禮之內在實質，應理合宜為其外在
表現。無內在實質，禮不能成，同樣的，外在表現不合宜，也是不成禮。禮的規範要
求，合天時、地利，順鬼神，合人心。所以，節令無時、不合地宜之物，君子不以之為
祭品，因為連鬼神也拒絕享用。本篇於禮的關注，本質與外儀兼重，其本質具體又為和
順於天地、鬼神、人心、萬物，表現在外者，具體乃為不取不合宜之物以為祭祀之用，
乃為先王制禮之要則。

2 禮為順人情之制

尤其是順人情，乃為先王引以為治民施禮之核心要則，《群書治要》引〈禮運〉、
〈樂記〉論及「先王」者，皆對此有所關注：

> 故無水旱昆蟲之灾，民無凶飢妖孽之疾，言大順之時，陰陽和也。昆蟲之灾，螟蟲之屬
> 也。故天不愛其道，地不愛其寶，人不愛其情，言嘉瑞出，人情至也。故天降膏
> 露，地出醴泉，山出器車，河出馬圖，鳳皇騏驎，皆在郊椒，龜龍在宮沼，其餘
> 鳥獸之卵胎，皆可俯而窺也。膏，猶甘也。器，謂若銀甕丹甑也。馬圖，龍馬負圖而出
> 也。椒，叢草也。沼，池也。則是無故，非有他故使之然。<u>先王能脩禮以達義，體信而</u>
> <u>達順，故此順之實也。</u>[59]

《正義》謂無天災且人民無疾苦，原因在於「聖王用大順之道，故致陰陽和調，群瑞並
至」，不僅無災苦，甚至能夠物產豐饒，祥瑞並至，乃由於先王修用禮，以通達理義，
體現誠信而達至和順之境，而為順應天理人性的實質展現。此段說明先王發揮敬順之道
而成的善政善治，推崇大順之道。

在〈樂記〉談到更實際切近人倫日用的禮的內涵：

> 禮者，所以綴淫也。綴，猶止也。<u>是故先王有大事，必有禮以哀之，有大福，必</u>
> <u>有禮以樂之，哀樂之分，皆以禮終</u>，大事，謂死喪也。<u>是故先王本之情性</u>，稽之度
> 數，制之禮義，合生氣之和，道五常之行，使之陽而不散，陰而不密，剛氣不
> 怒，柔氣不懾，四暢交於中，而發作於外，皆安其位而不相奪也。生氣，陰陽氣

---

58 〔唐〕魏徵等：《群書治要》，卷7，頁11。

59 〔唐〕魏徵等：《群書治要》，卷7，頁10-11。

也。五常，五行也。密之言閉也。懾，猶恐懼也。[60]

談到禮乃制止過度之行，是如先王遇喪事，透過衰麻、哭踊等禮表達哀思，相對的遇吉慶，亦以鐘鼓、琴瑟之禮抒發情志，哀樂之情恰如其分如禮的展現。此外，值得注意的是，原典本文在首句「禮者，所以綴淫也」之前有「樂者，所以象德也。」並論禮、樂。然《群書治要》刪去「樂者」云云，同時在論「皆以禮終」之後，亦刪省原典本文一段論樂之文，然而這不是不重視樂之相關論述，因為〈樂記〉亦多段論及先王與樂道，因此，這裏的刪省，文字聚焦在論禮，乃因其關注要旨在於禮。更有趣的是，《群書治要》不僅減省原典本文，甚至改易原典本文，在「是故先王本之情性」，在〈樂記〉原典本文的前段論述主題在論樂教，此處《群書治要》直接改易為論禮，以禮之制作，本之情志，考核音律度數，以禮義裁制人情，和合陰陽生氣，循五行流轉，調節陰陽之氣，中和脾性，使陰、陽、剛、柔各安其位而條暢通達於內，顯於於而得行儀如禮。《群書治要》改易文句後，有二個論禮的要則，一、則禮為節制之用，以求合宜的表現，二、將樂教特質的「和」視為禮的內涵與特質。

3 祭祀致敬敬／祭

所謂「大順」，表示在順天地者，為祭祀所致之誠敬，《群書治要》引〈禮器〉、〈祭義〉以及《周禮·夏官》言及先王制禮在祭祀上的思考與示範。

〈禮器〉論順天地順天時，尤其在祭祀上：

> 是故昔者先王之制禮也。因其財物而致其義焉。故作大事必順天時，大事，祭祀也。為朝夕必放於日月，日出東方，月生西方也。為高必因丘陵，謂冬至祭天於圜丘之上。為下必因川澤。謂夏至祭地於方澤之中。[61]

先王制禮在順天地，順天地的具體作為即是「必因其財物之性而事天地」，因萬物之性而安頓、求其宜。依此原則，祭祀之大事，即當順天時節令，天子於春分之日朝祭日，秋分之日夕祭月，冬祭天必登高，夏祭地必就低，皆為順天時、應地宜的表現。

此在《群書治要》引《周禮》，及於「先王」僅一則於鄭玄《注》，同樣在論祭祀，其謂：

> 司勳掌等其功，等猶差也。以功大小為差等。凡有功者，銘書於王之大常，祭於大烝，銘之言名也。生則書於王旌，以識其人與其功也。死則於烝先王祭之，冬祭曰烝，王旌，畫日月為大常也。凡賞無常，輕重視功。無常者，功之大小不可豫。[62]

---

60 〔唐〕魏徵等：《群書治要》，卷7，頁17。
61 〔唐〕魏徵等：《群書治要》，卷7，頁11-12。
62 〔唐〕魏徵等：《群書治要》，卷8，頁7。

講論司勳之職，其中一項要務就是將有功者其人其功，生時書於王旌，死後則於冬日祭先王時，以功臣配享，談到的是冬天祭祀的對象，具體表現對先王永在的敬順之誠。

於前人先祖的敬順，是為「孝」，在〈祭義〉述及「先王」，同樣也具體說明由此敬順之心，先王於祭祀之時的實際禮儀與示範：

> 致齋於內，散齋於外，齋之日，思其居處，思其笑語，思其志意，思其所樂，思其所嗜，齋三日，乃見其所為齋者，見其所為齋，思之熟也。祭之日，入室，僾然必有見乎其位，周旋出戶，肅然必有聞乎其容聲，出戶而聽，愾然必有聞乎其嘆息之聲，是故先王之孝也。色不忘乎目，聲不絕乎耳，心志嗜欲不忘乎心，安得不敬乎。[63]

敬順之心有其實質可見的外在形式，以誠謹的態度執行祭祀儀節，其形式包括調攝身心的內齋，與外齋的施行，於齋戒之日，時刻觀想往者起居、音容、意志、喜好，以求復現往者姿容居處於意念之中；先王之孝，即是肅然誠敬於祭祀齋戒中的行步周旋。

4 禮為節行治亂之教化

禮作為治世之具，先王採積極教化之方，不止是消極的抑惡或懲惡，同時，政治的成果如何，亦可自禮樂風化得見。《群書治要》引〈禮器〉論此意：

> 是故先王制禮也以節事，動反本也。脩樂以導志，勸之善也。故觀其禮樂而治亂可知。[64] 亂國禮慢而樂淫也。

《注》謂「動反本」，此為《群書治要》未錄原典本文「禮也者，反其所自生」之意，是以意思是，先王以禮反己所由，《正義》反本有二個意思，一則「初生王業，其制禮還以得民心之事而為禮本。」一則「用此禮以得民心，故用民心之義，以節事宜」，以得民心，制節事宜。此段論先王將禮以民心為本，將禮作為教化之方、制節之據，以樂導志，同時其施行如何，可知善化風俗之功如何，因此由禮樂之施行可明治亂。

其次，《群書治要》引〈祭義〉「先王」總論治天下之道：

> 先王之所以治天下者五，貴有德也。貴貴也。貴老也。敬長也。慈幼也。此五者，先王之所以定天下也。貴有德，為其近於道也。貴貴，為其近於君也。貴老，為其近於親也。敬長，為其近於兄也。慈幼，為其近於子也。言治國有家道也。[65]

---

63 〔唐〕魏徵等：《群書治要》，卷7，頁20-21。
64 〔唐〕魏徵等：《群書治要》，卷7，頁12。
65 〔唐〕魏徵等：《群書治要》，卷7，頁21。

敬重有德者，因其近於道；敬重有位者，因其近於君，敬重老者，因其近於雙親，敬重長者，因其近於兄長，慈愛幼者者，有如自己子女。此五者其實是將君臣、父子與長幼之人倫節度，推而擴之而為治天下之法，是以鄭《注》謂「治國有家道」，《正義》釋鄭《注》之謂「先王之教，因而弗改，所以領天下國家也」，主要在論二事，貴德與孝弟，之所以可以達到「定天下」的美治善政，根本原因在於先王設制，乃緣情制禮，因人心具孝弟，是以以孝弟教人，是鄭《注》所謂「因而弗改」，這樣的是因而不改，乃是從人之所欲，順成人欲則得善政，所以可以定天下。

5 禮樂以和樂

《群書治要》引禮書所及「先王」，亦有論及樂之感化教養，同樣為治政不可或缺之一環，所論〈樂記〉引有4則。《禮記》原典中，禮樂常並舉，前有論及，曾出現《群書治要》引〈樂記〉講述先王制禮，《禮記》原典主詞本為論樂，編撰者之為論禮的現象。《禮記》及「先王」者，而與樂教相關者，其中2則與禮並論，2則偏向獨立論樂，然皆為〈樂記〉篇章，是以依序論列其義。

樂較禮的教化，又更為抽象，不易說明與掌握，其治理人心又細膩而隱於無形，與禮相較，樂之善化人心之效如何？實不易衡量與論述。首先論及先王，先談到樂之所以感化人心的作用原理：

> 凡音之起，由人心生也。人心之動，物使之然也。感於物而動，故形於聲，宮商角徵羽雜比曰音，單出曰聲，形猶見也。樂者，音之所由生也。其本在人心之感於物，是故其哀心感者，其聲噍以殺，其樂心感者，其聲嘽以緩，其喜心感者，其聲發以散，其怒心感者，其聲粗以屬，其敬心感者，其聲直以廉，其愛心感者，其聲和以柔，六者非其性也。感於物而後動，言人聲在所見，非有常也。噍，踧也。嘽，寬綽貌，發猶揚也。<u>是故先王慎所以感之者</u>，故禮以導其志，樂以和其聲，政以一其行，刑以防其姦，禮樂刑政，其極一也。所以同民心而出治道。[66]

原典本文在本段主要要說明音聲起於人心，《群書治要》刪節原典本文，主要是音樂形成理論的部分，而關注人心如何受樂影響的層面，不在音樂本身。是以說明音之起在人心之動，人心之動又在於有感於外物；聲是人心有感於外境的結果。接著論樂，樂生於音，所以同樣也是本於人心有感於外物。為外境所感，聲貌各各有不同，因此先王重視樂之本，慎重於外物影響人心的層面，如《正義》謂「故先代聖人在上，制於正禮正樂以防之，不欲以外境惡事感之。」[67]因而以禮教導意志，以樂諧和其聲，與刑、政之抑

---

66 〔唐〕魏徵等：《群書治要》，卷7，頁14。
67 〔東漢〕鄭玄注，〔唐〕孔穎達疏，《十三經注疏》整理委員會整理：《禮記正義》，頁1254。

惡施善，檢情歸正，皆為先王治道。

　　禮、樂、刑、政同為先王治政要道，而禮樂具體作用，在於節制安樂民心之要：

> 樂之隆非極音，食饗之禮非致味，隆猶盛，極猶窮。<u>是故先王之制禮樂舊無先王至禮</u>
> <u>樂六字</u>，補之，非以極口腹耳目之欲，將以教民平好惡而反人道之正，教之使知
> 好惡。<u>先王之制禮樂，人為之節</u>，言為作法度以遏其欲也。衰麻哭泣，所以節喪紀
> 也。鐘鼓干戚，所以和安樂也。婚姻冠笄，所以別男女也。射鄉食饗，所以正交
> 接也。男二十而冠，女許嫁而笄，成人之禮也。射，大射鄉，鄉，飲酒也。食，食禮饗，
> 饗，禮也。禮節民心，樂和民聲，政以行之，刑以防之，禮樂刑政四達而不悖，
> 則王道備矣。[68]

先王制訂禮樂，不在於滿足人民口腹耳目的欲望，而是藉以教導人民辨別好惡、愛憎，
以求回歸人心正道。深入其方法，即在「節」，《正義》論此有二義，為法節，為裁節，
意在修芟人心之過與不及。具體如喪服哭踊有禮，在節喪而使其有紀，鐘鼓盾斧而舞之
禮，用以調和安樂，再如婚禮及成人禮，用以別男女，而射鄉宴饗之禮，也是讓人在往
來交接時可以依循法度，不相陵越。此處論先王之道，禮以為法度，樂以調和，各為剛
柔，相對於刑、政，禮樂又為柔和之方，刑政為剛紀之法。

　　那麼能調和人心，使人返復正道的樂是如何？先王如何持樂？《群書治要》刪節
〈樂記〉與鄭衛之音相別的一段話，說明何謂正樂，而以正樂為先王之古樂。其謂：

> 魏文侯問於子夏曰：吾端冕而聽古樂，則唯恐臥，聽鄭衛之音，則不知倦，敢問
> 古樂之如彼何也。新樂之如此何也。<u>古樂，先王之正樂也。</u>對曰：今君之所問者樂
> 也。所好者音也。相近而不同，鏗鏘之類皆為音，應律乃為樂。文公曰：敢問何如，
> 欲知音樂異意。對曰：夫古者天地順而四時當，民有德而五穀昌，疾疫不作而無妖
> 祥，此之謂大當，然後聖人作為父子君臣，以為綱紀，綱紀既正，天下大定，天
> 下大定，然後正六律，和五聲，弦歌詩頌，此之謂德音，德音之謂樂，當謂樂不
> 失其所也。今君之所好者，其溺音乎。[69]

魏文侯表示，聆聽古樂，令人倦怠，然聽鄭、衛之音反不知疲倦，何以如此？子夏提出
的「樂」與「音」兩者近似，卻大不相同。因為古代治政良善，天地四季順和應當，人
民有德，無飢無疾無禍，當時聖人君臣父子之名，以為社會綱紀，於是天下大治。天下
大治之後，考正樂律，弦歌頌詩，以為頌讚，即所謂「德音」，「德音」謂之「樂」，相
對的，君王今所好者，則謂之「溺音」。原典本文於何謂德音、溺音有許多論述，《群書

68　〔唐〕魏徵等：《群書治要》，卷7，頁15-16。
69　〔唐〕魏徵等：《群書治要》，卷7，頁18。

治要》皆不取，編錄後的重點，一、分別正樂與溺音，一般皆以樂通稱之，實不明其義，二、樂為正樂，就先王治樂的歷史經驗來看，是「先德後音」，具有施行德政的太平之治，而於此治中調製樂音，方得此正樂。這樣的正樂理論，顯然樂是在禮之制節得以有效善化人心之後，樂在此善化之政上的制作，因此，樂不是積極的教化，而是弱義的教化，在禮治天下之際，調和人心，維持治政良善的輔行方式。

論先王之道在樂的關注，《群書治要》引〈樂記〉，尚有以樂治心之論，同樣刪去多處原典本文，而有謂：

> 君子曰：禮樂不可斯須去身，致樂以治心，樂由中出，故治心也。致禮以治躬，禮自外作，故治身也，心中斯須不和不樂，而鄙詐之心入之矣。鄙詐入之，謂利欲生也。外貌斯須不莊不敬，而慢易之心入之矣。易，輕易也。故樂也者，動於內者也。禮也者，動於外者也。樂極則和，禮極則順，內和而外順，則民瞻其顏色而不與爭也。望其容貌而民不生易慢焉。是故樂在宗廟之中，君臣上下同聽之，則莫不和敬，在族長鄉里之中，長幼同聽之，則莫不和順，在閨門之內，父子兄弟同聽之，則莫不和親，故樂者所以合和父子君臣，附親萬民，是先王立樂之方也。[70]

此段論先王制樂有三層要則，首先就個人而言，論以樂治心之理，樂本心而發，是以治心，相對於樂，禮是自外在的行為表徵，當以治身；此處心身相對，樂於內，禮自外。是以心中若不和不樂，則鄙卑詐偽易入於心，同樣的外貌容止不莊不敬，輕易怠慢也易入於心。進一步自治民來看，樂之理想狀態在於和，禮則在於順，形成內和悅而外恭順，人民望其容色則能不與之爭，不生輕慢。最後深論其具體施行，樂當奏於宗廟，君臣一同，則能和諧肅敬，奏於鄉里，長幼一同，則能和洽順從；奏於家門，父子兄弟一同，能和睦相親。若此，樂能合和父子、君臣，並姓親來附。

先王之道在禮樂，藉對〈樂記〉刪繁就簡，《群書治要》妥適的引導君王，形成以禮先行，自德觀樂立論，而尤重禮教之施行。

三　結語

政治在方方面面，面對當代治政，唐太宗固然遊刃有餘，即位四年即天下平治，然而面對不斷變異的政治現實，欲將眼前的平治延續至未來，君王理想的高度與境界為何？做為主導天下之君王如何落實實際之種種，著實不易。唐太宗企圖為未來統治提出治政總綱與原理原則，有意識取納先王實際治政經驗，尤其是周祚久長的具體成果，作

---

70 〔唐〕魏徵等：《群書治要》，卷7，頁19。

為倣效取法的對象，猶且古代政治的核心尤在聖王之治，理想治政須透過聖明之君方得實現，古代聖王、先王無非為理想君王典型之重要資鑑，其具體為何？三代、周文之遺，具體在六經，諸子為其支流，《群書治要》雖取漢以後典籍，然既以三代、周文為主要習取對向，而五經典籍之論為主要關切。同時，《群書治要》作為實際治政的參考時，至少有三層考慮，一則解讀者為掌握權利帝王，對象具體為唐太宗，必須顧慮其身份與接受度，二則作為臣子，如何引導與君王形成有志一同的政治理想，三、可付諸實際且具體的政策與治政方向；針對第一點，《群書治要》為芟繁就簡的成品，乃為必然。如何去取予奪，又指向第二、第三點的編纂目的。對於後者，藉由五經闡述的歷史事實與實際政績，有其一定效用，君王尤為此間之積極主導者，因此最終由此形成君臣共構的君王理想典型，為唐太宗以至於後世君王之參照。

　　《群書治要》藉由五經傳載之先王之道透顯君王理想治政，其關注於上天鬼神、國家君臣、人民，以至於個人修身，共時與歷時等層面，可謂無所不及。對於理想政治，《群書治要》論先王之道，關注推建分封，比親諸侯以屏障王室，以永續國祚之政治施措，再至觀神道設教，使臣觀國，以人民為自觀的自省，及於施法於民之應然。此間論述，乃為一總體治政理想的建構，同時這樣的建構又為歷史中真實的施政經驗所形成，具有相當的說服力；自神道設教，由鬼神及於國、民的建構。不同於述《易》具有相對客觀的視角論治政理想，《尚書》採君王視角，以大禹之言、武丁之述，周康王、周穆王君王的言語與歷史經驗，論君臣者為多。至《詩》論及先王者，又為相對客觀的視角，有先王有經夫婦、成孝敬、厚人倫、美教化、移風易俗的理想與要求，振衰起弊、安民之志，推崇先王之厚德載物。同時論引形成暴政的主要原因之一，乃在不從先王之道。因此，在《易》《書》《詩》中，或有帝王視角的政略示要，亦有客觀視角對於聖王政治的理想與要求；此又為一歷時角度的關注。同時，《易》《書》《詩》多關注對先王治政中君王應然作為的提取：一、法天；在《易》中以神道設教之思，提出聖人當法天之神道，（一）身自行善，（二）不假言語，不必以威刑，行化設教，才能使天下人民悅服；二、法先王；以《書》強調借鑑先王的典法，以避免可能的過錯，並積極以紹承、順成先王之業為目標，《詩》則懇切指出，法先王之重要，尤其在於使君王行事有所依據，並推就君王之言成為善實誠信之言；三、聖人品格；（一）以《書》明君王當誠心效行，則能「允協于先王成德」，又當以典學為要，以進德修業。（二）以《書》明警戒統治者之驕矜敗德。（三）以《詩》以君王當仁德敦厚，以厚愛草木萬物之心，施及於人，睦親敬老；四、君臣相與，臣能觀君，君應禮遇並優厚臣，並當使臣觀國，君近正直之臣，君主亦得正直之治。

　　其次，《群書治要》於《左傳》、《禮記》、《周禮》先王之述，對治國總則有相當的闡述，而可將先王施政可歸為禮與法二端的省察。其中長段引述《左傳》叔向之論，深入說明不能治民以法之由，以法終究為消極的止惡，當以教化向上／善，方為積極安民

之法，尤其指出依賴法治的後果，又在於一旦法當如何？如何實行？成為爭議，以法治民實淪為消極的禁制與威嚇。對於周文以禮樂為主體，《群書治要》引經傳述先王者《禮記》最多，關注亦多元。其總論先王立禮之意與其深刻價值，最高理想乃為和順於天地、鬼神、人心與萬物，其實踐之端，乃緣情而制禮，以禮義裁制人情，使各安其位而條暢通達於內，以內齋謹其心、外齋恭其身，致其誠敬天地鬼神，形成上天鬼神、國與民、君與臣之衡準；將致鬼神的虔敬之誠施之人間，形乎貴德與孝弟，即為從人之所欲，順成人情而得之善政。此為由上而下，由外而內的順成先王禮義之道。另一角度，則由個人內在與人民的角度為起點，內以樂調和人心，以樂順於內，而於禮，形成內和悅而外恭順，使人民不生輕慢，冀能以樂能合和父子、君臣，姓親附，浸潤式的教化與修養。此為由內而外，由外而廣及社會國家。

《群書治要》雖未刻意形成先王之道之論，然由其論具先王之種種，又可從中窺見魏徵等儒臣取法於周文、六經，欲展現於唐太宗──史上少見具有積極行動力與期待超越堯舜之上的君王，儒家理想政治與理想君王治政的種種。特別是唐太宗謀取天下之位的過程頗有爭議，不具古代聖王政治之聖人品格，這並不妨礙在他的時代，因賢臣之助，成就一世清明政治；儒家政治理想的部分實現，或在此一時。《群書治要》雖蘊具君王理型與政治理想，治政原理原則與施行，是否能落實，最終仍依從君王的人格、政治品格與選擇，然其為當代儒者政治理想與方法的呈現，特為當代君臣共同成就與期待的治政參考，實為秦以後君主集權政體下難得的君臣相與之範型與文獻成果，頗有其特殊意義與價值。

徵引書目

一　原典文獻

〔周〕左丘明傳，〔晉〕杜預注，〔唐〕孔穎達疏，《十三經注疏》編委會整理：《春秋左傳正義》，北京：北京大學出版社，2000年。

〔西漢〕毛亨傳，〔東漢〕鄭玄箋，唐・孔穎達疏：《十三經注疏》編委會整理：《毛詩正義》，北京：北京大學出版社，2000年。

〔西漢〕孔安國傳，唐・孔穎達疏，《十三經注疏》整理委員會整理：《尚書正義》，北京：北京大學出版社，2000年。

〔東漢〕鄭玄注，唐・孔穎達疏，《十三經注疏》編委會整理：《禮記正義》，北京：北京大學出版社，2000年。

〔魏〕王弼注，唐・孔穎達疏，《十三經注疏》編委會整理：《周易正義》，北京：北京大學出版社，2000年。

〔唐〕吳兢：《貞觀政要》，《摛藻堂四庫全書薈要》本。

〔唐〕李世民：《欽定全唐文》，北京：中華書局，1983年。

〔唐〕唐太宗：《唐新語》，《欽定四庫全書》本。

〔唐〕魏徵、長孫無忌：〈隋書・經籍志〉，上海：群學社，1931年。

〔唐〕魏徵等：《群書治要》，上海：商務印書館，1936年。

〔後晉〕劉昫：《舊唐書》，上海：商務印書館，1936年。

〔北宋〕王溥：《唐會要》，《欽定四庫全書》本。

〔北宋〕歐陽修：《新唐書》，上海：商務印書館，1936年。

二　近人論著

金景芳，呂紹綱：《周易全解》，（長春：吉林大學出版社，1989年）。

林朝成：〈《群書治要》與貞觀之治——從君臣互動談起〉，《成大中文學報》67期（2019年12月），頁101-141。

林朝成：〈《群書治要》與貞觀之治——以「牧民之道」為例〉，《成大中文學報》68期（2020年03月），頁115-154。

林朝成：〈無為於親事，有為於用臣——論《群書治要・莊子》中「聖人」觀之流衍〉，收錄於《第一屆《群書治要》國際學術研討會論文集》，（臺北：萬卷樓圖書股份有限公司，2020年），頁353-354。

施穗鈺：〈為君之難，為臣不易——以《群書治要》之納諫與勸諫為主軸〉，收錄於《第一屆《群書治要》國際學術研討會論文集》（臺北：萬卷樓圖書股份有限公司，2020年），頁409-433。

陳弘學：〈從《群書治要》文獻特質論唐太宗刑罰思想及其歷史實踐〉，收錄於《第一屆《群書治要》國際學術研討會論文集》（臺北：萬卷樓圖書股份有限公司，2020年），頁355-383。

《群書治要》體現之「義」論內涵及其政治實踐考察
——當代視域下的觀察與省思

陳弘學

國立成功大學中國文學系副教授

摘要

本文以《群書治要》所收資料為考察對象，一方面釐清「義」作為政治管理最重要原則其具體論述究竟為何？一方面思考傳統「義」論置於今日民主法治社會可能產生的啟發與意義。豁顯傳統思想的現代意義之餘，也客觀分析其中轉化的困境與限制。《治要》對於「義」論內涵的理解主要有三：一，義者宜也，義是價值與秩序的正確安排，通過事務之理的分辨，使事務秩序能夠得到正確合理的安排。二，義以建利，義是利益的「適當」分配，而非利益的「最大」分配。三，義以方外，規範外在事物的準繩。「義」既是秩序、利益的正確安排，自然成為規範外在事物的準繩，評價行為正確與否的標竿。可知《群書治要》「義」論強調政治關係與身分義務。在此基礎上，本文進一步從法政面向對比傳統正義論與現代社會公平正義觀異同。傳統正義論認為公平並非正義的最重要屬性，合宜才是正義的核心，合宜的行為才是正義的行為，只是傳統正義論的「合宜」、「合理」建立在身分法之上，從《唐律》規定及歷代政治實踐來看，這種由血緣身分關係綁定的義務關係，實違反契約自由原則與平等原則，自始不具備正當性。身分法的限制實是傳統正義論處於現代社會不可承受之重。

關鍵詞：《群書治要》、法政哲學、義論、公平、正義

The Connotation and Political practice of the Theory of "Justice" reflected in The Essentials of State Governance Extracted from Ancient Books and Records

--Observation and Reflection in the Contemporary Perspective

Chen Hung-Hsueh

Associate Professor, Department of Chinese Literature, National Cheng Kung University

Abstract

"Righteousness" is not only the correct arrangement of order and interests, but also the criterion for standardizing external things and evaluating the correctness of behaviors. Based on the data collected from The Essentials of State Governance Extracted from Ancient Books and Records, this paper, on the one hand, clarifies the specific elaboration of "justice" as the most important principle of political management, and on the other hand, considers the possible inspiration and significance of the traditional theory of "justice" in today's democratic and legal society.

This paper not only shows the modern significance of traditional thoughts, but also objectively analyzes the difficulties and limitations of transformation. The Essentials of State Governance Extracted from Ancient Books and Records mainly understands the connotation of the theory of "justice" in three aspects: firstly, justice is appropriateness, and justice is the correct arrangement of value and order. By distinguishing the principles of affairs, the order of affairs can be correctly and reasonably arranged. Secondly, justice is the "proper" distribution of interests. Justice is the "proper" distribution of interests, not the "maximum" distribution of interests. Thirdly, justice is the criterion for regulating external things. It can be seen that the theory of "justice" in The Essentials of State Governance Extracted from Ancient Books and Records emphasizes political relations and identity obligations. On this basis, this paper further compares the similarities and differences between the traditional theory of justice and the modern concept of fairness and justice from the perspective of law and politics. The traditional theory of justice holds that fairness is not the most important attribute of justice, appropriateness is the core of justice, and only an appropriate behavior is a just behavior. However, the "appropriateness" and "reasonableness" of the traditional theory of justice are based on the identity law. According to the provisions of Tang Law and the political practice of the past dynasties, this obligation relationship bound by blood relationship actually violates the principle of freedom of contract and equality, and has no legitimacy from the beginning. The limitation of identity law is the heavy burden that traditional justice theory cannot bear in modern society.

Keywords: The Essentials of State Governance Extracted from Ancient Books and Records, philosophy of laws and politics, Theory of Justice, fairness, justice

一 前言

　　「義」具有內在道德主體義，也具外在秩序規範義。從時間序言，遠可見諸甲骨文而發明於《周易》，近可接西方正義思想，成為今日法政哲學探討的核心概念。「義」字前可以冠上「大、公、正、直」等形容詞，也可作為形容詞，複合成「義士、義人、義行、義舉、義田」等語彙，意義多元，運用萬端。[1]

　　本文以「《群書治要》體現之『義』論內涵及其政治實踐考察」為題，意欲通過《群書治要》成書背景與特性，一方面釐清「義」作為政治管理最重要原則，其具體論述究竟為何？一方面思考傳統「義」論置於今日民主法治社會可能產生的啟發與意義。故以《群書治要》作為文獻分析來源，理由有三：

　　一、《群書治要》之編輯動機與文獻屬性，與本文問題意識高度相關，因此所錄資料更具數據分析與比較意義。《群書治要》乃唐太宗貞觀元年（627）下令編輯，以隋朝滅亡之失為戒，命諫官魏徵、虞世南等人擷取六經、四史、諸子百家精華匯編成書。上起五帝，下迄晉代，於一萬四千多部、八萬九千多卷古籍之中，博采典籍65種，五十餘萬言。魏徵所撰《群書治要‧序》云：

> 皇上以天縱之多才，運生知之叡思⋯⋯以為六籍紛綸，百家蹖駁。窮理盡性，則勞而少功；周覽汎觀，則博而寡要。故爰命臣等，採摭群書，翦截淫放，光昭訓典，聖思所存，務乎政術，綴敘大略，咸發神衷，雅致鈎深，規摹宏遠，網羅治體事非一目。[2]

可知《群書治要》既具明確編輯目的，蓋以政治治理作為選材標準，在無盡資料海中，實已初步完成高效之資料篩選工作。

　　二、《群書治要》為太宗高度重視、主動發起編纂之作。既有君王珍重託付，主事

1　「一般性的善之外，『義』的另一個類型是獨立、可與其他價值區分的觀念。在春秋戰國以後的基本德目中，『義』都在其中，譬如『仁、義、禮、智、信』（『五行』或『五常』），或是『禮、義、廉、恥』（『四維』），『義』特別與『仁』形成對照。獨立意義的『義』出現比較晚，大概要到戰國中期（西元前四世紀、三世紀），春秋中晚期至戰國初期的孔子、墨子言論中還沒看到。『義』的獨立意義的存在，使得它有與西方的justice相近的元素。這是justice概念在近代輸入東亞後譯成『正義』或『公義』的原因，這樣的翻譯是很恰當的。所以，獨立的『義』觀念一個最根本的特性是，它是一種外在性質的價值。事情或行為對或不對，根本而言，不是個人生命內部的問題，用我們現在的話來說，不是『捫心自問』或『問心無愧』的事，是要從外在的根據來判斷的。不過，『義』的來源雖然不在個人的生命，這並不意謂『義』和個人生命無關。『義』是要實踐的，『義』也可以轉化、提升個人的生命，因此，「義」也是重要的德性——生命中應該有的道德要素。」陳弱水：《公義觀念與中國文化》（臺北：聯經出版社，2020年），頁176-177。

2　〔唐〕魏徵、褚遂良、虞世南合編：〈序〉，《群書治要》第1冊（臺北：世界書局，2011年），頁22-23。

又《群書治要》引《論語‧憲問》主張利益之取得，須據「義」而定，可知「義」為利之先在、上位價值，非利之平行，更非結果利益最大總和之別稱：

> 子問公叔文子於公明賈曰：「信乎！夫子不言不笑不取。」（公叔文子衛大夫）對曰：「以告者過也。夫子時然後言，人不厭其言也。樂然後笑，人不厭其笑，義然後取，人不厭其取也。」[17]

申言之，「義者，利之宜也」仍是「義者宜也」的思想外延運用，只是從「秩序」的合理安排轉為「利益」的合理安排。只要秩序與利益安排得其分，人心自然安定，並將產生風行草偃的效果。至於是不是人人能得利，本非所問。《文子‧上義》篇對此敘之甚詳：

> 君臣異道即治，同道即亂，各得其宜，處（處下有有字）其當，即上下有以相使也。故枝不得大於幹，末不得強於本，言輕重大小有以相制也。夫得威勢者，所持甚小，所任甚大，所守甚約，所制甚廣，十圍之木，持千鈞之屋，得勢也。五寸之關，能制開闔，所居要也。下必行之令，從之者利，逆之者害，天下莫不聽從者，順也。義者非能盡利天下之民也，利一人而天下從；暴者非能盡害海內也，害一人而天下叛。故舉措廢置，不可不審也。[18]

「義者，非能盡利天下之民也，利一人而天下從」，行動不必要產生人民的最大利益，而應具備行動的正當合宜性，即使只有一人得利，天下人仍將跟從。[19]

義利既然相分，《群書治要》強調在義利不可得兼之狀況下，執政者當「毋以利害義」，例子甚多，如引《曾子》曰：

> 曾子曰：君子之務蓋有矣。夫華繁而實寡者天也。言多而行寡者人也。鷹隼以山為庫，而巢其上，魚鱉黿鼉以川為淺，而窟穴其中卒其所以得者餌也。是故君子苟毋以利害義，則辱何由至哉。親戚不悅，不敢外交，近者不親，不敢來（來作求）遠，小者不審，不敢言大，故人之生也。百歲之中有疾病焉。故君子思其不可復者，而先施焉。[20]

「義」之位階高於「利」，二者不得轉換。又如引《袁子正書‧政略》曰：

---

17 〔唐〕魏徵等編：《群書治要》第2冊，卷9，頁225。

18 〔唐〕魏徵等編：《群書治要》第7冊，卷35，頁915。

19 義利分立而相和傳統由來已久，如《周易‧乾卦‧文言》：「利物足以和義。」《國語‧周語下》稱：「言仁心及人，言義必及利，言智必及事，言勇必及制。」《左傳》「僖公二十七年冬。趙衰云：「德義，利之本也」，「成公十六年夏四月」申叔時曰：「義以建利」，「昭公十年夏」載晏嬰之言：「義，利之本也。」《國語‧周語中》引富辰語：「義所以生利……不義則利不阜」。同書〈晉語一〉記鄭之言：「義以生利，利以豐民」。

20 〔唐〕魏徵等編：《群書治要》第7冊，卷35，頁923。

非先王之法行不得行，非先王之法言不得道，名不可以虛求，貴不可以偽得，有天下坦然知所去就矣。本行而不本名，責義而不責功，行莫大於孝敬，義莫大於忠信，則天下之人，知所以措身矣。此教之大略也。[21]

孫卿子：「義與利者，人之所兩有也。雖堯舜不能去民之欲利，然而能使其欲利，不克其好義也。雖桀紂亦不能去民之好義，然而能使其好義不勝其欲利也。故義勝利者為治世，利克義者為亂世，上重義則義克利，上重利則利克義，故天子不言多少，諸侯不言利害，大夫不言得喪，士不通貨財，從士以上，皆羞利而不與民爭業，樂分施而恥積藏，然後（後作故）民不困，則（則作財）貧窶者，有所竄其中矣。仁義禮善之於人也，譬之若貨財粟米之於家也。多有之者富，少有之者貧，至無有者窮。」[22]

《政略》要求「責義而不責功」，《荀子》則稱義利兩行，唯有合理調配，使義勝利，如此天下才能得治，反之即為亂世。

陳弱水先生主張，如果用西方概念描述孔子以下的儒家義利觀與墨家義利觀，或許可以說，儒家的義利思想傾向義務論（deontology）倫理，以眾人之利為義則類似功利主義（utilitarianism）；前一觀點中的「義」近於 right（「對」），後一觀點近於 good（「好」）。[23]

（三）義以方外：規範外在事物的準繩

「義」既是秩序、利益的正確安排，自然成為規範外在事物的準繩，評價行為正確與否的標竿。《群書治要》卷1引《周易‧坤卦》通過「敬」與「義」對比，提出「義以方外」之客觀性秩序規範功能：

坤象曰：地勢坤，君子以厚德載物。象曰：至哉坤元，萬物資生，乃順承天，坤厚載物，德合無疆，含弘光大，品物咸亨。文言曰：坤，至柔而動也剛，至靜而德方，含萬物而化光，坤道其順乎。承天而時行，積善之家，必有餘慶，積不善之家，必有餘殃，君子敬以直內，義以方外，敬義立而德不孤。[24]

君子厚德而可載物，厚德表現為「敬」與「義」，敬乃檢視內在心性的標準，義則是規範外在行為的依據。《群書治要》註解《孝經》「德教加於百姓」一句時，再次重申「義

---

21 〔唐〕魏徵等編：《群書治要》第10冊，卷50，頁1327-1328。

22 〔唐〕魏徵等編：《群書治要》第8冊，卷38，頁1008。

23 陳弱水：《公義觀念與中國文化》，頁214-216。

24 〔唐〕魏徵等編：《群書治要》第1冊，卷1，頁2-3。

以方外」的規範義：

> 愛敬盡於事親，（盡愛於母，盡敬於父）而德教加於百姓，（敬以直內，義以方外，故德
> 教加於百姓也）形于四海，（本書形作刑，形，見也。德教流行，見四海也）蓋天子之孝
> 也。〈呂刑〉云：一人有慶，兆民賴之。（〈呂刑〉，尚書篇名，一人謂天子，天子為善，
> 天下皆賴之）[25]

又《群書治要》引《呂氏春秋》，稱「義」為萬事的綱紀，也是君臣秩序的正當性來源：

> 義也者，萬事之紀也。君臣上下親疏之所由起也。治亂安危之所在也。勿求於
> 他，必反人情，（上人情作於己），人情欲生而惡死，欲榮而惡辱，死生榮辱之道
> 壹，則三軍之士，可使一心矣。[26]

「義」的功能在於使萬物各得其宜，並作為事物的準繩，必然帶有嚴厲性與強制性，此
例甚多，如《群書治要》卷35引《文子·道德》時，提出「義者民之所畏」的說法：

> 文子問德仁義禮。老子曰：德者民之所貴也。仁者人之所懷也。義者民之所畏
> 也。禮者民之所敬也。此四者聖人之所以御萬物也。君子無德即下怨，無仁即下
> 爭，無義即下異（異作暴）。無禮即下亂。四經不立，謂之無道，無道而不亡者，
> 未之有也。[27]

《周易》稱「禁民為非曰義」，同樣強調「義」的行為約束功能：

> 天地之道，貞觀者也。（明夫天地萬物，莫不保其貞以全其用也）日月之道，貞明者
> 也。天下之動，貞夫一者也。天地之大德曰生，聖人之大寶曰位，何以守位，曰
> 仁，何以聚人，曰財，（財所以資物生也）理財正辭，禁民為非，曰義。[28]

《尚書》言「斷之以義」，主張以「義」作為制度變更的判斷標準：

> 慎厥初，惟其終，康濟小民，率自中，無作聰明亂舊章，（汝為政，當安小民之業，
> 循用大中之道，無敢為小聰明，作異辯，以變亂舊典文章也。）詳乃視聽，罔以側言改厥
> 度，則予一人汝嘉，（詳審汝視聽，非禮義，勿視聽也。無以邪巧之言，易其常度，必斷之
> 以義，則我一人善汝矣。）小子胡，汝往哉。無荒棄朕命。（汝往之國，無廢我命，欲其
> 終身奉行之。）[29]

---

25 〔唐〕魏徵等編：《群書治要》第2冊，卷9，頁206-207。
26 〔唐〕魏徵等編：《群書治要》第8冊，卷39，頁1019。
27 〔唐〕魏徵等編：《群書治要》第7冊，卷35，頁898。
28 〔唐〕魏徵等編：《群書治要》第1冊，卷1，頁18-19。
29 〔唐〕魏徵等編：《群書治要》第1冊，卷2，頁46。

上述言論均強調「義」的外在規範功能與客觀化內涵，使「義」與「政治、法律、刑罰」產生緊密連結，《荀子》故有「義刑義殺」之說。這種強制力、制裁力不一定是「義者宜也」概念鋪展之後的結果，或許乃是「宜」字的本來意思。龐樸《儒家辯證法研究·仁義》認為「宜」的本義是「殺」或殺俘、殺牲以祭之禮，「宜」與「俎」（承載牲肉之器）、「肴」（牲肉）出於同源，本為一字。「宜」作為「應該」、「合宜」、「所安」反而是《說文解字》後來發展出來之引申義。[30] 段注是否正確，學界有否定見解。[31]「義」本是外在合理的儀態表現，而後逐漸轉成客觀性規範義，可以據此判定是非對錯，《禮記·樂記》曾提出「仁以愛之，義以正之」。漢人對於「義」的解釋似乎特別感興趣，董仲舒《春秋繁露》更進一步明確表達「仁者愛人、義者正我」：

> 春秋之所治，人與我也；所以治人與我者，仁與義也；以仁安人，以義正我；故仁之為言人也，義之為言我也，言名以別矣。仁之於人，義之於我者，不可不察也。眾人不察，乃反以仁自裕，而以義設人，詭其處而逆其理，鮮不亂矣。是故人莫欲亂，而大抵常亂，凡以闇於人我之分，而不省仁義之所在也。是故春秋為仁義法，仁之法在愛人，不在愛我；義之法在正我，不在正人；我不自正，雖能正人，弗予為義；人不被其愛，雖厚自愛，不予為仁。[32]

此處「義」仍是規範義，但又具備高度道德意涵，「義之法在正我，不在正人；我不自正，雖能正人，弗予為義」。

此外，《群書治要》也提供了一條重要訊息，如果「義」強調外在行為的強制規範面向，則「義」之價值根源究竟起於內，還是根於外？歷代文獻中「仁義」往往並稱，仁自內發，無有疑義，如此「義」連帶理解為內在似乎也無不可。事實上，除孟子「仁

---

30 「義」之使用與秩序、規範自始緊密結合，這點可從《說文解字》釋「義」中發現：「義，己之威儀也。从我、从羊。」段玉裁對此詳細註解云：「己之威儀也。言『己』者，以字之从我也。己，中宮，象人腹，故謂身曰己。……古者威儀字作義，今仁義字用之。儀者，度也，今威儀字用之。誼者，人所宜也，今情誼字用之。鄭司農注《周禮·肆師》：『古者書儀但為義，今時所謂義為誼。』是謂義為古文威儀字，誼為古文仁義字，故許各仍古訓，而訓儀為度。凡儀象、儀匹、引申於此，非威儀字也。古經轉寫既久，肴襍難辨，據鄭、許之言可以知其意。威義，古分言之者，如北宮文子云『有威而可畏謂之威，有儀而可象謂之義』，《詩》言『令義令色』、『無非無義』是也。『威義』連文不分者，則隨處而是，但今無不作儀矣。《毛詩》：『威儀棣棣，不可選也。』傳曰：『君子望之儼然可畏，禮容俯仰，各有宜耳。棣棣，富而閑習也。』不可選『物有其容，不可數也。』義之本訓謂禮容各得其宜，禮容得宜則善矣。故《文王》、《我將》毛傳皆曰『義，善』也，引申之訓也。从我，从羊。威儀出於己，故从我。董子曰：『仁者，人也。義者，我也。謂仁必及人，義必由中斷制也。』从羊者，與善美同意。宜寄切。古音在十七部。」

31 曹景年：〈《說文》段注「義」字辨誤〉，《武漢大學簡帛研究中心》網站，2014年12月6日，網址：http://www.bsm.org.cn/show_article.php?id=2110。（2021年10月26日上網）

32 〔清〕蘇輿：《春秋繁露義證》，頁243。

義內在」說外，先秦至少有兩派皆主張「外義論」，一是墨子所說「天欲義而惡不義」，
人所以必須行義乃是天志所欲所致。另一派則是《孟子》保存的告子觀點，對於理學家
與當代新儒家，告子「仁，內也，非外也；義，外也，非內也」之說自是不見道之言：

> 告子只承認仁（愛人之心）由內發，義則由外鑠，而取決於對象，故曰「彼長我
> 而長之，非有長於我也」。意思是說，因為他年長，所以我敬他，並不是我心裡
> 先存有一個敬長之心。但辯駁這個論點並不困難。……長者，只是一個實然的對
> 象，人或敬他，或不敬他，長者不過被動地接受而已。所以，長者只是一個受義
> （受敬）的對象。反過來說，對此長者應不應該敬？如何敬？這卻是「長之者」
> （表現敬的人）所當考慮、所當決斷的事。所以，「長之者」纔是行義（行敬）
> 的主體，義（敬）發自行為者（長之者），而不是發自長者。……告子不知事雖
> 在外，而行事之宜的「義」則由內發，是對應由內心事宜而發出的價值判斷。外
> 在事物只是一個實然的存在，認知它也只是認知一個對象，並無所謂義不義的問
> 題。對實然的存在加以加值性的判斷，而作出相對應的準則，這纔是「義」。[33]

孟子「仁義內在」說是否為當時所接受或普遍同意仍有待商榷，陳弱水先生對此提出另
一種觀察，其說認為「義」是外在性質的價值，事情或行為之對錯，根本而言，不是個
人生命內部的事情，不是「捫心自問」或「問心無愧」的事，而須從外在的根據來判斷：

> 獨立的「義」觀念一個最根本的特性是，它一種是外在性質的價值。事情或行為
> 對或不對，根本而言，不是個人生命內部的事情，不是「捫心自問」或「問心無
> 愧」的事，是要從外在的根據來判斷的。不過，「義」的來源雖然不在個人的生
> 命，但這並不意味「義」和個人生命無關。「義」是要實踐的，「義」也可以轉化、
> 提升個人的生命，因此，「義」也是重要的德性——生命中應該有的道德要素。
> 再來要勾勒戰國至西漢作為獨立價值的「義」的根本性質。「義」的根源外於個
> 人的生命，那麼，是外在於個人生命的什麼呢？是道理。「義」是外在於個人生
> 命的道理，「義」是道德的道理，強烈一點說，它是道德的法則。在這一點，
> 「義」的性質和「仁」相反，「仁」的基本質素是「愛」，是情感。「義」的這個
> 基本性質，《荀子・議兵》有很明確的表述：「仁者愛人，義者循理。」《呂氏春
> 秋・有始覽・聽言》則說：「善不善本於義，不於愛」，把「義」與「愛」對立起
> 來，主張道德的根本道理，在「義」，而不在「愛」。漢代《韓詩外傳》卷四對
> 「義」的意義說得最為扼要清楚：「節愛理宜謂之義。」意思是，控制愛，不濫
> 情，合於道理，就是「義」。[34]

---

33 蔡仁厚：《中國哲學史（上）》（臺北：台灣學生書局，2011年），頁130。
34 陳弱水：《公義觀念與中國文化》，頁177-178。

從孟子思想在宋代以前不受待見來看，這個觀察確有可能。「仁義內在」可能是少數說，告子「仁內義外」才是當時主流見解。如《群書治要》引《史記·本紀》，提出「鬼神制義」說：

> 帝顓頊高陽者，黃帝之孫，昌意之子也。養材以任地，載時以象天，依鬼神以制義，治氣以教化，絜誠以祭祀，北至于幽陵，南至于交趾，西濟於流沙，東至於蟠木，（東海中有山焉。名度索，上有大桃樹，屈蟠三千里也）動靜之物，大小之神，日月所照，莫不砥屬。（砥，平也。四遠皆平而來服屬也。《帝王世紀》曰：帝顓頊平九黎之亂，使南正重司天以屬神，火正黎司地以屬民，於是民神不雜，萬物有序。）[35]

若「義」之所由為依鬼神的結果，則「義」自外出，自當成立。當然，這並不意味「仁內義外」說是正確的，只是在時間序上發展較早。至於孟子「仁義內在」說無論是否起源較晚或未獲時人認可，也都無減孟子思想的高度人文理性光輝。只能說孟子思想早熟，而貞觀君臣更側重義的外在政治規範義，因此趨向外義論一系。

三　當代價值視域下的觀察與反思

（一）《群書治要》「義」論強調政治關係與身分義務

《群書治要》選文重在國家政治治理，故其「義」論著重外在規範與政治實踐，內在道德與形上超越論述甚少。如《孟子》僅第37卷收錄3則，「義」字出現6次，且其中一次與「義」論無關。遠少於《孫卿子》收錄21則，「義」字42次，乃至比不上《文子》、《吳子》論「義」則數。

就政治治理而言，「義」既是秩序的正確安排，也是利益的適當分配，表現為「父子之義」、「夫婦之義」、「君臣之義」，如《群書治要》引《尚書》提出「父義母慈」概念：

> 虞舜側微，堯聞之聰明，（側側陋，微微賤）將使嗣位，歷試諸難，（歷試之以難事）慎徽五典，五典克從，（五典，五常之教也。謂父義、母慈、兄友、弟恭、子孝，舜舉八元，使布五教于四方，五教能從，無違命也）[36]

「父義」之說僅此一見，推測原因，可能是「義」主要處理非血緣關係，具血緣者則以「愛」相處。依《大學》「為人君，止於仁；為人臣，止於敬；為人子，止於孝；為人

---

35 〔唐〕魏徵等編：《群書治要》第2冊，卷11，頁265。

36 〔唐〕魏徵等編：《群書治要》第1冊，卷2，頁22。

父，止於慈；與國人交，止於信」，[37]父親應盡之義務在「慈愛」。

論「君臣之義」者，如引《尚書》注言臣子有「善歸於君」之義：

> 咎繇曰：帝德罔愆，臨下以簡，御眾以寬，（愆，過也。善則歸君，人臣之義也。）罰弗及嗣，賞延于世，（嗣亦世也。延，及也。父子罪不相及也。而及其賞，道德之政也。）[38]

論「夫婦之義」者，如引《詩經‧鄁風》言夫婦應以禮義互動：

> 采葑采菲，無以下體，（葑，蘴也。菲，芴也。下體，根莖也。二菜皆上下可食，然而其根有美時，有惡時，采之者不可以根惡之時，并棄其葉，喻夫婦以禮義合，以顏色親，亦不可以顏色衰而棄其相與之禮。）[39]

引《禮記‧昏義》論「夫婦有義」：

> 昏禮者，將合二姓之好，上以事宗廟，而下以繼後世也。故君子重之，男女有別，而後夫婦有義，夫婦有義，而後父子有親，父子有親，而後君臣有正。故曰：婚禮者，禮之本也。夫禮，始於冠，本於婚，重於喪祭，尊於朝聘，和於鄉射，此禮之大體也。[40]

「君臣之義」部分則數最多，如《群書治要》引《禮記‧射義》，言行燕禮旨在體現「君臣之義」：

> 古者諸侯之射也。必先行燕禮，卿大夫士之射也。必先行鄉飲酒之禮，故燕禮者，所以明君臣之義也。鄉飲酒之禮者，所以明長幼之序也。（言別尊卑老稚，乃後射以觀德行也）[41]

引《孝經》言均君臣應「以義相合」：

> 曾子曰：「敢問聖人之德，無以加於孝乎？」子曰：「天地之性，人為貴，（貴其異於萬物也）人之行，莫大於孝，（孝者德之本，又何加焉）……父子之道天性也。（性，常也）君臣之義也。」（君臣非有天性，但義合耳）。[42]

引《呂氏春秋》論君王應「使賢以義」：

37 〔宋〕朱熹：《四書章句集注》（北京：中華書局，2012年），頁5。
38 〔唐〕魏徵等編：《群書治要》第1冊，卷2，頁25。
39 〔唐〕魏徵等編：《群書治要》第1冊，卷3，頁57。
40 〔唐〕魏徵等編：《群書治要》第2冊，卷7，頁173-174。
41 〔唐〕魏徵等編：《群書治要》第2冊，卷7，頁174-175。
42 〔唐〕魏徵等編：《群書治要》第2冊，卷9，頁210。

凡使賢不肖異，使不肖以賞罰，（不肖者喜生惡死，則可使也矣）使賢以義，（唯義所在，死生一也）故賢主之使其下也。必以義，必審賞罰，然後賢不肖盡為用也。[43]

即使少數入選的《孟子》片段，也著重強調臣下有義，則必不會先利後君、重利輕君：

孟子見於梁惠王。王曰：「叟不遠千里而来，亦將有以利吾國乎？」孟子對曰：「王何必曰利，亦曰仁義而已矣。（王何必以利為名乎。亦唯有仁義之道可以為名耳，以利為名，則有不利之患矣）王曰何以利吾國，大夫曰何以利吾家，士庶人曰何以利吾身，上下交征利而國危矣。（征取也。從王至庶人，各欲取利，必至於篡弒）未有仁而遺其親者也。未有義而後其君者也。」[44]

《群書治要》論「君臣之義」數目最多，對比《貞觀政要》選文，貞觀君臣同樣常以「君臣之義」互勉。如貞觀六年（632），太宗曉諭侍臣曰，認為臣子盡義，當表現為對君主言行的糾正與匡救：

古人云：「危而不持，顛而不扶，焉用彼相？」君臣之義，得不盡忠匡救乎？朕嘗讀書，見桀殺關龍逢，漢誅晁錯，未嘗不廢書嘆息。公等但能正詞直諫，裨益政教，終不以犯顏忤旨，妄有誅責。朕比來臨朝斷決，亦有乖於律令者。公等以為小事，遂不執言。凡大事皆起於小事，小事不論，大事又將不可救，社稷傾危，莫不由此。隋主殘暴，身死匹夫之手，率土蒼生，罕聞嗟痛。公等為朕思隋氏滅亡之事，朕為公等思龍逢、晁錯之誅，君臣保全，豈不美哉！[45]

以上乃從君主的角度，要求臣下盡義。也有從臣下角度要求君主實踐「君臣之義」者，如貞觀十一年（637），其時屢有閹宦充外使，太宗怒其妄上奏議。魏徵藉此進諫：「凡聽訟理獄，必原父子之親，立君臣之義，權輕重之序，測淺深之量。悉其聰明，致其忠愛，疑則與眾共之。疑則從輕者，所以重之也，故舜命咎繇曰：汝作士，惟刑之恤」[46]，主張「立君臣之義」乃聽訟理獄的重要條件之一。

傳統「義」論往往通過身分關係體現，這種身分法所生之「義」最具體表現即在《唐律》。《唐律》乃貫徹禮教等差精神的一部禮律，犯罪規定與處罰輕重皆與行為人之身分有關。禮之所旌，即《唐律》所旌；禮之所禁，即《唐律》所禁。其中《唐律‧名例》規定「不義」屬「十惡」之一，在不赦範圍：

九曰不義。謂殺本屬府主、刺史、縣令、見受業師，吏、卒殺本部五品以上官長；及聞大喪

43　〔唐〕魏徵等編：《群書治要》第8冊，卷39，頁1033-1034。

44　〔唐〕魏徵等編：《群書治要》第7冊，卷37，頁951。

45　〔唐〕吳兢：《貞觀政要》（臺北：宏業書局，1983年），卷1，頁28。

46　〔唐〕吳兢：《貞觀政要》，卷5，頁264-269。

匿不舉哀，若作樂，釋服從吉及改嫁。

【疏】議曰：「禮之所尊，尊其義也。」此條元非血屬，本止以義相從，背義乖仁，故曰不義。注：謂殺本屬府主、刺史、縣令、見受業師，

【疏】議曰：府主者，依令「職事官五品以上，帶勳官三品以上，得親事、帳內」，於所事之主，名為「府主」。國官、邑官於其所屬之主，亦與府主同。其都督、刺史，皆據制書出日；六品以下，皆據畫訖始是。「見受業師」，謂服膺儒業，而非私學者。若殺訖，入「不義」；謀而未殺，自從雜犯。注：吏卒殺本部五品以上官長；

【疏】議曰：「吏」，謂流外官以下。「卒」，謂庶士、衛士之類。此等色人，類例不少，有殺本部五品以上官長，並入「不義」。官長者，依令：「諸司尚書，同長官之例。」[47] 注：及聞夫喪匿不舉哀，若作樂，釋服從吉及改嫁。

【疏】議曰：夫者，妻之天也。移父之服而服，為夫斬衰，恩義既崇，聞喪即須號慟。而有匿哀不舉，居喪作樂，釋服從吉，改嫁忘憂，皆是背禮違義，故俱為十惡。其改嫁為妾者非。[48]

據《唐六典・刑部郎中員外郎條》注云：「初，北齊立重罪十條為十惡：一反逆，二大逆，三叛，四降，五惡逆，六不道，七不敬，八不孝，九不義，十內亂。犯此者，不在八議論贖之限，隋氏頗有益損，皇朝因之。」[49] 可知十惡非《唐律》所創，而是繼受自北齊律與隋律。

一般見解認為十惡立法，旨在「重罰不赦」。劉俊文分析相關律條後認為，十惡中的犯罪固多處以死刑，但也有僅處以流刑或徒刑者，非一味重罰。如「不睦之毆告夫罪」僅徒一年。可見十惡之罪並非一味要求重罰，而是凸顯對於禮教價值的重視與保護。[50]《疏議》對於「不義」適用原則也說得非常清楚，「此條元非血屬，本止以義相從，背義乖仁，故曰不義」。「長官、師長、夫婦」雖無血緣關係，但其侵害行為因違禮教「尊尊」之義，是以不赦。在此規定中，不義乃依犯罪者之身分成立，屬身分犯罪。

（二）公平、正義、身分法：傳統正義論的現代反思

筆者博士論文《先秦諸子法思想探析》一書中，曾就正義概念與諸子之正義觀進行對比，原書重在論述其可能產生的現代意義，經過這幾年的思索，則又有不同的思考與

---

47 劉俊文：《唐律疏議箋解》上冊（北京：中華書局，2015年），頁64。

48 劉俊文：《唐律疏議箋解》上冊，頁65。

49 朱永嘉、蕭木譯註：《新譯唐六典》第2冊（臺北：三民書局，2002年），卷6，頁681。

50 劉俊文：《唐律疏議箋解》上冊，頁88-89。

評價。源自筆者個人中心關懷與《群書治要》經世致用理念，傳統「義」論（為方便政治層面的分析，以下改稱「傳統正義論」）是否具備與現代正義論對話乃至實踐的可能，乃成本篇論文寫作重點之一，也帶出了下列的觀察與反思：

1 公平是否即等於正義

正義既是個人內在的德行，也是國家政治法律的根本原則，處善德頂端而表現在各範疇中。弔詭的是人們多能輕易判斷「什麼是不正義」，但鮮有人能精確描述「正義是什麼」，一如博登海默《法理學：法哲學與法學方法》所說：「正義具有一張普洛透斯似的臉，變幻無常，隨時可呈現不同形狀，並具有極不相同的面貌。」[51]

在西方，正義的概念自始即與公共事務結合一起，因涉及群體利益分配問題，也恆與「公平」的概念伴隨出現。亞里斯多德《尼各馬科倫理學》首先區分「矯正正義」與「分配正義」。「矯正正義」處理有關損害賠償的問題，當一人受到損害時，對方必須做出應有的賠償與懲罰，因此至少需要兩個人以上。「分配正義」則是按照功績過錯給予適當的獎賞懲罰，其中一人必須處於上級的地位，以便對其他兩人做出權利義務的分配，因此至少須具備三個人。在亞里斯多德看來「矯正正義」乃是「並列關係」中的正義，而「分配關係」則是「上下級關係」的正義。前者屬於私法的正義，後者則是公法的正義，重點是兩者都須考慮「公平性」的問題。[52]

當代法學者拉德布魯赫也將公平正義視為通往一致法律價值的不同途徑，他在《法哲學》中說道：「正義所注視的是一般規範觀點之下的個別情況，而公正是在個別情況中尋找它自己的規則，但是這個規則最終同樣肯定會被制訂為一般法律──因為公正就好像是一般化本質的終極正義。」[53]

最有名的例子，為羅爾斯《正義論》，羅爾斯在此書中設想一種「原初地位」（original position）或「最初情境」（initial situation）。在此情境中「道德人」必須在遵守某些限制，藉以制訂一套專門用來規範社會的基本結構。羅爾斯認為這套「建構程序」產生的結果（即正義原則）必定是公平、合理的。每個人都被「無知之幕」遮蔽起來，由於步出「無知之幕」後，我們都有可能成為現實情境中的任何一方，或者成為國王，或者成為乞丐。因此他在制訂規則時，必將盡力做到「公平」的原則，以免日後自己淪為不利的一方。在此脈絡下，羅爾斯乃將其正義理論稱為「正義即公平」論

---

51 〔美〕E・博登海默（Edgar Bodenheimer）著，鄧正來譯：《法理學：法律學與法律方法》（北京：中國政法大學出版社，2004年），頁240。

52 〔德〕古斯塔夫・拉德布魯赫（Gustav Radbruch）著，王樸譯：《法哲學》（北京：法律出版社，2005年），頁33。

53 〔德〕拉德布魯赫：《法哲學》，頁34。

（theory of justice as fairness）。[54]

　　廣義而言，公平其實只是正義所轄德目之一。一件公平的事情必然是正義的，而一件正義的事情雖然必然是公平的，但也可能與公平完全無關。例如遇見落難之人予以救援，這是屬於義行的一種，但是此事既不牽涉利益與責任分配的問題，自然也就沒有「公平與否」的考量。

　　不同於羅爾斯「公平即正義」之說，阿德勒在《六大觀念》一書中將正義理解為「相當高程度的善」，他認為正義支配了我們對自由平等的思考，每當我們想要糾正自由或者平等的錯誤時，都要訴諸對於正義的考察。一個人可能擁有太多的自由，如恣意殺人顯然是不對，而絕對的平等恐怕也將造成真正的不平等，可見自由、平等並非無限的，而須根據不同狀況配予一定的比例。[55]但正義顯然不是如此，「沒有一個社會能夠是太有正義；沒有一個人會行動得比對他自己或同伴是善還多的正義。」[56]在阿德勒看來，自由、平等與正義三者之中，只有正義才是無限制的善。

　　阿德勒質疑：如果羅爾斯的主張是正確的，正義只在追求公平，那麼謀殺、傷害他人以及毀棄信約等，就都不是不正義的。因為這些行為侵犯的乃是「權利」，但並不違害「平等應該平等地被對待」原則。那麼，什麼時候我們會用公平來理解正義呢？阿德勒宣稱唯有「無法以正義加以解釋的差別待遇發生時，公平才進入話題之中。」[57]阿德勒批判《正義論》是一本「被廣泛討論而且被過分誇獎的書」，他認為羅爾斯把正義等同於公平（Fairness）是錯誤的作法，因為公平僅是正義的原則之一，它既不是唯一，甚至也不是最重要的原則。

　　從倫理學的角度來看，將正義等同於公平確實是一種限縮的理解，羅爾斯所謂的正義原則僅能作為評估「社會基本結構」是否合乎正義的判準，卻無法用以評估某個人或其行為是否合乎正義。正確地說，羅爾斯的「正義論」應該稱為「社會正義理論」，而其「正義原則」即是「社會正義原則」。[58]羅爾斯本人或許也注意到這個問題，因此書名使用 *A Theory of Justice* 而非 *The Theory of Justice*，意味自己觀點乃是政治學範疇中

54　〔美〕羅爾斯著：《正義論》（苗栗：桂冠圖書股份有限公司，2011年），頁124。

55　〔美〕阿德勒（Mortimer J. Adler）著，蔡坤鴻譯：《六大觀念》（臺北：聯經出版社，1986年），頁145。

56　〔美〕阿德勒著：《六大觀念》，頁147。

57　〔美〕阿德勒著：《六大觀念》，頁200。

58　「羅爾斯的正義理論有其特定的對象：他的理論所提出的正義原則，只不過是我們在評估所謂的『社會基本結構』是否合乎正義時所依據的判準。我們不能根據他的原則來評估某個人或其行為是否合乎正義。……嚴格的說，羅爾斯的正義理論應該稱為『社會正義』理論，而其正義原則應該成為『社會正義』原則。」戴華：〈個人與社會正義：探討羅爾斯正義理論中的「道德人」〉，收入戴華、鄭曉時主編：《正義及其相關問題》（臺北：中研院中山人文社會科學研究所，1981年），頁258。

的「一個」關於正義的理論，而非正義的理論。[59]

與西方文化一樣，我們毫不吝惜為「正義」賦予最高之善的地位。舉例而言，儒家固然重視「信」，但是信德本身並非是獨立的價值，而須受到正義的調控。孟子所謂「言不必信，行不必果，唯義所在」。一件不合正義的事情，根本沒有守信的必要。[60]同樣的，我們也可能會認為某個人「太過有禮」，卻從來不會使用「太過正義」這句語，可見「正義」作為無限制、最高之善特性。

傳統正義論很早就體察公平並非正義的最重要屬性，合宜才是正義的核心，合宜的行為才是正義的行為。對於長輩賢者施以恭敬的禮節，這些儀節並不牽涉公平與否的問題，卻是我們應當實踐的價值，連帶的其對公平的論述便淡薄許多。這並非指稱正義的效力不及於政治法律領域。依筆者觀察，公平理念已經被「禮」所吸收，透過「禮」的差別形式表現實質的公平。對於古人而言，「禮」是一種公平、合宜、正確的機制，也是人類所應遵循的生活形式，如《荀子‧大略》稱：「禮之於正國家也，如權衡之於輕重也，如繩墨之於曲直也。」又〈禮論〉云：「禮者，斷長續短，損有餘，益不足，達愛敬之文，而滋成行義之美者也。」原本屬於正義統轄的「公平」概念為「禮」所承擔，「義」則著重處理倫理層次的應然判斷。

而傳統正義觀的這種特質，很可能會讓「無知之幕」失效。舉例而言，根據羅爾斯的設想，步出「無知之幕」後，我們都可能成為任何一個角色，因此設計規範時，我們必將會盡力做到公平處置，以防事後自己成為不利益的一方。但是對於重視「分位原則」的儒家，即使步出「無知之幕」後，我們成為臣民的機率遠大於成為君主，但是根據「尊卑貴賤」的義務性原則，仍會願意賦予君主更多的尊榮，乃至承認《唐律》不義的特別義務規定，而不考慮我們成為不利義務一方的風險。

2 身分法綁定的困境

明白傳統正義觀的特點，緊接而來的問題是：傳統正義觀是否仍然適用於現代社

---

59 林火旺：《倫理學》：「由於羅爾斯社會正義的主題是社會的基本結構，所以他關注的並不是一般性的正義，他也強調，適合社會基本結構的正義原則，不一定適用於私人機構或其他社會團體，也和許多非正式的生活規約無關。」（臺北：五南圖書，2015年），頁268。

60 孔子同樣認為「信德」乃依附於「仁義」之下的次位規範，如〈子路〉載：「子貢問曰：『何如斯可謂之士矣？』子曰：『行己有恥，使於四方，不辱君命，可謂士矣。』曰：『敢問其次。』曰：『宗族稱孝焉，鄉黨稱弟焉。』曰：『敢問其次。』曰：『言必信，行必果，硜硜然小人哉！抑亦可以為次矣。』曰：『今之從政者何如？』子曰：『噫！斗筲之人，何足算也！』」又《史記》卷47〈孔子世家〉載孔子「過蒲，會公叔氏以蒲畔，蒲人止孔子。弟子有公良孺者，以私車五乘從孔子。其為人長賢，有勇力，謂曰：『吾昔從夫子遇難於匡，今又遇難於此，命也已。吾與夫子再罹難，寧而死。』甚疾。蒲人懼謂孔子曰：『苟毋適衛，吾出子。與之盟，出孔子東門，孔子遂適衛。子貢曰：『盟可負邪。』孔子曰：『要盟也，神不聽。』」可證「信德」乃依附於「正義」之下的次位規範。「仁義禮智信」並列為五常，實是一種錯誤的配置。

會？[61]梅因爵士（Maine）在其名著《古代法・第五章》道：

> 原始時代的社會並不像現在所設想的，乃是一個個人的集合，它是一個許多家族
> 的集合體。法律的構成，主要乃是為了適應一個小的獨立團體的制度，因此它可
> 以由家長的專斷命令來增補。而它所持有的法律觀也與今日迥然不同。由於團體
> 永生不滅，因而原始法律將它所關連的宗法或家族集團，看成永久的和無法消滅
> 的。至於在進步社會運動發展過程中，家族的依附關係乃逐漸消亡，取而代之的
> 是個人義務的增長。「個人」不斷地取代了「家族」，成為民事法律所考慮的單
> 位。顯而易見，用以逐步代替來源於「家族」各種權利和義務上相互關係形式
> 的，即是「契約」。[62]

梅因據此作出其著名的結論：「所有進步社會的運動，到此為止，是一個『從身分到契
約』的運動。」

　　傳統正義論固然強調「合理」、「合宜」的秩序利益分配，可以避免功利主義結果論
的困境，及《正義論》形式化公平的質疑。但傳統正義論乃是建立在「身分法」基礎上
的思考，「合理」、「合宜」的秩序利益分配，會根據行為人身分差異而有不同，這是現
代民主法治社會所不能接受的前提。蓋一個人的義務與責任應當來自其行為，而其行為
又來自其選擇，此選擇又基於其個體自由意志，唯有如此，才能確保這個法律體系既正
義且自由。

　　如我自願參加公務員考試，在取得公務員身分後便會受到差別式法律對待，一方面
享有國民旅遊卡，一方面也受《公務員懲戒法》及《貪汙治罪條例》特別刑法的約束。
儘管約束效力源自我取得的公務員身分，屬身分法規範，但這是我自由意志的選擇。此
外，我也可以終止這個契約，如以退休、離職等方式脫離該法規約束。

　　民主法治社會並不否定「身分法」，事實上「身分法」除體現在《民法》「親屬」、
「繼承」等編外，也充斥在各領域。如《醫師法》第23條規定，醫師除受有關機關詢問
或委託鑑定，對於因業務知悉或持有他人病情或健康資訊，不得無故洩露。但是除《民
法》「親屬」、「繼承」為因血緣所生不可拋棄之身分關係外，其餘身分法規範皆須出於
個人自主選擇，且容許其拋棄，甚者我可申請喪失中國民國國籍，免除《憲法》綁定之
「納稅」、「服兵役」、「受國民義務教育」義務。

　　以「身分法」作為觀察點，則傳統正義論恐難契合於現代社會，這是它要面臨的最

61 成中英〈論孔孟的正義觀〉一文值得參考。四種對於正義定義的進路：以義釋正義；以正釋正義；
　以直釋正義；以中釋正義。中即公平之謂。此種分法，甚為可取。見氏著：《知識與價值：和諧、真
　理與正義之探索》（臺北：聯經出版社，1986年）。

62 〔英〕亨利・梅因（Henry Summer Maine）著，陳志文譯：《古代法》（北京：中國社會出版社，
　1999年），頁367。

大挑戰。蓋傳統正義論強調差別對待，且其差別對待建立在單向不可拋棄之身分義務。現代社會可以接受因為血緣產生之終生不可拋棄義務與差別對待，如《刑法》272條，對殺害直系尊親屬者，加重其刑至二分之一；反之，殺害卑親屬則不適用。但對於非血緣關係者則不能同理適用，除非他們自願以契約關係承擔差別性責任，並享有退出契約的自由，如同前面舉例，我自願成為公務員而承擔《貪汙治罪條例》，但也可以選擇解除這個契約。

　　傳統正義論顯然沒有「血緣」的限制，如《論語‧微子》子路所說：「不仕無義。長幼之節，不可廢也；君臣之義，如之何其廢之？」[63]《莊子‧人間世》假仲尼之口稱：「臣之事君，義也，無適而非君也，無所逃於天地之間。是之謂大戒。」[64]君臣契約關係非我所訂，我既無選擇權，也無終止的能力，由此身分產生之法律差別對待，自然缺乏公平性，是否正義？實不無疑惑。「臣之事君，無所逃於天地之間」顯然牴觸法治社會契約自由原則。

　　傳統觀點認為「一日為師，終生為父」，但師生關係是否如父子血緣關係絕對不可拋棄？以現代社會價值觀而言，恐怕也無必然性。依《唐律》「不義」規定，「殺本屬府主、刺史、縣令、見受業師，吏、卒殺本部五品以上官長；及聞大喪匿不舉哀，若作樂，釋服從吉及改嫁」。試問今日如發生兩起師生債務糾紛：一起於鬥毆中，學生殺死老師；一起則是老師殺死學生，社會果真可以接受殺死老師的學生不得享有減刑、特赦等權利？殺死學生的老師則不受此限制？結果可想而知，不僅將引起公憤，也將違反《憲法》第七條「法律上一律平等原則」。

　　更甚者，〈疏議〉稱：「夫者，妻之天也。移父之服而服，為夫斬衰，恩義既崇，聞喪即須號慟。而有匿哀不舉，居喪作樂，釋服從吉，改嫁忘憂，皆是背禮違義，故俱為十惡。其改嫁為妾者非」。且不論妻子是否在夫大喪期間「作樂、釋服、改嫁」屬不義，僅就妻對夫單向負有此義務，而夫無須負擔同等義務，也難以見容現代社會價值觀。

　　簡言之，傳統正義論主要約束非血緣關係之人，並不具備「血緣」所生等差對待之正當性。且其身分綁定並不具備契約締結自由性與退出選擇性，缺乏銜轉於現代社會的根本要件，如何評價傳統正義論的優缺，仍是一個日後有待持續思考的問題。

四　結語

　　綜合本篇論文要點如下：

63　〔魏〕何晏注，〔北宋〕邢昺疏：《論語注疏》，收入〔清〕阮元校刻：《十三經注疏》第8冊（臺北：藝文印書館，1955年），頁166。

64　〔清〕郭慶藩：《莊子集釋（上）》（北京：中華書局，2018年），頁163。

一、「義」為價值與秩序的正確安排，重點在於合理性。其正當性源自於天道鬼神。《群書治要》不採孟子「仁義內在」說立場，而是務實採取「外義說」觀點，更近墨子與告子一系。

二、「義」作為「利」的上位價值，二者固然時常伴隨出現，但若利牴觸義，則自當捨利。這點《群書治要》採取儒家立場，認同《孟子》言義不言利之說。因此「義」所追求者乃利益的合理分配，而非最大分配，如此可避免落入功利主義將個體價值量化的危機。

三、「義」主要處理公共事務，具備強制力與威嚇性，不同於以「愛」為核心之「仁」。「仁義」一內一外、一弛一張，成為維繫社會運作的兩大力量。

四、《群書治要》因其政治管理目的，故其「義」論偏重「君臣」、「夫婦」、「朋友」等無血緣關係者之義務關係綁定，可知「義」為支配安排無血緣關係者之規範。以「合宜」作為「正義」的內涵本無不可，也是阿德勒與當代社群主義對羅爾斯《正義論》的批判所在。就這點而言，儒家思想具有一定現代意義。

五、一個難以解決的問題是：傳統正義論的「合宜」、「合理」建立在身分法之上。就具血緣關係者而言，儒家以「親親」作為法律政治秩序的內建基石，本屬合理，原因在於法律存在之目的，乃為保障人性尊嚴與權利，秩序並非最優位價值。這也是儒家仁愛之思想仍為現代社會普遍認同，以及基於仁所生之禮具備現代性意義原因。

「義」既處理「無血緣關係者」之權利義務利益分配，則「尊尊」之身分法關係，是否仍可作為當代自由平等概念下的價值設準，實有極大疑慮。從《唐律》規定及歷代政治實踐來看，這種非血緣身分關係綁定，違反契約自由原則、平等原則。因為其中一方的身分關係，或者沒有選擇的權利（如君臣關係），或者沒有自由終止的可能（如師生關係）。最重要的是，這些義務即使不是單向的，但至少是極大的不公平差異。如君殺臣無罪，臣弒君則可誅九族；夫可隱匿妻喪，妻則不得隱匿夫喪乃至期間不得行樂等。在古代社會，妻子並無自主締結婚約的自由，故其綁定之義務，以現在眼光來看自始不具備正當性。身分法的限制，實是傳統正義論處於現代社會不可承受之重。

徵引書目

一　原典文獻

〔魏〕何晏注，〔北宋〕邢昺疏：《論語注疏》，收入〔清〕阮元校刻：《十三經注疏》第
　　　　8冊，臺北：藝文印書館，1955年。

〔唐〕吳兢：《貞觀政要》，臺北：宏業書局，1983年。

〔唐〕魏徵、褚遂良、虞世南合編：《群書治要》，臺北：世界書局，2011年。

〔北宋〕朱熹：《四書章句集注》，北京：中華書局：2012年。

〔清〕蘇輿：《春秋繁露義證》，北京：中華書局，2018年。

〔清〕郭慶藩：《莊子集釋》，北京：中華書局，2018年。

朱永嘉、蕭木譯註：《新譯唐六典》，臺北：三民書局，2002年。

劉俊文：《唐律疏議箋解》，北京：中華書局，2015年。

二　近人論著

〔美〕E・博登海默（Edgar Bodenheimer）著，鄧正來譯：《法理學：法律學與法律方
　　　　法》，北京：中國政法大學出版社，2004年。

〔美〕阿德勒（Mortimer J. Adler）著，蔡坤鴻譯：《六大觀念》，臺北：聯經出版社，
　　　　1986年。

〔美〕羅爾斯著：《正義論》，苗栗：桂冠圖書股份有限公司，2011年。

〔英〕亨利・梅因（Henry Summer Maine）著，陳志文譯：《古代法》，北京：中國社會
　　　　出版社，1999年。

〔德〕古斯塔夫・拉德布魯赫（Gustav Radbruch）著，王樸譯：《法哲學》，北京：法律
　　　　出版社，2005年。

成中英：《知識與價值：和諧、真理與正義之探索》，臺北：聯經出版社，1986年。

陳弱水：《公義觀念與中國文化》，臺北：聯經出版社，2020年。

蔡仁厚：《中國哲學史》，臺北：台灣學生書局，2011年。

戴華、鄭曉時主編：《正義及其相關問題》，臺北：中研院中山人文社會科學研究所，
　　　　1981年。

林火旺：《倫理學》，臺北：五南圖書，2015年。

曹景年：〈《說文》段注「義」字辨誤〉，《武漢大學簡帛研究中心》網站，2014年12月6
　　　　日發表，網址：http://www.bsm.org.cn/show_article.php?id=2110。

也以此最為特出。《史記》[28]、《漢書》[29]、《後漢書》[30]、《三國志》[31]，皆有豐碩研究成果可參。進一步討論內容思想，研究《群書治要》對史部的筆削與取義者，目前則有邱詩雯〈治要與成一家言：論《群書治要》對《史記》的剪裁與再造〉[32]、許愷容〈論《群書治要·漢書》的編選意識與價值〉[33]、張珮瑜〈論《群書治要》引《吳志》所見「嫡庶觀」〉[34]、洪觀智《《群書治要》史部研究──從貞觀史學的致用精神談起》[35]等文。可以發現，相較於文獻考訂，內容思想的研究，實有進一步開展的空間。

三國時期是中國史上第一次由秦漢一統王朝，轉而邁向多政權並立的分裂時期，對追求一統王朝、安泰盛世的唐初君臣言，陳壽《三國志》[36]自有其高度可論性與特殊性。加之領銜編纂《群書治要》的魏徵，本身亦是優秀的史家，「時稱良史」。[37]本文即以「《三國志》『畏懼之史』的消融」、「《群書治要》『本求治要』的勸戒」兩端，細緻考述《群書治要》於編纂時，面對三國紛雜史事，其筆削去取的標準，與編纂者所欲呈現的思想取義、史家心識。

二　《三國志》「畏懼之史」的消融

陳壽字承祚，巴西安漢人。出生於蜀漢後主建興十一年（233），卒於西晉惠帝元康

---

28 如侯建明：〈金澤本《群書治要》對《史記》、《漢書》校正十三則〉，《古籍整理研究學刊》2020年4期（2020年07月），頁50-54。

29 如潘銘基：〈《群書治要》所見《漢書》及其注解研究──兼論其所據《漢書》注本〉，頁73-114。

30 如沈甍：《古寫本《群書治要·後漢書》異文研究》（上海：復旦大學漢語言文字學博士論文，2010年）。

31 如林溢欣：〈從日本藏卷子本《群書治》看《三國志》校勘及其版本問題〉，《中國文化研究所學報》53期（2011年07月），頁193-216。後收入氏著：《《群書治要》引書考》（香港：香港中文大學中國語言及文學系碩士論文，2011年）。

32 邱詩雯：〈治要與成一家言：論《群書治要》對《史記》的剪裁與再造〉，《成大中文學報》68期（2020年03月），頁43-72。

33 許愷容：〈論《群書治要·漢書》的編選意識與價值〉，收入林朝成、張瑞麟主編：《第一屆《群書治要》國際學術研討會論文集》，頁255-274。

34 張珮瑜：〈論《群書治要》引《吳志》所見「嫡庶觀」〉，發表於「2022道南論衡全國研究生學術研討會」，國立政治大學中國文學系主辦，2022年11月05日。

35 洪觀智：《《群書治要》史部研究──從貞觀史學的致用精神談起》（臺北：臺灣大學中國文學系碩士論文，2015年）。

36 《群書治要》中《魏志》、《蜀志》、《吳志》三書分錄，《舊唐書·藝文志》也同是三志分錄。然《隋書·經籍志》中乃以《三國志》六十五卷收錄，而北宋之後也都是三志合刊以迄於今。故行文中仍將《群書治要》所收三志統稱為《三國志》，以減少閱讀理解之歧異。

37 《舊唐書·魏徵傳》：「初，有詔遣令狐德棻、岑文本撰《周史》，孔穎達、許敬宗撰《隋史》，姚思廉撰《梁》、《陳史》，李百藥撰《齊史》。徵受詔總加撰定，多所損益，務存簡正。〈隋史序論〉，皆徵所作，梁、陳、齊各為〈總論〉，時稱良史。」參〔後晉〕劉昫等撰：《舊唐書》，頁2549-2550。

七年（297）。[38]年輕時仕途還算順遂，然蜀漢後期黃皓弄權，「壽獨不為之屈，由是屢被譴黜」。[39]後因父喪使婢丸藥，坐不孝之名[40]，為此沉滯數年，直至蜀漢覆亡。直到西晉武帝泰始四年（268），方因羅憲[41]的薦舉而舉為孝廉，再次踏上仕途。後受張華賞識，於泰始五年（269）除著作郎，領本郡中正[42]，後卻又因母喪洛陽未歸葬，遭貶議廢辱近十年[43]，「位望不充其才，當時冤之」。[44]學界一般認為陳壽《三國志》成書於西元280至西元290年之間。於時西晉統一天下，已無兵燹戰火。但《晉書·阮籍傳》卻直言「魏晉之際，天下多故，名士少有全者」[45]，此「天下多故」者，實為晉朝的高壓統治所造成，是屬於朝廷內部的衝突，是以七賢者流唯有佯狂遁世，委曲求全。《世說新語·尤悔》：

> 王導、溫嶠俱見明帝，帝問溫前世所以得天下之由。溫未答。頃，王曰：「溫嶠年少未諳，臣為陛下陳之。」王迺具敘宣王創業之始，誅夷名族，寵樹同己。及文王之末，高貴鄉公事。明帝聞之，覆面著床曰：「若如公言，祚安得長！」[46]

司馬氏「誅夷名族，寵樹同己」的高壓統治、殘虐不仁，足以讓東晉明帝感到無顏相對、覆面著床。且漢末三國之際，因史遭禍者亦是不絕於書，蔡邕[47]、韋曜[48]等皆是陳

---

38 《晉書》本傳載陳壽「元康七年，病卒，時年六十五」，故考其生卒年如是。參〔唐〕房玄齡等著：《晉書》（北京：中華書局，2003年），頁2138。

39 〔唐〕房玄齡等著：《晉書》，頁2137。

40 《晉書·陳壽傳》：「遭父喪，有疾，使婢丸藥，客往見之，鄉黨以為貶議。及蜀平，坐是沉滯者累年。」參〔唐〕房玄齡等著：《晉書》，頁2137。

41 《三國志·霍峻傳》引《襄陽記》：「四年三月，從帝宴于華林園，詔問蜀大臣子弟，後問先輩宜時敘用者，憲薦蜀郡常忌、杜軫、壽良、巴西陳壽……即皆敘用，咸顯於世。」參〔晉〕陳壽著，〔南朝宋〕裴松之注：《三國志》（北京：中華書局，2003年），頁1009。

42 〔唐〕房玄齡等著：《晉書》，頁2137。《三國志·譙周傳》：「五年，予嘗為本郡中正，清定事訖，求休還家，往與周別。」參〔晉〕陳壽著，〔南朝宋〕裴松之注：《三國志》，頁1033。

43 《晉書·陳壽傳》：「母遺言令葬洛陽，壽遵其志。又坐不以母歸葬，竟被貶議。初，譙周嘗謂壽曰：『卿必以才學成名，當被損折，亦非不幸也。宜深慎之。』壽至此，再致廢辱，皆如周言。」參〔唐〕房玄齡等著：《晉書》，頁2138。

44 〔晉〕常璩著，任乃強校注：《華陽國志校補圖注》（上海：上海古籍出版社，2011年），頁634。案，陳壽相關生平亦可參楊耀坤，伍野春著：《陳壽、裴松之評傳》（南京：南京大學出版社，2007年）。

45 〔唐〕房玄齡等著：《晉書》，頁1360。

46 余嘉錫著，周祖謨、余淑宜整理：《世說新語箋疏》（臺北：華正書局，1991年），頁900。亦見〔唐〕房玄齡等著：《晉書·宣帝紀》，頁20。

47 裴松之《三國志》注引謝承《後漢書》：「蔡邕在王允坐，聞卓死，有歎惜之音。允責邕曰：『卓，國之大賊，殺主殘臣，天地所不祐，人神所同疾。君為王臣，世受漢恩，國主危難，曾不倒戈，卓受天誅，而更嗟痛乎？』便使收付廷尉。邕謝允曰：『雖以不忠，猶識大義，古今安危，耳所厭聞，口所常玩，豈當背國而向卓也？狂瞽之詞，謬出患入，願黥首為刑以繼《漢史》。』公卿惜邕才，咸共諫允。允曰：『昔武帝不殺司馬遷，使作謗書，流於後世。方今國祚中衰，戎馬在郊，不可令佞臣執

壽的前車之鑑。歷代學者對《三國志》批評道：

> 當宣、景開基之始，曹、馬搆紛之際，或列營渭曲，見屈武侯，或發仗雲臺，取
> 傷成濟；陳壽、王隱，咸杜口而無言。[49]
>
> 乃《魏志》但書高貴鄉公卒，年二十，絕不見被弒之跡……本紀如此，又無列傳
> 散見其事，此尤曲筆之甚者矣。[50]
>
> 唯獨書中時有曲筆，替西晉統治者隱惡溢美，多所回護，這的確是《三國志》的
> 缺點。[51]

劉知幾、趙翼批評陳壽對於魏晉王朝易鼎之際，少主曹髦被權臣司馬昭逆弒之事「杜口
而無言」、「曲筆之甚」，當代學者繆鉞先生亦同主「曲筆回護」之說。可以理解的是，
陳壽在當時「同日斬戮，名士減半」[52]的時空環境下私撰國史，自是謹小慎微，甚或不
得不有所隱晦。本田濟先生便稱陳壽《三國志》為「畏懼之史」[53]，這樣的觀察當是準
確的。

誠如上述，陳壽《三國志》自有其時代課題、作者性格，成其「一家之言」。當代
的史學觀念，大抵也能襄贊此一觀點：

> 任何為真相而著之史書，均不能於其中免除意識形態成分。[54]
>
> 不論歷史的可驗證性多高，可接受性或可核對性多廣泛，它仍然不免是個人思維

筆在幼主左右，後令吾徒並受謗議。』遂殺邕。」參〔晉〕陳壽著，〔南朝宋〕裴松之注：《三國
志》，頁180。

48 本傳載：「晧以為不承用詔命，意不忠盡，遂積前後嫌忿，收曜付獄……華覈連上疏救曜曰：『……
昔班固作《漢書》，文辭典雅，後劉珍、劉毅等作《漢記》，遠不及固，敘傳尤劣。今《吳書》當垂
千載，編次諸史，後之才士論次善惡，非得良才如曜者，實不可使闕不朽之書。如臣頑蔽，誠非其
人。曜年已七十，餘數無幾，乞赦其一等之罪，為終身徒，使成書業，永足傳示，垂之百世……』
晧不許，遂誅曜，徙其家零陵。」參〔晉〕陳壽著，〔南朝宋〕裴松之注：《三國志》，頁1462-
1464。

49 〔唐〕劉知幾著，〔清〕浦起龍釋，白玉崢校點：《史通通釋》，頁178-179。

50 〔清〕趙翼撰，曹光甫校點：《廿二史劄記》（南京：鳳凰出版社，2008年），頁82。

51 繆鉞：《三國志與陳壽研究》，《繆鉞全集》第4卷（石家莊：河北教育出版社，2004年），頁7。

52 〔晉〕陳壽著，〔南朝宋〕裴松之注：《三國志》，頁759。

53 本田濟〈陳寿の三国志について〉：「《史記》を『悲憤の史』、《漢書》を『矜持の史』、《三國志》を
『畏懼の史』と評している。」轉引自〔日〕渡邊義浩：「陳壽の『三国志』と蜀學」，收入三國志學
會編：《狩野直禎先生傘寿記念三國志論集》（東京：汲古書院，2008年），頁354。

54 〔美〕海登‧懷特（Hyden White）著，劉世安譯：《史元──十九世紀歐洲的歷史意象》（The
Historical Imagination in Nineteenth-Century Europe）冊上（臺北：麥田出版社，1999年），頁24。相
關論述亦可參〔美〕海登‧懷特著，陳永國、張萬娟譯：《後現代歷史敘事學》（北京：中國社科
院，2003年）。〔美〕海登‧懷特著，董立河譯：《話語的轉義──文化批評文集》（Tropics of
Discourse: Essaysin Cultural Criticism）（北京：大象出版社，2011年）。

的產物，是歷史學家作為一個「敘述者」觀點的表示。[55]

換言之，史籍的編寫，不論如何力求客觀，也必然會帶有史家個人的觀點、史識於其中。此點不獨《三國志》如此，於《群書治要》亦同。換言之，《群書治要》即便全依舊文，但在衡量史事棄採、筆削史文的過程，實則也都牽涉到史家的價值判斷。觀察魏徵等人對《三國志》的筆削棄採，便可以發現，陳壽的「畏懼之史」，在一定程度上是被消融掉的。舉例言之，《三國志·荀彧傳》：

> 十七年，董昭等謂太祖宜進爵國公，九錫備物，以彰殊勳，密以諮彧。彧以為太祖本興義兵以匡朝寧國，秉忠貞之誠，守退讓之實；君子愛人以德，不宜如此。太祖由是心不能平。會征孫權，表請彧勞軍于譙，因輒留彧，以侍中光祿大夫持節，參丞相軍事。太祖軍至濡須，彧疾留壽春，以憂薨，時年五十。諡曰敬侯。明年，太祖遂為魏公矣。[56]

荀彧是否因收到曹操「空食器」[57]而自殺等事，向來是學術界的討論熱點。[58]單以引文記載言，陳壽先明載荀彧反對曹操加九錫[59]、進魏公。於後再以屬辭比事[60]之法，繫以荀彧「以憂薨」，而後明年「太祖遂為魏公矣」。讓反對加九錫、荀彧死、曹操「遂」為魏公三者並列，進而產生一種幽微不明的因果關係。陳壽當是認為荀彧因反對曹操稱魏公而死，但於當時的環境下未能明寫，故以側筆達微婉顯晦的勸懲之效。

《群書治要》雖收荀彧傳，但相關生平事蹟盡皆未取，僅再節錄裴松之注引《彧別傳》：

> 荀彧，字文若，潁川人也。為侍中尚書令。《彧別傳》曰：彧德行周備，非正道不用心，名重天下，莫不以為儀表，海內英俊咸宗焉。然前後所舉，佐命大才，

---

55 〔英〕凱斯·詹京斯（KeithJenkins）著，賈士蘅譯：《歷史的再思考》（Re-ThinkingHistory）（臺北：麥田出版公司，1999年），頁96。

56 〔晉〕陳壽著，〔南朝宋〕裴松之注：《三國志》，頁317。

57 裴注引《魏氏春秋》曰：「太祖饋彧食，發之乃空器也，於是飲藥而卒。」參〔晉〕陳壽著，〔南朝宋〕裴松之注：《三國志》，頁317。

58 參繆鉞菴：〈荀彧的心跡〉，《三國人物論集》（臺北：臺灣商務印書館，1996年），頁181-186。

59 《漢書·王莽傳》：「故宗臣有九命上公之尊，則有九錫登等之寵。」顏師古注曰：「《禮含文嘉》云：『九錫者，車馬、衣服、樂懸、朱戶、納陛、武賁、鈇鉞、弓矢、秬鬯也。』」九錫即九賜，乃九種皇帝專用之器具，人臣之寵者，一般多只受其一、二。於曹操之前僅有王莽加過九錫，故其篡位之義昭然。引文參〔東漢〕班固著，〔唐〕顏師古注：《漢書》（北京：中華書局，2005年），頁4072。

60 《禮記·經解》：「屬辭比事，《春秋》教也。」參〔東漢〕鄭玄注，〔唐〕孔穎達等正義：《禮記正義·經解》，收入〔清〕阮元校刻：《十三經注疏》第5冊（北京：中華書局，2003年），頁1609。晚近張師高評先生對「屬辭比事」概念多有研究、闡發，詳參氏著：《屬辭比事與《春秋》詮釋學》（臺北：新文豐出版股份有限公司，2019年）。

則荀攸、鍾繇、陳群、司馬宣王，及引致當世知名郗慮、華歆、王朗、荀悅、杜襲、辛毗、趙儼之儔，終為卿相，以十數人。取士不以一揆，戲志才、郭嘉等有負俗之譏，杜畿簡傲少文，皆以智策舉之，終各顯名。荀攸後為魏尚書令，推賢進士。太祖曰：「二荀令之論人也，久而益信，吾沒世不忘也。」[61]

可以發現，《群書治要》所欲呈現的重點在於，荀彧善於推賢進士、舉才論人。且《三國志》原文為「遷彧為漢侍中守尚書令」[62]，《群書治要》將其刪減，所引錄的《彧別傳》又稱其為「魏尚書令」，足可推敲魏徵等人，對於荀彧究竟是屬漢臣或魏臣[63]的觀點為何。[64]而《群書治要》敘事重心既未放在荀彧身為漢臣或魏臣的討論，也對荀彧壯年突然身故[65]的因由隻字未提，自然不見陳壽對此處載記的「《春秋》書法」，與避禍存實之心。《群書治要》並非刻意剔除，但就現象論，其所筆削棄採的《三國志》，確實已不具陳壽「畏懼之史」的幽微內涵。

又如甄后[66]之事。甄后本袁熙妻，袁紹敗後，為曹丕所納。[67]然曹丕稱帝後，甄后僅「愈失意，有怨言」[68]，旋被曹丕賜死。於其時，甄氏已生曹叡，為曹丕嫡長子，明帝也在即位後追尊母氏為后。甄后僅因「有怨言」就被賜死，確實是顯得曹丕氣量狹小、意氣用事，無「曠大之度、公平之誠」。[69]是以當朝史官載記，對此不免有尊親、粉飾之筆。[70]陳壽於〈后妃傳〉中，不便明言甄后為曹丕冤殺，故草蛇灰線，於〈方技

---

61 〔晉〕陳壽著，〔南朝宋〕裴松之注：《三國志》，頁310。

62 〔晉〕陳壽著，〔南朝宋〕裴松之注：《三國志》，頁310。

63 趙翼《廿二史劄記》：「〈荀彧傳〉，《後漢書》與孔融等同卷，則固以為漢臣也。陳壽《魏志》，則列於夏侯惇、曹仁等之後，與荀攸、賈詡同卷，則以為魏臣矣。」參〔清〕趙翼撰，曹光甫校點：《廿二史劄記》，頁87。

64 另一旁證則為范曄《後漢書》有荀彧傳，但《群書治要》未有選錄。

65 裴注引《魏氏春秋》、《獻帝春秋》所載死因有別於陳壽，張大可亦指出：「關於荀彧之死，史料記載有許多歧異……這些不同記載都說明荀彧死得突然，內情隱密。荀彧死年51歲，正當年富力強之時，怎麼會突然死去呢？」參張大可：《三國史研究》（北京：華文出版社，2003年），頁223。

66 《三國志》未載其名，後世稱甄宓者，乃附會曹植〈洛神賦〉「斯水之神，名曰宓妃」而來。

67 《世說新語·惑溺》：「魏甄后惠而有色，先為袁熙妻，甚獲寵。曹公之屠鄴也，令疾召甄，左右白：『五官中郎已將去。』公曰：『今年破賊，正為奴。』」參余嘉錫著，周祖謨、余淑宜整理：《世說新語箋疏》，頁917。

68 「踐阼之後，山陽公奉二女以嬪于魏，郭后、李、陰貴人並愛幸，后愈失意，有怨言。帝大怒，二年六月，遣使賜死，葬于鄴。」參〔晉〕陳壽著，〔南朝宋〕裴松之注：《三國志》，頁160。

69 陳壽評曰：「文帝天資文藻，下筆成章，博聞彊識，才藝兼該；若加之曠大之度，勵以公平之誠，邁志存道，克廣德心，則古之賢主，何遠之有哉！」參〔晉〕陳壽著，〔南朝宋〕裴松之注：《三國志》，頁89。日本學者津田資久便也明白指出，此為「暗示這些德目全部缺乏。」參〔日〕津田資久：〈《三國志·曹植傳》再考〉，收入《中國中古史研究》編委會編：《中國中古史研究·第一卷》（北京：中華書局，2011年），頁76。

70 甄妃之死，陳壽《三國志》記載隱晦，然裴注所引《魏書》、《魏略》有立場相異的補充，此中可見

傳〉中婉曲側寫甄后當為「冤死」：

> 帝復問曰：「我昨夜夢青氣自地屬天。」宣對曰：「天下當有貴女子冤死。」是
> 時，帝已遣使賜甄后璽書，聞宣言而悔之，遣人追使者不及。[71]

陳壽以「本傳晦之，他傳發之」的互見筆法[72]，藉曹丕與周宣間的對話，指出甄后乃「冤死」、曹丕「悔之不及」。但《群書治要》於〈后妃傳〉並未選錄甄后，亦將〈方技傳〉盡皆汰除。陳壽於此處史筆的謹小慎微，自然也就不可得見了。

最末再以高貴鄉公曹髦被弒之事為例。權臣弒君，為《春秋》所深責。魏晉鼎革之際，案裴注所引《漢晉春秋》言，曹髦之死自是晉廷難言之醜事：

> 帝見威權日去，不勝其忿。乃召侍中王沈、尚書王經、散騎常侍王業，謂曰：
> 「司馬昭之心，路人所知也。吾不能坐受廢辱，今日當與卿等自出討之……中護
> 軍賈充又逆帝戰於南闕下，帝自用劍。眾欲退，太子舍人成濟問充曰：「事急
> 矣。當云何？」充曰：「畜養汝等，正謂今日。今日之事，無所問也。」濟即前
> 刺帝，刃出於背。文王聞，大驚，自投于地曰：「天下其謂我何！」[73]

依引文言之，曹髦先是「威權日去，不勝其忿」，後又直言「司馬昭之心，路人所知也」，鼓譟出雲龍門，而遭成濟刺殺，「刃出於背」。並詳載賈充唆使之語和司馬昭的反應，如「趙盾弒其君」[74]般，歸罪之義甚明。《漢晉春秋》乃東晉習鑿齒所撰，成書約在西元369-373年間，裴松之讚譽此段「述此事差有次第」。[75]也正因八王之亂、晉室南渡的生聚教訓，加之時移境遷，東晉諸人方能較無忌憚的檢討前朝得失。然陳壽身處西晉之世，自然是「切當世之文而罔褒，忌諱之辭也」。[76]曹髦之死《三國志》雖然僅載：「五月己丑，高貴鄉公卒，年二十。」[77]看似語焉不詳，然陳壽實是以書卒、不地

不同史籍間，尊魏或尊晉的政治傾向。參陳俊偉：〈魚豢《魏略》的宮闈秘事之敘述傾向——以王沈《魏書》、陳壽《三國志》為參照〉，《漢學研究》33卷4期（2015年12月），頁109-140。

71 〔晉〕陳壽著，〔南朝宋〕裴松之注：《三國志》，頁810。

72 蘇洵〈史論中〉：「是故本傳晦之，而他傳發之，則其與善也，不亦隱而彰乎。」參〔北宋〕蘇洵著，曾棗莊、金成禮箋註：《嘉祐集箋注》（上海：上海古籍出版社，1993年），頁233。後清人李笠於《史記訂補·敘例》中多有發揮，於此不贅。

73 〔晉〕陳壽著，〔南朝宋〕裴松之注：《三國志》，頁143。

74 楊伯峻編著：《春秋左傳注》（高雄：復文圖書出版社，1991），頁662-663。

75 〔晉〕陳壽著，〔南朝宋〕裴松之注：《三國志》，頁143。

76 史公論曰：「孔氏著《春秋》，隱桓之間則彰，至定哀之際則微，為其切當世之文而罔褒，忌諱之辭也。」參〔西漢〕司馬遷著，〔南朝宋〕裴駰集解，〔唐〕司馬貞索隱，〔唐〕張守節正義：《史記》（北京：中華書局，2008年），頁2919。

77 〔晉〕陳壽著，〔南朝宋〕裴松之注：《三國志》，頁143。

之義,側寫曹髦見弒之實,[78]達「《春秋》書法」「微而顯,志而晦,婉而成章,盡而不汙,懲惡而勸善」[79]之功。陳壽《三國志》所使用的「《春秋》書法」,與其「畏懼之史」的幽微內涵,依目前學界的研究成果,當是可以確實論證的。但《群書治要》在《三國志‧三少帝紀》的部分,僅選錄齊王芳,於後的高貴鄉公曹髦、陳留王奐盡皆刪除。[80]誠如李紀祥先生所提示:

> 與「書寫」同時存在的,是「未書寫」。在有形文字書寫「之中」,我們認為,仍然存在著一種「空白」,一旦「書寫」自筆端瀉下,也就一併而存。「未書寫」的「空白」,正是在「書寫」的有形處、上下文、行文「之中」,與之偕存。[81]

以《群書治要》言之,其所擷取、呈現的書寫處,固然富含意義,值得討論。然在有底本可以對照的情況下,其未書寫處,實則也是一併呈現,有其可以取義之處。

依本節所論,陳壽《三國志》以微婉顯晦的「《春秋》書法」,留存他所認同的歷史真相,待後世知音探驪。[82]《群書治要》對經史論著之編裁、刪減乃是常態,本節所欲凸顯論述者,乃是經過《群書治要》的編裁後,其所收錄的《三國志》,與陳壽《三國志》,除了字數的減少外,還有何不同。而《群書治要》欲求:「採摭群書,翦截浮放,光昭訓典,聖思所存,務乎政術。」[83]在此目的下,其「棄彼春華,採茲秋實」的過程中,雖非刻意,卻也連帶消融、解構了陳壽《三國志》「畏懼之史」的幽微內涵。就現象論,《群書治要》所錄的《三國志》,已不再是原先陳壽的「畏懼之史」了。而此一「畏懼之史」的不復存,相對而言,也正是《群書治要》所收《三國志》的特色所在。《群書治要》雖是全依舊文,但在衡量史事棄採、筆削史文的過程中,實則也已改變所

---

78 筆者嘗以「通篇究終始之書法」、「讖緯書法」、「書卒、不地之《春秋》義例」三端,分析陳壽於此之《春秋》書法。可參拙作:〈曲筆書弒,以史傳真——《三國志》曹髦被弒之《春秋》書法〉,《成大中文學報》53期(2016年06月),頁1-32。

79 楊伯峻編著:《春秋左傳注》,頁870。又《左傳‧昭公三十一年》:「《春秋》之稱,微而顯,婉而辨。上之人能使昭明,善人勸焉,淫人懼焉,是以君子貴之。」亦是同義。見前揭書,頁1513。

80 案,逼殺曹髦者為司馬昭,而唐初史臣編撰《晉書》,帝紀由司馬懿始,然《群書治要》則由司馬炎始。此中或有劉知幾所論王朝斷限「如《漢書》者,究西都之首末,窮劉氏之廢興,包舉一代,撰成一書」可談。參〔唐〕劉知幾著,〔清〕浦起龍釋,白玉崢校點:《史通通釋》,頁21、88-94。亦可參謝明憲:〈「泰始為斷」的歷史書寫:《晉書》限斷的難題與陸機的新義〉,《臺大中文學報》49期(2015年06月),頁99-128。

81 李紀祥:〈《春秋》中的「空白」:「闕文」與「不書」〉,《時間‧歷史‧敘事》(臺北:華藝學術出版社,2013年),頁59-114。

82 《三國志》外,以「《春秋》書法」的觀點詮解史籍,學界多有開展。舉其大者,如張師高評:〈《史記》筆法與《春秋》書法〉,《春秋書法與左傳學史》(臺北:五南圖書公司,2002年),頁57-104。潘銘基:《《漢書》及其春秋筆法》(北京:中華書局,2019年)。鍾書林:〈《後漢書》的春秋褒貶與《三國志》之比較〉,《范曄之人格與風格》(北京:中國社會科學出版社,2010年),頁179-231。

83 〔唐〕魏徵、褚遂良、虞世南等編著:《群書治要》,頁13-14。

錄原書的面貌，進而呈現出屬於編纂者的獨特觀點與意識。

三 《群書治要》「本求治要」的勸戒

一如前引唐太宗所言，「以古為鏡，可以知興替」、「使朕致治稽古，臨事不惑」，史學本有資鑒贊治之功。直接由字數觀察，《三國志》約690,210字[84]，《群書治要》則刪汰為39,758字[85]，僅存約原書的百分之六，當真是「十不存一」。舉實例言，《三國志‧武帝紀》全文約三萬字，然《群書治要》將其刪減至不到五百字。在這樣的刪節下，史部以「實錄」[86]資鑒之功，於此誠是難以達成。但以其採錄、留存較多的篇幅來看，則可凸顯出魏徵等人所偏重。如以〈鮑勛傳〉為例，鮑勛出身世家[87]，且「內行既脩，廉而能施」[88]，陳壽評其為「秉正無虧」。[89]鮑勛為御史中丞，乃諫官，《三國志‧鮑勛傳》主要載其勸諫曹丕之事。具體事件《群書治要》全部選錄，僅削棄部分文字，將原文1,329字減至593字，以全書比例來講，保留甚多。條理《群書治要》所載鮑勛勸諫之事如下：

1 太子郭夫人弟，斷盜官布，法應棄市。太子數手書為之請，勛不敢擅縱，具列上。

2 文帝受禪，勛每陳今之所急，唯在軍農，寬惠百姓，臺榭范圍，宜以為後。

3 帝將出游獵，勛停車上疏曰：「臣聞五帝三王，靡不明本立教……」

4 問侍臣曰：「獵之為樂，何如八音也。」侍中劉曄對曰：「獵勝於樂。」勛抗辭曰：「夫樂上通神明，下和人理，隆治致化，萬邦咸乂……請有司議罪，以清皇朝。」

5 帝欲征吳，群臣大議，勛面諫以為不可。[90]

曹丕為太子時，舅氏犯法，鮑勛不敢擅縱。曹丕即位後，鮑勛力陳務在軍農，不該大興

---

84 此為吳金華先生之統計，參吳金華：《三國志校詁》（南京：江蘇古籍出版社，1990年），頁301。案，宋人晁公武《郡齋讀書志》：「宋文帝嫌其略，命裴松之補註，博采群說，分入書中，其多過本書數倍。」四庫館臣李龍官：「裴松之注更三倍於正文。」因志、注多寡的問題，學界對《三國志》諸版本的字數多有統計，結論則皆為志比注多。

85 此為筆者自行以電子文檔統計，已去除標點符號。容有誤差，然仍可見其大概。

86 「善惡必書，斯為實錄。」參〔唐〕劉知幾著，〔清〕浦起龍釋，白玉崢校點：《史通通釋》，頁364。

87 本傳載：「漢司隸校尉鮑宣九世孫……勛父信，靈帝時為騎都尉。」〔晉〕陳壽著，〔南朝宋〕裴松之注：《三國志》，頁383。

88 〔晉〕陳壽著，〔南朝宋〕裴松之注：《三國志》，頁386。

89 〔晉〕陳壽著，〔南朝宋〕裴松之注：《三國志》，頁390。

90 〔唐〕魏徵、褚遂良、虞世南等編著：《群書治要》，頁313-314。

宮室。曹丕性好游獵，太子時尚能自持，即位後大肆放縱，鮑勛對此抗言直諫。游獵途中，劉曄曲意媚上，鮑勛更是慷慨陳辭，請有司議罪。黃初六年（220），曹丕欲興兵伐吳，鮑勛於群臣中直言面諫不可。但曹丕執意發動戰爭，果大敗而歸。由此五條記載，足見鮑勛之忠心耿直，力在匡扶主君。

《群書治要》連鮑勛冤死的細節亦詳載之：

> 詔曰：「勛指鹿作馬，收付廷尉。」廷尉法議正刑五歲，三官駁依律罰金二斤。帝大怒曰：「勛無活分，而汝等敢縱之。收三官以下付刺奸，當令十鼠同穴。」太尉鍾繇，司徒華歆等，並表勛父信有功於太祖，求請勛罪。帝不許，遂誅勛。勛內行既修，廉而能施，死之日，家無餘財，莫不為勛嘆恨。[91]

依法鮑勛當罰金二斤，最多為五歲刑，但曹丕卻是尋釁以莫須有的罪名，執意誅戮鮑勛，鍾繇、華歆等一眾大臣也救之不可。《群書治要》的筆削棄採，多以刪減為主，不會刻意增加文字，而行文敘述雖有頭尾完整性，但也常常只擷取重要段落，致使相對於《三國志》原文，人物生平事蹟並不完整。譬如關羽只選取到義別曹操，於後便完全刪除。[92]以此角度觀察，鮑勛冤死的細節，確實是相對明顯，呈顯出編纂者對於「勸諫之文、勸諫之人」的重視。

再如〈黃權傳〉，黃權乃巴西閬中人[93]，陳壽載記時，藉由曹丕之口讚其「有局量」，寫司馬懿「深器之」。[94]《群書治要》則選錄其勸諫劉璋勿迎劉備，與勸諫劉備伐吳二事。以後者為例：

> 先主將東伐吳，權諫曰：「吳人捍戰，又水軍順流，進易退難。臣請為先驅以嘗寇，陛下宜為後鎮。」先主不從，以權為鎮北將軍，督江北軍。南軍敗績，先主引退，而道隔絕，權不得還，故率將所領降于魏。有司執法，白收權妻子。先主曰：「孤負黃權，權不負孤也。」待之如初。[95]

黃權勸諫劉備勿輕率犯險，但劉備並未聽從，終至夷陵大敗。吳軍乘流斷圍，黃權困於長江北岸，只能率眾投降魏國。而《群書治要》的筆削棄採，除了勸諫之文外，也載錄劉備縱然未能聽勸，但事後卻是有所自省，直言「孤負黃權，權不負孤也」，不以叛逃之罪，收治黃權家屬。再者，《三國志》注中，「臣松之以為」共有97條，乃裴松之「頗

---

91 〔唐〕魏徵、褚遂良、虞世南等編著：《群書治要》，頁314。
92 〔唐〕魏徵、褚遂良、虞世南等編著：《群書治要》，頁340。
93 〔晉〕陳壽著，〔南朝宋〕裴松之注：《三國志》，頁1043。
94 〔晉〕陳壽著，〔南朝宋〕裴松之注：《三國志》，頁1044。
95 〔唐〕魏徵、褚遂良、虞世南等編著：《群書治要》，頁341-342。

以愚意有所論辯」[96]，其中多有仁義治世之道與王霸觀等經世致用的內容。但《群書治要》僅採擷一條，便是於此收錄：

> 臣松之以為，漢武用虛罔之言，滅李陵之家，劉主拒憲司所執，宥黃權之室，二主得失，縣邈遠矣。[97]

裴松之藉由漢武帝與劉備的對比，凸顯了君主察納雅言、信任臣子的應有態度。《群書治要》於此的採錄，用心自是可見。

《三國志》中，單獨成傳者，除帝王外，僅有諸葛亮與陸遜二人。依陳壽的史書體例編排，可以推論其認為在歷史發展的進程中，陸遜之於吳國，有若諸葛亮之於蜀國的重要性。〈陸遜傳〉約5,008字，而《群書治要》筆削為416字，也大抵符合《三國志》的全書比例。可與之對照的則為〈陸凱傳〉，陸凱乃陸遜族子，孫皓立為左丞相。[98]《三國志·陸凱傳》約4,122字，主要內容為對孫皓的勸諫，《群書治要》大幅收錄，計有2,759字。若就人物事蹟、歷史發展的重要性言之，陸遜自然比陸凱重要。但《群書治要》的編纂者，魏徵等人所重視的，明顯不在於此，故《群書治要》全文收錄陸凱勸諫孫皓的四篇表疏與臨終勸言。大意依序可條理如下：

1 孫皓徙都武昌，政事多謬，黎元窮匱，陸凱上疏為政之道。
2 疾病彌留之際，孫皓遣中書令董朝問所欲言，陸凱陳言任賢臣、斥小人。
3 陸凱諫孫皓疏，直言不遵先帝二十事。
4 孫皓所行彌暴，陸凱上表勸諫宜克己復禮，述履前德。
5 孫皓始起宮，陸凱上表諫，不聽。重表勸諫宜當畜養，廣力肆業，以備其虞。[99]

前兩條出於《三國志》正文，第四、第五條則出於裴松之注引《江表傳》中。其中第三條陳壽認為「文殊甚切直，恐非皓之所能容忍也」、「虛實難明，故不著于篇」，但「然愛其指摘皓事，足為後戒，故鈔列于凱傳左云」。[100]而《群書治要》刪除陳壽「虛實難明」的歷史真實性、「實錄」考辨，直接將是文剪裁入正文敘述之中，在在皆可觀察到《群書治要》對於勸戒之文的重視。再舉兩段陸凱的勸諫之文為例：

> 中常侍王蕃，黃中通理，處朝忠謇，斯社稷之重鎮，大吳之龍逢也。而陛下忿其苦辭，惡其直對，梟之殿堂，屍骸暴棄，邦內傷心，有識悲悼，咸以吳國夫差復

---

96 〔南朝宋〕裴松之：〈上《三國志注》表〉。參〔清〕嚴可均校輯：《全上古三代秦漢三國六朝文·全宋文》第三冊（北京：中華書局，1958年），頁2525。
97 〔唐〕魏徵、褚遂良、虞世南等編著：《群書治要》，頁342。
98 〔晉〕陳壽著，〔南朝宋〕裴松之注：《三國志》，頁1399-1400。
99 〔唐〕魏徵、褚遂良、虞世南等編著：《群書治要》，頁353-356。
100 〔晉〕陳壽著，〔南朝宋〕裴松之注：《三國志》，頁1404。

存。先帝親賢，陛下反之，是不遵先帝二也。

臣聞惡不可積，過不可長，是以古人懼不聞非，立敢諫之鼓，武公九十，思聞警誡。臣察陛下無思警誡之義，而有積惡之漸，臣深憂之。[101]

陸凱舉關龍逢直諫為夏桀所殺、堯立敢諫之鼓、衛武公九十五歲猶思諫言等例子，向孫皓勸諫，要能親近賢臣、思聞警誡。

由上述例證可以發現，不論是臣子直言勸諫、或是君王察納雅言，皆為《群書治要》所重視。對於勸戒之言的筆削棄採，甚至比歷史事件、人物事蹟更為優先。也不難聯想，領銜編纂《群書治要》的魏徵亦以直言勸諫而聞名，進一步對照《舊唐書·魏徵傳》記載：

太宗新即位，勵精政道，數引徵入臥內，訪以得失。徵雅有經國之才，性又抗直，無所屈撓，太宗與之言，未嘗不欣然納受。徵亦喜逢知己之主，思竭其用，知無不言……徵再拜曰：「願陛下使臣為良臣，勿使臣為忠臣。」帝曰：「忠、良有異乎？」徵曰：「良臣，稷、契、咎陶是也。忠臣，龍逢、比干是也。良臣使身獲美名，君受顯號，子孫傳世，福祿無疆。忠臣身受誅夷，君陷大惡，家國並喪，空有其名。以此而言，相去遠矣。」帝深納其言。[102]

唐太宗與魏徵之間的君臣相得，即為臣子抗顏直諫，君主察納雅言，史官亦是大篇幅收錄魏徵勸諫之文，如知名的〈諫太宗十思疏〉等。引文後段魏徵所論良臣、忠臣之別，更是直指唯有君王能虛心接受臣子的諫言，方能使人臣身獲美名，人君身受顯號，「子孫傳世，福祿無疆」。而「身受誅夷，君陷大惡」的忠臣，不就正是鮑勛嗎？林朝成先生亦指出，「直言受諫」實為《群書治要》編纂的重要思想內涵。[103] 確實，若觀察〈群書治要序〉：

用之當今，足以鑒覽前古；傳之來葉，可以貽厥孫謀。引而申之，觸類而長，蓋亦言之者無罪，聞之者足以戒。[104]

依「言之者無罪，聞之者足以戒」之言，《群書治要》的之成書，確實是意在「主文而譎諫」了。

---

101 〔唐〕魏徵、褚遂良、虞世南等編著：《群書治要》，頁354-356。

102 〔後晉〕劉昫等撰：《舊唐書》，頁2547。

103 林朝成先生認為《群書治要》有七大主題：為君難、為臣不易、君臣共生、直言受諫、牧民、法制、戰兵。為君難、為臣不易、君臣共生、直言受諫屬於執政層面（君臣）的認知與互動；牧民、法制、戰兵則為統治者與統治對象的法政課題。參林朝成：〈《群書治要》與貞觀之治——從君臣互動談起〉，《成大中文學報》67期（2019年12月），頁101-142。

104 〔唐〕魏徵、褚遂良、虞世南等編著：《群書治要》，頁314。

是以細細爬梳《群書治要》的筆削棄採，人臣的勸諫之文確實多所引錄，今以人物為單位，將其有勸諫、進言者，簡要整理如下表：

人物	勸諫事件
〈魏志〉	
夏侯玄	司馬宣王問以時事，玄議以為：「夫官才用人，國之柄也。」
賈　詡	是時，文帝為五官將，而臨淄侯植才名方盛，各有黨與，有奪宗之議。太祖嘗問詡，詡嘿然不對。太祖曰：「與卿言而不答何也。」詡曰：「屬適有所思，故不即對耳。」太祖曰：「何思。」詡曰：「思袁本初，劉景升父子。」太祖大笑，於是太子遂定。
王　修	譚欲攻弟尚。修諫曰：「夫兄弟者，左右手也。」
邴　原	時太祖愛子倉舒亦沒，太祖欲求合葬。原辭曰：「合葬非禮也。」
崔　琰	世子仍出田獵，變易服乘，志在驅逐。書諫曰：「蓋聞盤於游田，《書》之所戒。」
鮑　勛	勛每陳今之所急……勛停車上疏曰……勛抗辭曰……勛面諫以為不可。
王　朗	上疏勸育民省刑曰：「《易》稱赦法，《書》著祥刑，慎法獄之謂也。」時帝頗出游獵，或昏夜還宮。朗上疏曰：「夫帝王之居，外則飾周衛，內則重禁門。」
王　肅	上疏陳政本曰：「夫除無事之位，損不急之祿，止浮食之費，并從容之官。」
孫　曉	時校事放橫。曉上疏曰：「《周禮》云：『設官分職，以為民極。』」
蘇　則	文帝問則曰：「……燉煌獻徑寸之珠，可復求市益得不？」對曰：「若陛下化洽中國，德流沙漠，即不求自至。」
杜　恕	時又大議考課之制，以考內外眾官。恕上疏曰：「《書》稱明試以功。」樂安廉昭以才能拔擢，頗好言事。恕上疏極諫曰……。
衛　覬	明帝即位，百姓凋匱，而役務方殷。覬上疏曰……。
陳　群	青龍中，營治宮室，百姓失農時。群上疏曰……。
盧　毓	侍中高堂隆數以宮室事切諫，帝不悅。毓進曰：「臣聞君明則臣直。」
和　洽	後有白毛玠謗毀太祖，太祖見近臣怒甚……洽對曰：「……言事者，加誣大臣，以誤主聽，二者不加檢覈，臣竊不安。」
杜　襲	群臣多諫，可招懷攸，共討強敵，太祖橫刀於膝，作色不聽，襲入欲諫。
高　柔	時民間數有誹謗妖言，帝疾之，有妖言，輒殺而賞告者。柔上疏曰……。
辛　毗	「……臣所云非私也，乃社稷之慮，安得怒臣。」帝不答，起入內。毗隨而引其裾，帝遂奮衣不還，良久乃出……嘗從帝射雉。帝曰：「射雉樂哉。」毗曰：「於陛下甚樂，於群下甚苦。」帝默然，後遂為之希出。
楊　阜	時初治宮室，發美女充後庭，數出入弋獵。阜上疏曰……。

人物	勸諫事件
高堂隆	青龍中，大治殿舍，西取長安大鐘。隆上疏曰……。
〈蜀志〉	
簡　雍	時天旱禁酒，釀者有刑……雍從先主游觀，見一男子行道。謂先主曰：「彼人欲行淫，何以不縛。」先主曰：「卿何以知之。」雍對曰：「彼有淫具，與欲釀者同。」先主大笑，而原欲釀者。
黃　權	時別駕張松建議，宜迎先主，使伐張魯。權諫曰……。先主將東伐吳。權諫曰：「吳人捍戰。」
〈吳志〉	
張　昭	每朝見言論，辭氣壯厲，義形於色，曾以直言逆旨，中不進見。
顧　譚	是時魯王霸有盛寵，與太子和齊衡。譚上疏曰：「臣聞有國有家者，必明嫡庶之端。」
步　騭	中書呂壹典校文書，多所糾舉。騭上疏曰……。
張　紘	臨困留牋曰：「自古有國有家者，咸欲修德政以比隆盛世。」
駱　統	是時徵役繁數，重以疫癘，民戶損耗。統上疏曰……。
陸　遜	遜雖身在外，乃心於國。上疏陳時事曰……。
陸　抗	時何定弄權，閹官與政。抗上疏曰……。聞薛瑩徵下獄。抗上疏曰……。
陸　凱	時徙都武昌，揚土百姓，泝流供給，以為患苦，又政事多謬，黎元窮匱。凱上疏曰……。時殿上列將何定佞巧便僻，貴幸任事。凱面責定曰……。疾病，皓遣中書令董朝問所欲言……是不遵先帝二十也。若臣言可錄，藏之盟府，如其虛妄，治臣之罪，願陛下留意。《江表傳》曰：皓所行彌暴，凱知其將亡。上表曰……。初皓始起宮，凱上表諫，不聽。凱重表曰……。
賀　邵	皓凶暴驕矜，政事日弊。邵上疏諫曰……。
韋　曜	時蔡穎亦在東宮，性好博奕，太子和以為無益，命曜論之。其辭曰……。
華　覈	孫皓更營新宮，制度弘廣，飾以珠玉，所費甚多，時盛夏興功，農守并廢。覈上疏諫曰……。

以人物為單位，《群書治要》約選《三國志》八十餘人，有勸諫之言者，即佔三十三人，為總數的四成左右，其比重可見一斑。再者，也可由表中整理觀察到一些現象，《群書治要》所選，〈蜀志〉最少，僅兩則。一方面因其篇幅本就較短，但二來也是後期主政者為諸葛亮，所收內容較多為「政通人和」的記載。所收兩段勸諫，對象也都是劉備。〈吳志〉有十一則，但考諸史實，多為無效進言，實也側面反映了吳國後期的政治混亂。〈魏志〉收錄最多，大抵呈現曹操較願意廣納建言，而曹丕則否。在歷史事實的客觀呈現之外，史臣在編纂《群書治要》之時，便隱隱然將治亂之道，與人君是否廣

納建言兩件事，互為表裡，歸於一揆了。《三國志》之為史書，自然多所載記人物的生平事蹟，但《群書治要》的用心顯然不在於此，而是聚焦於其預設讀者——唐太宗，所需要的「本求治要」之道。是以魏徵等人，大量選錄其認為有益治道的勸諫之文，望「聞之者足以戒」。

可再進一步觀察者，則為陳壽的史臣「評曰」。陳壽《三國志》一向以簡潔著稱，但每卷卷末仍都有扼要的「評曰」。但《群書治要》僅收錄三條，乍看之下並不多，但實際上前四史中，《史記》也僅採四條、《漢書》兩條，相較之下當是相對正常。而《後漢書》採錄十條，確實較多。然范曄自言「贊自是吾文之傑思，殆無一字空設，奇變不窮，同合異體，乃自不知所以稱之。」[105]《後漢書》本就是以議論見長[106]，採錄較多或許也有其道理。而《群書治要》所取陳壽「評曰」，分別為〈武文世王公傳〉、〈先主傳〉、〈諸葛亮傳〉。

先論〈先主傳〉與〈諸葛亮傳〉之評，《群書治要》節選如下：

> 評曰：先主之弘毅寬厚，知人待士，蓋有高祖之風，英雄之器焉。及其舉國托孤於諸葛亮，而心神無二，誠君臣之至公，古今之盛軌也。
> 評曰：諸葛亮之為相國也，撫百姓、示義軌、約官職、從權制、開誠心、布公道；盡忠益時者雖讎必賞，犯法怠慢者雖親必罰，服罪輸情者雖重必釋，游辭巧飾者雖輕必戮；善無微而不賞，惡無纖而不貶；庶事精練，物理其本，循名責實，虛偽不齒；終於邦域之內，咸畏而愛之，刑政雖峻而無怨者，以其用心平而勸戒明也。可謂識治之良才，管、蕭之亞匹矣。[107]

劉備與諸葛亮的君臣相得、魚水相知[108]，可說是「中國文人永恆追求的君臣神話」。[109]是以也不難理解，魏徵等人對此兩段評語的選錄。於君道要「弘毅寬厚，知人待士」、「舉國托孤於諸葛亮，而心神無二」、「誠君臣之至公，古今之盛軌也」。對諸葛亮之評，更是句句珠璣，由開始的「撫百姓、示義軌、約官職、從權制、開誠心、布公道」，一直到最末的「庶事精練，物理其本，循名責實，虛偽不齒」，皆是為臣之道所當重者。而陳壽「評曰」所言的「勸戒明也」者，確確實實就是《群書治要》以人君——唐太宗為預設讀者，所筆削取義、棄華採實的成書要旨。

貞觀之治很大程度是建立在唐太宗與魏徵等人的君臣相得之上，如宋代名臣包拯嘗論道：

---

105 〔南朝梁〕沈約：《宋書·范曄傳》（北京：中華書局，1997年），頁1831。

106 鍾書林：〈范曄的愛恨識斷與《後漢書》論贊〉，《范曄之人格與風格》，頁117-178。

107 〔唐〕魏徵、褚遂良、虞世南等編著：《群書治要》，頁338、339。

108 「孤之有孔明，猶魚之有水也。」參〔晉〕陳壽著，〔南朝宋〕裴松之注：《三國志》，頁913。

109 參王師文進：〈習鑿齒與諸葛亮神話之締造〉，《裴松之《三國志注》新論——三國史的解構與重建》（臺北：新文豐出版有限公司，2017年），頁21-76

> 臣聞唐太宗英明好諫之主也，魏元成忠直無隱之臣也，故君臣道合，千載一時，
> 事無不言，言無不納……是致貞觀之風，與三代比盛，垂三百年抑有繇矣。[110]

具體指出唐太宗與魏徵，之所以能成就「與三代比盛」的貞觀之治，即在於君主「英明
好諫、言無不納」，臣子「忠直無隱、事無不言」，進而成其勸戒之效的君臣相處之道。
是以《群書治要》選錄〈先主傳〉與〈諸葛亮傳〉的陳壽評曰，也當放在同一個脈絡下
觀察，劉備與諸葛亮的君臣相處模式，同為魏徵等人所看重，而加以選錄、保留。

再論〈武文世王公傳〉之評：

> 評曰：魏氏王公，徒有國土之名，而無社稷之實。又禁防擁隔，同於囹圄，位號
> 靡定，大小歲易。骨肉之恩乖，棠棣之義廢，為法之弊，一至於此乎。[111]

此處頗堪玩味。《群書治要》選錄陳思王植、中山恭王袞兩傳，且篇幅相加達五千字之
譜。而此兩人的共同特點皆是受其兄弟曹丕之猜忌，於〈陳思王植傳〉再選錄〈求存問
親戚疏〉（〈求通親親表〉）、〈陳審舉表〉，都是在談骨肉疏親，欲求用事。曹袞與曹植相
反，「修身自守」、「戒慎敬慎」[112]，不欲出頭，但仍「來朝，犯京都禁」[113]，為有司所
奏，終至憂懼疾困而薨。〈中山恭王袞傳〉則選錄曹冏的〈六代論〉，此文以夏、商、
周、秦、漢、魏六代為據，析論優劣，暢論「臣聞公族者，國之枝葉」，認為曹魏政策
有失：「宗室子弟，曾無一人間廁其間，非所以強幹弱枝，備萬一之虞也。」[114]若以歷
史的後見之明論斷，曹魏確實是亡於少主幼弱、權臣把持，而又無宗親輔佐。確實，唐
太宗登大寶的關鍵，正是屠戮兄弟的玄武門之變。[115]故《群書治要》所引陳壽「骨肉
之恩乖，棠棣之義廢」之史評，是否也是「言之者無罪，聞之者足以戒」？加之唐太宗
晚年亦遭遇子嗣奪嫡、互起干戈之事。[116]然《群書治要》成書之時（貞觀五年，西元
631年），太子李承乾時年十三。於其時衝突尚未劇烈，是以也未能確定史臣於此是否為
一葉知秋、有所指涉。相關議題確實還有研究開展的空間，《群書治要》此處之筆削取
義，似乎饒富意味，有其「《春秋》書法」。然若要討論勢必得擴大文本範圍，於此不免
歧出，相關問題或可再另文研究。

---

110 〔明〕黃淮，〔明〕楊士奇等編：《歷代名臣奏議》，卷202，頁50。收入〔清〕紀昀等纂：《文淵閣
　　四庫全書》。
111 〔唐〕魏徵、褚遂良、虞世南等編著：《群書治要》，頁324-325。
112 〔晉〕陳壽著，〔南朝宋〕裴松之注：《三國志》，頁583。
113 〔晉〕陳壽著，〔南朝宋〕裴松之注：《三國志》，頁583。
114 〔唐〕魏徵、褚遂良、虞世南等編著：《群書治要》，頁325-326。
115 相關討論可參傅樂成：〈玄武門事變之醞釀〉，《漢唐史論集》（臺北：聯經事業出版股份有限公司，
　　2006年），頁143-154。葛劍雄、周筱贇：《歷史學是什麼？》（北京：北京大學出版社，2002年），
　　頁192-205。
116 〈高宗紀〉：「十七年，皇太子承乾廢，魏王泰亦以罪黜。」參〔後晉〕劉昫等撰：《舊唐書》，頁65。

四 結語

西晉范頵〈上三國志表〉：

> 梁州大中正、尚書郎范頵等上表曰：「昔漢武帝詔曰：『司馬相如病甚，可遣悉取
> 其書。』使者得其遺書，言封禪事，天子異焉。臣等案：故治書侍御史陳壽作
> 《三國志》，辭多勸誡，明乎得失，有益風化，雖文艷不若相如，而質直過之，
> 願垂採錄。」[117]

陳壽《三國志》者，本就「辭多勸誡，明乎得失，有益風化」。而魏徵等人所編之《群書治要》，則以其思想內涵、時代課題，對《三國志》加以筆削取義，棄採予奪，並進而呈現出編纂者本身的選材眼光與史家心識。

經本文考論後，認為陳壽身處西晉同日斬戮，名士減半的無道亂世，切當世之文而罔褒，多所忌諱。故其著史行文，多有微婉顯晦的「《春秋》書法」，而成其一家之言。其風格特色，可高度概括為「畏懼之史」。而《群書治要》編纂之時，雖是各全舊體，但在筆削棄採的過程，雖非刻意，卻也連帶消融、解構了陳壽《三國志》「畏懼之史」的幽微內涵。《三國志》此點相較於《群書治要》所收錄之其他史籍，便顯得相對特殊。

進一步的建構，則是在本求治要的原則之下，大量選錄有益治道的勸諫之文，望言之者無罪，聞之者足以戒。對於勸戒之言的筆削棄採，甚至比歷史事件、人物事蹟更為優先，此也符合當前學界對於《群書治要》的整體研究成果。若以所選錄《三國志》之人物，其中有勸諫之事蹟者加以統計，則其人數約莫達四成之譜，且隱然將治亂之道，與人君是否廣納建言，歸於一揆。也特別重視劉備與諸葛亮間的魚水相知、君臣相得，且對陳思王植、中山恭王袞二人文字的選錄，取其「骨肉之恩乖，棠棣之義廢」之義，當也有其勸諫當世的意圖。相關論據的爬梳，在在顯示出其取義之關鍵，乃君主的英明好諫、言無不納，臣子的忠直無隱、事無不言，最後總其勸戒之功，為貞觀之治、大唐盛世的治道之鑰。

---

117 〔唐〕房玄齡等著：《晉書》，頁2138。

徵引書目

一　原典文獻

〔西漢〕孔安國傳，〔唐〕孔穎達等正義：《尚書正義》，收入〔清〕阮元校刻：《十三經注疏》第1冊，北京：中華書局，2003年。

〔西漢〕毛亨傳，〔東漢〕鄭玄箋，〔唐〕孔穎達等正義：《毛詩正義》，收入〔清〕阮元校刻：《十三經注疏》第2冊，北京：中華書局，2003年。

〔西漢〕司馬遷著，〔南朝宋〕裴駰集解，〔唐〕司馬貞索隱，〔唐〕張守節正義：《史記》，北京：中華書局，2008年。

〔東漢〕班固著，〔唐〕顏師古注：《漢書》，北京：中華書局，2005年。

〔東漢〕鄭玄注，〔唐〕孔穎達等正義：《禮記正義》，收入〔清〕阮元校刻：《十三經注疏》第5冊，北京：中華書局，2003年。

〔晉〕常璩著，任乃強校注：《華陽國志校補圖注》，上海：上海古籍出版社，2011年。

〔晉〕陳壽著，〔南朝宋〕裴松之注：《三國志》，北京：中華書局，2003年。

〔南朝梁〕沈約：《宋書》，北京：中華書局，1997年。

〔唐〕吳兢撰，謝保成集校：《貞觀政要集校》，北京：中華書局，2012年。

〔唐〕房玄齡等著：《晉書》，北京：中華書局，2003年。

〔唐〕劉知幾著，清‧浦起龍釋，白玉崢校點：《史通通釋》，臺北：藝文印書館，1978年。

〔唐〕劉肅：《唐新語》，收入清‧紀昀等纂：《文淵閣四庫全書》，迪志文化出版有限公司出版之《文淵閣四庫全書電子版（內聯網版）》，該系統使用臺灣商務印書館1986年出版之《景印文淵閣四庫全書》。

〔唐〕劉餗撰，程毅中點校；〔唐〕張鷟撰，趙守嚴儼點校：《隋唐嘉話、朝野僉載》，北京：中華書局，1979年。

〔唐〕魏徵、褚遂良、虞世南等編著：《群書治要》，臺北：世界書局，2011年。

〔唐〕魏徵等撰：《隋書》，北京：中華書局，1997年。

〔後晉〕劉昫等撰：《舊唐書》，北京：中華書局，2003年。

〔北宋〕王溥：《唐會要》，收入〔清〕紀昀等纂：《文淵閣四庫全書》。

〔北宋〕歐陽修等著：《新唐書》，北京：中華書局，1997年。

〔北宋〕蘇洵著，曾棗莊、金成禮箋註：《嘉祐集箋註》，上海：上海古籍出版社，1993年。

〔明〕黃淮，〔明〕楊士奇等編：《歷代名臣奏議》，收入〔清〕紀昀等纂：《文淵閣四庫全書》。

〔清〕皮錫瑞著，吳仰湘點校：《經學歷史》，北京：中華書局，2018年。

〔清〕紀昀等纂：《文淵閣四庫全書總目》，收入〔清〕紀昀等纂：《文淵閣四庫全書》。

〔清〕趙翼撰，曹光甫校點：《廿二史劄記》，南京：鳳凰出版社，2008年。

〔清〕嚴可均校輯：《全上古三代秦漢三國六朝文・全宋文》第三冊，北京：中華書局，
　　　1958年。

余嘉錫著，周祖謨、余淑宜整理：《世說新語箋疏》，臺北：華正書局，1991年。

楊伯峻編著：《春秋左傳注》，高雄：復文圖書出版社，1991年。

二　近人論著

《中國中古史研究》編委會編：《中國中古史研究・第一卷》，北京：中華書局，2011年。

〔日〕三國志學會編：《狩野直禎先生傘壽記念三國志論集》，東京：汲古書院，2008年。

〔美〕海登・懷特（Hyden White）著，劉世安譯：《史元──十九世紀歐洲的歷史意
　　　象》（The Historical Imagination in Nineteenth-Century Europe）冊上，臺北：麥
　　　田出版社，1999年。

〔美〕海登・懷特著，陳永國、張萬娟譯：《後現代歷史敘事學》，北京：中國社科院，
　　　2003年。

〔美〕海登・懷特著，董立河譯：《話語的轉義──文化批評文集》（Tropics of
　　　Discourse: Essays in Cultural Criticism），北京：大象出版社，2011年。

〔英〕凱斯・詹京斯（Keith Jenkins）著，賈士蘅譯：《歷史的再思考》（Re-Thinking
　　　History），臺北：麥田出版公司，1999年。

王文進：《裴松之《三國志注》新論──三國史的解構與重建》，臺北：新文豐出版有限
　　　公司，2017年。

牟宗三：《歷史哲學》，臺北：臺灣學生書局，2000年。

吳金華：〈略談日本古寫本《群書治要》的文獻價值〉，《文獻》3期（2003年07月），頁
　　　118-127。

吳金華：《三國志校詁》，南京：江蘇古籍出版社，1990年。

李紀祥：《時間・歷史・敘事》，臺北：華藝學術出版社，2013年。

杜維運：《中國史學史》，臺北：三民書局，1998年。

沈　雲：《古寫本《群書治要・後漢書》異文研究》，上海：復旦大學漢語言文字學博士
　　　論文，2010年。

林朝成：〈《群書治要》與貞觀之治──從君臣互動談起〉，《成大中文學報》67期（2019
　　　年12月），頁101-142。

林溢欣：〈從日本藏卷子本《群書治》看《三國志》校勘及其版本問題〉，《中國文化研
　　　究所學報》53期（2011年07月），頁193-216。

林溢欣：《《群書治要》引書考》，香港：香港中文大學中國語言及文學系碩士論文，2011年。

林盈翔：〈曲筆書弒，以史傳真──《三國志》曹髦被弒之《春秋》書法〉，《成大中文學報》53期（2016年06月），頁1-32。

邱詩雯：〈治要與成一家言：論《群書治要》對《史記》的剪裁與再造〉，《成大中文學報》68期（2020年03月），頁43-72。

侯建明：〈金澤本《群書治要》對《史記》、《漢書》校正十三則〉，《古籍整理研究學刊》4期（2020年07月），頁50-54。

洪觀智：《《群書治要》史部研究──從貞觀史學的致用精神談起》，臺北：臺灣大學中國文學系碩士論文，2015年。

張大可：《三國史研究》，北京：華文出版社，2003年。

張珮瑜：〈論《群書治要》引《吳志》所見「嫡庶觀」〉，發表於「2022道南論衡全國研究生學術研討會」，國立政治大學中國文學系主辦，2022年11月05日。

張高評：《春秋書法與左傳學史》，臺北：五南圖書公司，2002年。

張高評：《屬辭比事與《春秋》詮釋學》，臺北：新文豐出版股份有限公司，2019年。

張瑞麟：〈轉舊為新：《群書治要》的編纂與意義〉，《文與哲》36期（2020年06月），頁81-134。

張榮芳：《唐代的史館與史官》，臺北：私立東吳大學中國學術著作獎助委員會，1984年。

許愷容：〈論《群書治要・漢書》的編選意識與價值〉，收入林朝成、張瑞麟主編：《第一屆《群書治要》國際學術研討會論文集》，臺北：萬卷樓圖書股份有限公司，2020年，頁255-274。

陳俊偉：〈魚豢《魏略》的宮闈秘事之敘述傾向──以王沈《魏書》、陳壽《三國志》為參照〉，《漢學研究》33卷4期（2015年12月），頁109-140。

傅樂成：《漢唐史論集》，臺北：聯經事業出版股份有限公司，2006年。

黃聖松：〈天明本《群書治要》引《左傳》改易文字析論〉，收入林朝成、張瑞麟主編：《第一屆《群書治要》國際學術研討會論文集》，2020年，頁35-68。

楊翼驤：《中國史學史講義》，天津：天津古籍出版社，2006年。

楊耀坤，伍野春著：《陳壽、裴松之評傳》，南京：南京大學出版社，2007年。

葛劍雄、周筱贇：《歷史學是什麼？》，北京：北京大學出版社，2002年。

潘銘基：〈日藏平安時代九条家本《群書治要》研究〉，《中國文化研究所學報》67期（2018年07月），頁1-40。

潘銘基：《《漢書》及其春秋筆法》，北京：中華書局，2019年。

潘銘基：〈《群書治要》所見《漢書》及其注解研究──兼論其所據《漢書》注本〉，《成大中文學報》68期（2020年03月），頁73-114。

錢　穆：《中國學術思想史論叢》第3冊，臺北：東大圖書股份有限公司，1993年。

繆　鉞：《《三國志》與陳壽研究》，《繆鉞全集》第4卷，石家莊：河北教育出版社，2004年。

謝明憲：〈「泰始為斷」的歷史書寫：《晉書》限斷的難題與陸機的新義〉，《臺大中文學報》49期（2015年06月），頁99-128。

鍾書林：《范曄之人格與風格》，北京：中國社會科學出版社，2010年。

瞿林東：《唐代史學論稿》，北京：北京師範大學出版社，1989年。

遠讀群書：以詞語顯著性探討《群書治要》的編纂旨趣

邱詩雯

國立臺灣師範大學華語文教學系助理教授

摘要

　　貞觀年間《群書治要》是魏徵等人奉敕編纂的類書，彙集了「經」、「史」、「子」三部之精要，目的在提供君王治國借鑒的參考。就現存四部叢刊初編本五十卷的規模與內容，部分取材古籍已於歷史洪流中散失，因此過去研究者多肯定該書的輯佚價值。另一方面，而就其中引用傳世的古籍而言，研究者可透過編纂取徑，考察其成書旨趣的實踐。然而，《群書治要》體大思精，以傳統治學精讀的研究方法，往往只能撮舉一書為例，而不免有見樹不見林之憾。本研究嘗試藉助數位人文以電腦運算處理大量文本的特性，將《群書治要》及其現存引用文獻，作為標的語料庫與參照語料庫，使用中研院CKIP斷詞、庫博獨立語料庫分析軟體，計算其詞語顯著性，考察其思維建構方法。則完成此研究，就數位人文研究方法而言，可探討詞語顯著性運用於古籍分析的宜忌；而就《群書治要》來說，則可新增「遠讀」群書的視角，推廓其文獻編纂之全豹。

關鍵詞：《群書治要》、詞語顯著性、數位人文、語料分析、庫博

Distant Reading of Group Books: Exploring the Compilation of *Qun Shu Zhi Yao*

Chyu, Shih-Wen

Dept. of Chinese as a Second Language, NTNU

Abstract

"*Qun Shu Zhi Yao*" is a collection of classics, history books, and philosophy books. Its main purpose is to serve as a reference for the emperor to govern the country. It takes the form of excerpts from ancient books. Some of the sources of the existing *Qun Shu Zhi Yao* have been lost, so in the past, researchers mostly conducted research on the lost collections. On the other hand, in the past, some researchers compared its book selection and compilation methods, and summarized the practice of its themes. However, this book is large in scale and contains a lot of content. The research method of close reading can usually only cite part of the content as an example, and it is impossible to observe it comprehensively. This study used the calculation of keyness as the main method, took *Qun Shu Zhi Yao* as the target corpus, and its cited books as the reference corpus. I used Academia Sinica CKIP word segmentation and Corpro to calculate. I discussed how it fulfills the book's purpose in terms of keyness. In terms of digital humanities research methods, this study can examine the dos and don'ts of applying keyness to the analysis of ancient books; in the case of *Qun Shu Zhi Yao*, a new research method of "distant reading" can be added to observe its literature. A comprehensive look at the compilation.

Keywords: *Qun Shu Zhi Yao*, Keyness, Digital Humanities,, Corpus Analysis,Corpro

一 前言：《群書治要》與詞語顯著性

　　《群書治要》是唐代貞觀年間魏徵等人奉敕編纂的類書，目的是撮取群書的精華，提供帝王閱覽，作為治國的資鑑參考。其序曰：「取鑒乎哲人，以為六籍紛綸，百家踳駁，窮理盡性，則勞而少功，周覽汎觀，則博而寡要。故爰命臣等採摭群書，翦截淫放，光昭訓典，聖思所存，務乎政術。」[1]說明了編書的動機，在於減省君王閱讀的時間；並且解釋了選書的標準，是以能否作為「政術」參考為準則，剪取群書有關「政術」的部分，其餘無關乎「政術」者皆刪去不存。

　　「爰自六經，迄乎諸子，上始五帝，下盡晉年，凡為五表，合五十卷」，[2]在確立選書標準之後，魏徵等人揀選了先秦到晉朝，包括經、史、子三部之書，共50卷。《群書治要》對於典籍選錄的份量不一，有些書一種節選為一卷，如《周易》、《尚書》、《毛詩》；有些書一種節選成數卷，如《春秋左氏傳》、《史記》、《漢書》、《三國志》；有些書則合併數種成一卷，如《晏子》、《司馬法》、《孫子兵法》合併成一卷，《鹽鐵論》、《新序》為一卷。故《群書治要》五十卷，實際共收書66種，包括《周易》、《尚書》、《毛詩》、《春秋左氏傳》、《禮記》、《周禮》、《周書》、《春秋外傳國語》、《韓詩外傳》、《孝經》、《論語》、《孔子家語》、《史記》、《吳越春秋》、《漢書》、《後漢書》、《三國志》、《晉書》、《六韜》、《陰謀》、《鬻子》、《管子》、《晏子》、《司馬法》、《孫子兵法》、《老子》、《鶡冠子》、《列子》、《墨子》、《文子》、《曾子》、《吳子》、《商君子》、《尸子》、《申子》、《孟子》、《慎子》、《尹文子》、《莊子》、《尉繚子》、《孫卿子》、《呂氏春秋》、《韓子》、《三略》、《新語》、《賈子》、《淮南子》、《鹽鐵論》、《新序》、《說苑》、《桓子新論》、《潛夫論》、《崔寔政論》、《昌言》、《申鑒》、《中論》、《典論》、《劉廙政論》、《蔣子萬機論》、《政要論》、《體論》、《時務論》、《典語》、《傅子》、《袁子正書》、《抱朴子》。全書依照經、史、子的大類分類，再依照年代先後次序編目，鑑覽前古，規模琳瑯。

　　《群書治要》的編纂是為了李唐皇朝治世傳承之用，成書於貞觀年間國力強盛的時期，藏於朝廷金匱石室之中。但是由於當時書籍為抄本的不良先天保存條件，加上後來的戰亂頻仍。到了宋朝時，《群書治要》已經失傳。迄至嘉慶六年（1801）左右，才從日本傳回。[3]然而福禍相倚，《群書治要》採集大量的晉朝以前文獻，雖然曾一度在中土失傳，但在域外保存再傳回的多舛經歷，卻讓它於類書本有價值外，還增加了校勘輯佚的功能。

1　〔唐〕魏徵：〈群書治要序〉，《群書治要》（臺北：臺灣商務印書館，1967年），頁5-6。

2　〔唐〕魏徵等奉敕編：《群書治要》，頁6-7。

3　〔南韓〕金光一：〈日本江戶時代古學派與《群書治要》回傳中國的關係〉，收入林朝成、張瑞麟主編：《第一屆《群書治要》國際學術研討會論文集》（臺北：萬卷樓圖書股份有限公司，2020年），頁21-34。

前人對於《群書治要》的輯佚研究十分豐碩，有就全書討論版本流傳與價值者，如吳金華〈略談日本古寫本《群書治要》的文獻學價值〉，舉例證明《群書治要》古寫本與古籍通行本之間有異文校勘、輯佚的文獻價值。[4]水上雅晴〈日本金澤文庫古鈔本《群書治要》寫入的音義註記〉，認為金澤文庫本《群書治要》寫入的音義註記可算是為了瞭解日本中世小學和小學書接受的情況有利資料。[5]而金光一〈日本江戶時代古學派與《群書治要》回傳中國的關係〉[6]和〈《群書治要》東渡日本〉[7]二篇，前者為其改寫博士論文摘錄而成，證明《群書治要》傳回中土時間約在嘉慶六年，並逐漸流布於杭州一帶；後者則根據現在日本保存《群書治要》幾種版本的文獻狀況，梳理該書東渡日本的狀況。也有就《群書治要》徵引文獻各書進行系統探討與文字校勘研究者，如《左傳》、《孔子家語》、《孝經》、《漢書》、《呂氏春秋》、《孫子》、《尸子》等書，[8]皆是學界持續不斷致力開拓的領域。上述這些文獻研究成果，可以讓我們逐步深化對於《群書治要》的流傳、價值以及文獻本質的理解。

「義理為乾，而後文有所附，考據有所歸。」[9]在前人對《群書治要》文獻研究的基礎上，我們應當進一步投入心力去勾稽《群書治要》的義理旨趣。關於《群書治要》透過編選方法呈現的宗旨研究，就筆者寓目所及，主要為成功大學中文系主辦第一屆、第二屆「《群書治要》國際學術研討會」的成果，討論包括《群書治要》對《詩經》、《左傳》、《史記》、《漢書》、《墨子》、《老子》、《莊子》幾部書的編選旨趣。關於《群書

4　吳金華：〈略談日本古寫本《群書治要》的文獻學價值〉，《文獻》2003年3期（2003年07月），頁118-127。

5　水上雅晴：〈日本金澤文庫古鈔本《群書治要》寫入的音義註記〉，收入林朝成、張瑞麟主編：《第一屆《群書治要》國際學術研討會論文集》，頁1-20。

6　〔南韓〕金光一：〈日本江戶時代古學派與《群書治要》回傳中國的關係〉，收入林朝成、張瑞麟主編：《第一屆《群書治要》國際學術研討會論文集》，頁21-34。

7　〔南韓〕金光一：〈《群書治要》東渡日本〉，發表於「第二屆《群書治要》國際學術研討會」，國立成功大學中文系主辦，2020年9月11日。

8　林溢欣：〈從《群書治要》看唐初《孫子》版本系統──兼論《孫子》流傳、篇目序次等問題〉，《古籍整理研究學刊》2011年3期（2011年05月），頁62-68。林溢欣：〈從日本藏卷子本《群書治要》看《三國志》校勘及其版本問題〉，《中國文化研究所學報》53期（2011年07月），頁193-216。林秀一、陸明波、刁小龍：〈《孝經》鄭注輯佚及刊行的歷史──以日本為中心〉，《中國典籍與文化論叢》15輯（2013年12月），頁52-66。潘銘基：〈《群書治要》所載《孟子》研究〉，《域外漢籍研究集刊》16輯（2018年07月），頁293-317。王文暉：〈從古寫本《群書治要》看通行本《孔子家語》存在的問題〉，《中國典籍與文化》2018年4期（2018年12月），頁113-119。管盼盼：〈《群書治要》注文來源初探〉，《安徽文學》2018年11期（2018年11月），頁9-11。蔡蒙：〈《群書治要》所引《尸子》校勘研究〉，《文教資料》2018年35期（2018年12月），頁84-86、110。黃聖松：〈天明本《群書治要》引《左傳》改易文字析論〉、林溢欣：〈唐見本《孔子家語》面貌考論──兼論其校勘及輯佚問題〉、潘銘基：〈《群書治要》所錄《漢書》及其注解研究〉等三篇，分別收入林朝成、張瑞麟主編：《第一屆《群書治要》國際學術研討會論文集》，頁35-68、69-94、95-130。

9　王先謙：〈續古文辭類纂序〉，《王氏續古文辭類纂注》（臺北：世界書局，2020年），頁1。

治要》選《詩經》，林耀潾認為《群書治要》的詩觀是儒家的倫理詩觀，重視詩歌倫理道德、政治教化的功用，是一種實用的道德主義。[10]而在《左傳》方面，張素卿認為編纂者的「君臣一體」是透過明君、賢佐共守社稷形式組成，並相當注重《左傳》所載臣子之諫言，以及薦賢、舉賢之事蹟。[11]陳恆嵩則指出《群書治要》選《左傳》呈現的治國思想包括誠信為人君治國之本，當明德慎罰，省刑愛民，與民生息。君主應居安思危，宜有君威，舉賢不避親疏，決策應聽諫從眾。而大臣施政應盡人事，不可迷信，不徇私情。[12]《史記》部份，筆者曾觀察《群書治要》刪去司馬遷「成一家言」的個人情志，強化了「治要」、「資鑑」為標準的君臣之道。它強調居安思危對於為君之道的重要，並修正了《史記》本紀對「王跡所興」的看法。在世家、列傳則強調輔弼主上的功能。[13]《漢書》部份，許愷容認為《群書治要》為唐代史學觀念轉變之樞紐要籍，下啟《資治通鑑》之精神，以明確其價值、意義。[14]而在子部的《老子》、《墨子》、《莊子》部份，黃麗頻將《群書治要》選錄《老子》段落，置入唐代老學發展脈絡，觀察彼此相互影響證成的關係。[15]張瑞麟認為《群書治要》對《墨子》的關注焦點在「尚賢而事能」、「非命而有為」、「法天而愛人」、「儉節而利人」四面向，展現出「君明臣良」、「稱天心合民意」與「實踐導向」等三點的思想轉變。[16]林朝成則考察《群書治要》選《莊子》內容勾勒君人南面之術，在主上無為於親事，而有為於用臣。[17]上述諸篇，都是從編選的角度，比較《群書治要》與原書旨趣的異同，梳理《群書治要》透過剪裁前人著作，彰顯出符合有關「政術」的旨趣。

就方法上而言，前人對於《群書治要》的研究，不論是編選《詩經》、《左傳》、《史記》、《漢書》、《老子》、《墨子》、《莊子》等，皆多使用文本細讀分析方法。然而，當閱讀因為科技也進入到數位時代，數位人文也成為新興的學術研究方法。數位人文是指結合了數位科技與人文研究的一門學問或學術領域，主要旨趣是利用數位科技探討或解決

---

10 林耀潾：〈另類的《詩經》接受：《群書治要》詩觀蠡測〉，收入林朝成、張瑞麟主編：《第一屆《群書治要》國際學術研討會論文集》，頁197-228。

11 張素卿：〈《群書治要》君臣觀下的《左傳》要義〉，《成大中文學報》74期（2021年09月），頁17-46

12 陳恆嵩：〈《群書治要‧左傳》蘊含之治國理念〉，發表於「第二屆《群書治要》國際學術研討會」，國立成功大學中文系主辦，2020年09月11日。

13 邱詩雯：〈治要與成一家言：論《群書治要》對《史記》的剪裁與再造〉，《成大中文學報》68期（2020年03月），頁43-72。

14 許愷容：〈論《群書治要、漢書》的編選意識與價值〉，收入林朝成、張瑞麟主編：《第一屆《群書治要》國際學術研討會論文集》，頁244-274。

15 黃麗頻：〈《群書治要》與唐代老學發展〉，收入林朝成、張瑞麟主編：《第一屆《群書治要》國際學術研討會論文集》，頁275-296。

16 張瑞麟：〈《群書治要》選編《墨子》的意蘊：從初期墨學的解讀談起〉，《成大中文學報》68期（2020年3月），頁1-42。

17 林朝成：〈無為於親事，有為於用臣——論《群書治要莊子》中「聖人」觀之流行〉，收入林朝成、張瑞麟主編：《第一屆《群書治要》國際學術研討會論文集》，頁331-354。

人文領域的問題，或是從人文的角度探索、反思數位科技如何形塑人文世界。[18]就數位人文的研究範圍而言，包括數據的輸入、保存、分析、解釋與輸出。《群書治要》雖體制宏大，但數位技術早已將全文數據化，並且有效保存。那麼，對於分析、解釋與輸出，數位人文方法對於《群書治要》能產出什麼新的研究觀察呢？

史丹佛語言文學實驗室，近十年來做過大量試驗性研究，結果發表於《Literary Lab Pamphlet》。其中 Franco Moretti 提出了「遠讀」（Distant Reading）[19]概念，成為一種與傳統文本細讀分析相對的新研究視角。Franco Moretti 運用量化統計討論文學經典如何透過文本、讀者與市場互動而形成；並且應用網路理論，探討戲劇和小說的情節結構。這些研究都是從一個極遠的距離，不再依賴特定文本為經典，整體觀照文學作品的形成與文化特性。數位人文「遠讀」提供了文學研究新方法，當然，也因為他同時否定傳統文本細讀分析特定經典文本的作法，也受到質疑。事實上，數位人文遠讀與傳統文本細讀分析，儘管是兩種不同的研究視角，卻未必存在於二元對立的兩端。遠讀可以觀察的文本範圍更廣，類似宏觀的角度；細讀則觀察的文本更深，近於微觀的角度。宏觀與微觀之間，如靈活運用，當更能掌握文本之特性，窺得事物之全豹。

由是，本文將運用數位人文的遠讀策略，討論遠讀《群書治要》對於編纂旨趣分析的可能。筆者選用「詞語顯著性」為核心，重新考察《群書治要》，先分析該方法呈顯出的編纂旨趣，再針對已有文本細讀分析之研究成果，比較其異同。則完成此研究，就數位人文研究方法而言，可探討詞語顯著性運用於古籍分析的效度；而就《群書治要》來說，則可新增「遠讀」群書的視角，推廓其文獻編纂之大要。

二　就《群書治要》「遠讀」詞語顯著性

為什麼選用「詞語顯著性」遠讀《群書治要》？運用電腦輔助人文社會科學的研究方法，大致可分為電腦輔助內容分析（computer-aided content analysis）、電腦輔助詮釋性文本分析（computer-aided interpretive textual analysis）、語料庫語言學（corpus linguistics）三種。[20]其中語料庫語言學則將一批文本視為語料，混和質性和量性兩種方法來分析語料庫資料，以便於解釋或詮釋其文本模式，而非僅是關於數目的計算。[21]主

---

18 林富士：〈何謂「數位人文學」？〉，《人文與社會科學簡訊》19卷2期（2018年03月），頁97。

19 最早發表於Franco Moretti, "Conjectureson World Literature," *New Left Review* 1 (Jan.&Feb.2000), pp.54-68. 後來出版專書Franco Moretti, *Distantreading.* London & New York:Verso, 2013.

20 闕河嘉、陳光華：〈庫博中文獨立語料庫分析工具之開發與應用〉，收入項潔主編：《數位人文研究與技藝》6輯（臺北：國立臺灣大學出版中心，2016年），頁285-313。

21 Douglas Biber & Susan Conrad & Randi Reppen. *CorpusLinguistics: Investigating Language Structureand Use*. Cambridge: Cambridge University Press, 1998.

要的研究方法則包括詞頻統計、共現關係、關鍵詞脈絡索引和詞語顯著性。由此可知，語料庫語言學除了量化數值統計之外，也混用質性研究方法。

而「詞語顯著性」，顧名思義，是夠過電腦運算，尋找特定範圍語料或文本的特殊詞彙。它通常透過比較而來，利用兩個以上不同的語料庫之間的比較，透過計算，將兩個語料庫之間差異較大的詞進行排序。那麼，如果就一批文本可以被視為語料的前提而言，兩批文本之間似乎也適用於計算詞語顯著性來進行比較。換句話說，如果以詞語顯著性來遠讀比較文本間差異，應能觀察出該文本欲加強論述的旨趣。

由於詞語顯著性是透過兩個語料庫交互比對計算而得，因此除了研究主要文本外，還需要找尋另一個可以與之對照的文本。其主要研究對象的比較組被稱為「標的語料庫」，對照組則被稱為「參照語料庫」。一般而言，「參照語料庫」必須大於「標的語料庫」，[22]以便於觀察其詞語顯著性。計算出來的結果，若標的語料庫的某個詞使用頻率大於參照語料庫，其詞語顯著性即為正向；反之，若標的語料庫的某個詞使用頻率小於參照語料庫，那麼其詞語顯著性便會呈現為負向。該詞語在兩個語料庫之間差異越大，顯著性的值便越大。我們可以依照正向、負向的詞語顯著性進行排序。

以《群書治要》為例，前已說明，共選錄66種經、史、子的文獻，那麼《群書治要》就是標的語料庫，而所使用的66種文獻底本便是參照語料庫。

然而應當注意的是，《群書治要》所收書版本與傳世文獻或有異同，因此參照語料庫的文字蒐集，需先經過整理。根據考證，《群書治要》收錄原書已丟失者，包括《桓子新論》、《劉廙政論》、《時務論》、《典語》、《袁子正書》。而其所收錄文字，有部分原書已散佚，是後人根據《群書治要》文字整理還原文獻者，如《尸子》、《申子》、《崔寔政論》、《昌言》、《典論》、《蔣子萬機論》、《政要論》、《體論》、《典語》。還有文字與出處文獻今本略有不同者，如《新語》。[23]原書已經散佚者，自然無法建立參照語料庫，因此為求研究的效度，筆者將《群書治要》原書已佚的相關內容，刪除不論。而後人根據《群書治要》文字整理還原文獻者，則失去標的語料庫與參照語料庫的對比功能，因此也先行刪除。其他與今本文獻僅屬卷次先後別有，文字略有小異者，因為對詞語顯著性計算影響不大，所以先保留。根據上述原則，最後得到《群書治要》可以作為標的語料庫，可以用來計算詞語顯著性的有效卷號與書目如下表1：

22 Mike Scott & Christopher Tribble. *Textual Patterns: Key Wordsand Corpus Analysis In Language Education.* Philadelphia, PA: John Benjamins, 2006.

23 張瑞麟：〈轉舊為新：《群書治要》的編纂與意義〉，《文與哲》36期（2020年6月），頁81-134。

表1 《群書治要》標的語料選用表

卷次	書目	卷次	書目	卷次	書目	卷次	書目
1	周易	15	漢書三	31	陰謀	37	莊子
2	尚書	16	漢書四	31	鬻子	37	尉繚子
3	毛詩	17	漢書五	32	管子	38	孫卿子
5	春秋左氏傳中	18	漢書六	33	晏子	39	呂氏春秋
6	春秋左氏傳下	19	漢書七	33	司馬法	40	韓子
7	禮記	21	後漢書一	33	孫子兵法	40	三略
8	周禮	22	後漢書二	34	老子	40	新語
8	周書	23	後漢書三	34	鶡冠子	40	賈子
8	春秋外傳國語	24	後漢書四	34	列子	41	淮南子
8	韓詩外傳	25	魏志上	34	墨子	42	鹽鐵論
9	孝經	26	魏志下	35	文子	42	新序
9	論語	27	蜀志	35	曾子	43	說苑
10	孔子家語	27	吳志上	36	吳子	44	潛夫論
11	史記上	28	吳志下	36	商君子	46	申鑒
12	史記下	29	晉書上	37	孟子	46	中論
12	吳越春秋	30	晉書下	37	慎子	50	抱朴子
14	漢書二	31	六韜	37	尹文子		

我們將上表1《群書治要》的卷次選出，那麼透過上述的過程，我們便可獲得兩個語料庫：《群書治要》為標的語料庫，表一卷次的編纂文獻出處群書為參照語料庫。

為了使研究順利進行，因此標的語料庫與參照語料庫的各書版本選用以中國哲學書電子化計畫（Chinese Text Project，簡稱 Ctext[24]）網站上已全文建檔完成的文字為主。

《群書治要》作為標的語料庫，選用四部叢刊初編本，該本為上海涵芬樓景印日本天明七年（1787）尾張刊本。而作為參照語料庫的其餘各卷文獻書籍使用版本，則表列如下表2：

---

24 中國哲學書電子化計畫（Chinese Text Project，簡稱Ctext），是線上古籍文獻檢索系統，由Donald Sturgeon（德龍）創立。平台將中國古代典籍電子化，用交叉索引等技術，整合線上數位人文工具，並整合哈佛燕京圖書館、浙江大學圖書館等線上古籍圖像資源，以電子圖書館形式提供古籍原始影像。網址為https://ctext.org/。

表2　參照語料庫使用文獻版本說明表

卷次	項目	Ctext版本	卷次	項目	Ctext版本
1	周易正義	武英殿十三經注疏本	34	鶡冠子	四部叢刊初編本
2	尚書正義	武英殿十三經注疏本	34	列子	四部叢刊初編本
3	毛詩正義	武英殿十三經注疏本	34	墨子	四部叢刊初編本
4~6	春秋左傳正義	武英殿十三經注疏本	35	文子	暫缺版本資料
7	禮記	武英殿十三經注疏本	35	曾子	暫缺版本資料
8	周禮注疏	欽定四庫全書本	36	吳子	四部叢刊初編本
8	逸周書	四部叢刊初編本	36	商君子	四部叢刊初編本
8	國語	四部叢刊初編本	37	孟子集注	乾隆御覽四庫全書薈要本
8	韓詩外傳	四部叢刊初編本	37	慎子	守山閣叢書本
9	孝經鄭氏注附釋疏	暫缺版本資料	37	尹文子	四部叢刊初編本
9	論語注疏	武英殿十三經注疏本	37	莊子	續古逸叢書本
10	孔子家語	暫缺版本資料	37	尉繚子	續古逸叢書本
11~12	史記	武英殿二十四史本	38	孫卿子	四部叢刊初編本
12	吳越春秋	四部叢刊初編本	39	呂氏春秋	四部叢刊初編本
13~20	漢書	武英殿二十四史本	40	韓子	四部叢刊初編本
21~14	後漢書	武英殿二十四史本	40	三略	續古逸叢書本
25~28	三國志	武英殿二十四史本	40	新語	四部叢刊初編本
29~30	晉書	欽定四庫全書本	40	賈子	四部叢刊初編本
31	六韜	四部叢刊初編本	41	淮南子	四部叢刊初編本
31	陰謀	暫缺版本資料	42	鹽鐵論	四部叢刊初編本
31	鬻子	正統道藏本	42	新序	四部叢刊初編本
32	管子	四部叢刊初編本	43	說苑	四部叢刊初編本
33	晏子	四部叢刊初編本	44	潛夫論	四部叢刊初編本
33	司馬法	四部叢刊初編本	46	申鑒	四部叢刊初編本
33	孫子兵法	四部叢刊初編本	46	中論	四部叢刊初編本
34	老子	四部叢刊初編本	50	抱朴子	四部叢刊初編本

版本選用以 Ctext 網站上已全文建檔資料優先，主要為四部叢刊初編本和武英殿本為主。應當注意的是，《群書治要》使用的經部典籍，多有混選經、注、疏的狀況，和稍

晚於太宗朝《群書治要》，成書於高宗朝孔穎達奉召編纂的《五經正義》經注系統多有雷同。因此在選用參照語料庫時，當優先正義的相關版本，才符合參照語料庫大於標的語料庫內容的運算邏輯。

在獲得可供比較的語料庫之後，由於詞是漢語最小有意義且可以自由使用的語言單位。因此在進行關鍵詞顯著性計算前，必須先分辨文本中的詞才能進行進一步的處理。筆者採用中央研究院中文詞知識庫小組開發的 CKIP 系統進行斷詞。[25]由於此次處理文本的斷詞，使用 CKIP 的斷詞系統，系統在斷詞之時夾帶詞性標記，詞性標記雖然不能夠完全做到詞義消歧，但是卻能起到部分的引導作用。因此，根據詞性標記後的斷詞文本，再進行詞語顯著性計算時，就能夠較準確的計算出所指的詞彙。

接著，將斷詞完成後的標的語料庫與參照語料庫，分別匯入 CORPRO 庫博中文獨立語料庫分析工具。庫博中文語料庫分析工具是一個適合中文環境，以語料庫語言學為基礎的電腦輔助文本分析軟體工具。以電腦技術分析文本重複出現模式，包括詞頻統計、詞彙之間的搭配關係，藉由不同文本語料庫的比較，凸顯出文本的顯著詞彙。[26]然後為了廓清數據呈現的著述旨趣，因此筆者先根據《古漢語虛詞詞典》[27]紀錄的虛詞，設為「停用詞」，數據清理降低分析干擾。

在處理完上述研究步驟之後，庫博文本分析軟體工具會根據概似函數自動計算標的語料庫的詞語顯著性。為了區別後續分析層次，因此詞語顯著性的計算，並非只是觀察整部《群書治要》及其引用文獻之間的比較，而是依照《群書治要》全書、四部分類，以及引用文獻來源區分等三個層次計算其詞語顯著性，分析遠讀《群書治要》時字裡行間呈現的編纂旨趣。

三 「遠讀」視野下《群書治要》的編纂旨趣

為了找尋最佳的「遠讀」距離，筆者選用了三種「距離」來進行分析。分別是最遠的全書「遠讀」，次遠的分類「遠讀」，以及較近的分冊「遠讀」。不同的「遠讀」距離，必須改變標的語料庫、參照語料庫的範圍。具體獲得的觀察分述如下。

---

25 Ma, Wei-Yun & Keh-Jiann Chen, "Introductionto CKIP Chinese Word Segmentation System for the First International Chinese Word Segmentation Bakeoff", in *Proceedings of the Second SIGHAN Workshopon Chinese Language Processing* (Sapporo: Association for Computational Linguistics, 2003), pp.168-171.

26 闞河嘉、陳光華：〈庫博中文獨立語料庫分析工具之開發與應用〉，收入項潔主編：《數位人文研究與技藝》6輯，頁285-313。

27 王海棻、趙長才、黃珊、吳可穎編：《古漢語虛詞詞典》，北京：北京大學出版社，1996年。

（一）《群書治要》不同距離下的「遠讀」特徵

首先是「遠讀」全書。我們將《群書治要》視為一個整體，僅剔除已經亡佚的章節內容，並同步排除該章節對應的參照語料內容。透過這樣的辦法，筆者獲得結果如下表3：

表3　《群書治要》全書詞語顯著性統計表

序號	詞	詞語顯著性
1	諸侯	556.4946487
2	禮	494.1498
3	大夫	473.8938
4	人主	184.7674
5	危	127.4734
6	亂	125.6312
7	利	104.7583
8	勢	104.5506
9	刑	93.09197
10	兵	79.76691

表3是《群書治要》全書詞語顯著性最高的前10個詞彙的統計結果，並依照顯著性高低排序。我們可以看見，詞語顯著性排序第一的是「諸侯」字，第三是「大夫」，皆是人臣，與排名第四的「人主」相對。《詩‧大雅‧板》曰：「價人維藩，大師維垣。」鄭玄箋：「太師，三公也。大邦，成國諸侯也。太宗，王之同姓世嫡子也。王當用公卿諸侯及宗室之貴者為藩屏垣幹，為輔弼，無疏遠之也。」[28] 封建制度之中，諸侯、大夫都是為了輔弼王權設置，是統治階層中重要的組成部份，因此，當《群書治要》欲透過選書來作為政術的參考時，對於典籍中的人臣自然有大量的選錄與關注。而結合加上「人主」的關注，便說明就《群書治要》而言，君臣之間的關係是其闡述的要點，因此這幾個詞彙與原典使用的比重明顯有所不同。

《群書治要》欲「取鑒乎哲人」以「務乎政術」的編纂旨趣，在遠讀《群書治要》的表3中，還反映在一些單字成詞的高詞語顯著性詞彙之中，包括「禮」、「危」、「亂」、

28　〔西漢〕毛亨傳，〔東漢〕鄭玄箋，〔唐〕孔穎達等正義，〔清〕阮元校勘：〈板〉，《毛詩正義》（臺北：藝文印書館，2001年），頁635a。

「利」、「勢」、「刑」和「兵」。這些詞彙是「政術」的內容，立政以禮，[29]因勢利導，刑罰清而民服，[30]齊之以刑。[31]居安思危，非危不戰，不得已而用兵。上述「禮」、「危」、「亂」、「利」、「勢」、「刑」、「兵」等字，詞語顯著性較原典高，代表魏徵等人在編選《群書治要》時，刻意揀選這些詞彙的相關段落，以述代作，建構理想政治。換句話說，上述這些大量分布在《群書治要》字裡行間的詞彙，是《群書治要》「政術」的重要方法論。

　　以上是以整部《群書治要》為單位，採取最「遠」的距離，通覽全書計算所得的詞語顯著性。透過這樣的方式，我們可以看見《群書治要》的選文，基本是遵循「關乎政術」的旨趣進行選文。因此，特別注重對於在上位者的紀錄，關注與臣下的互動，並且特別聚焦在刑罰的制定與使用。

　　接者，我們稍微將「遠讀」的距離拉近一點，以「經」、「史」、「子」部的分類，分別計算其選文與原書的詞語顯著性，則可以得出下表4的結果：

表4　《群書治要》分類詞語顯著性統計表

類別	經		史		子	
序號	詞	詞語顯著性	詞	詞語顯著性	詞	詞語顯著性
1	天下	128.6881	陛下	1206.363	人	29.72698
2	君子	121.174	天下	416.1467	人主	23.15973
3	民	115.9779	將軍	353.417	主	12.35683
4	德	95.03548	帝	243.5822	刑罰	10.17954
5	道	59.35879	臣聞	241.782	不肖	10.15726
6	人	55.80784	臣	202.0368	亡國	8.83901
7	教	55.5777	先帝	190.5958	任賢	8.77027
8	孝	54.02163	太子	170.7372	危	8.324684
9	小人	50.24463	上書	165.948	勸	8.26818
10	刑	47.98325	吏	161.1654	亂	8.17009

上表4依照「經」、「史」、「子」分為三大欄，並根據詞語顯著性高低進行排序，列舉出

---

29 〔西漢〕孔安國傳，〔唐〕孔穎達等正義，〔清〕阮元校勘：《尚書正義》（臺北：藝文印書館，2001年），頁73a。

30 〔魏〕王弼、〔晉〕韓康伯注，〔唐〕孔穎達等正義，〔清〕阮元校勘：《周易正義》（臺北：藝文印書館，2001年），頁48b。

31 〔魏〕何晏集解，〔北宋〕邢昺疏，〔清〕阮元校勘：《論語正義》（臺北：藝文印書館，2001年），頁16a。

各類中前10高的詞語。我們可以看到不同的類別中，詞語顯著性各有不同。三者之中，詞語顯著性最高的是史部的「陛下」，次高是史部的「天下」。詞語顯著性越高，代表編選者越強調該詞彙，因此在從原典摘錄時，反覆關注該詞語，造成最後該詞彙在全文中的比例與原書差異越大。應當注意的是，詞語顯著性的計算依據是以語料庫彼此之間的對照關係計算而得，因此當語料庫範圍改變時，其計算的顯著性就會改變，因此表3與表4的高顯著詞排序並不會相同。換句話說，表3中的「諸侯」、「禮」、「大夫」、「利」、「勢」、「兵」幾個詞彙，雖然並非表4各類的排序前10的高顯著性詞彙，但是它們可能平均在各類中有一定顯著性，因此在以全書作為語料庫範圍時，會加權統計出更高的顯著性，最後能在表3中被突顯出來。

回到上表4，不難發現史部呈現出來的詞語顯著性值較經部、子部為高，反應出史部的原文取捨主題較其他二者集中。而子部詞語顯著性最高的「人」，它的值甚至低於經部前10的「刑」，以及史部前10的詞，可見子部的資料取用較經部和史部有更為多元的面貌。

我們分別觀察各部的詞彙來討論其編選特徵。先就經部而言，經部的「天下」一詞，展現出經部典籍集中討論政權本體論的現象。〈毛詩序〉曰：「關雎，后妃之德也。風之始也。所以風天下而正夫婦也。」[32]風天下說得是教化萬民。《禮記·曲禮》：「有父之親，有君之尊，然後兼天下而有之，是故養世子不可不慎也。」[33]兼天下指得是延伸到國家。因此「天下」一詞，在經部典籍中所指，常是政權所及的範圍。由於《群書治要》追求典籍中對於治國有幫助的資料，因此「天下」作為國家、政權的觀念符碼，反覆闡述，自然便成為《群書治要》選文與本文中比較中詞語顯著性最高的詞彙。除了「天下」之外，群經中常期待在上位者與有德者是合二為一的狀況，因此我們看見「君子」、「道」、「德」「民」、「小人」反覆被選入，成為論述的核心。但是就方法論而言，「教」與「刑」則是焦點。應當注意的是，儘管「刑」是常出現的詞，但並不表示魏徵等人認為應當使用刑罰來進行管理。因為在經部之中，「刑」一詞儘管常常被提及，但通常都是強負面表列使用狀況。如《尚書》曰：「其刑其罰，其審克之。」[34]強調判決必須審慎的態度。而《禮記》云：「為上易事也。為下易知也。則刑不煩矣。」[35]則是說明人君如不行苛虐，則臣子便無姦心，自然不須繁瑣的刑罰。因此，在計算出詞語顯著性後，仍必須回歸文檔檢視，觀察其使用的上下文意。

32 〔西漢〕毛亨傳，〔東漢〕鄭玄箋，〔唐〕孔穎達等正義，〔清〕阮元校勘：〈毛詩序〉，《毛詩正義》，頁12b。

33 〔東漢〕鄭玄注，〔唐〕孔穎達等正義，〔清〕阮元校勘：〈曲禮〉，《禮記正義》（臺北：藝文印書館，2001年），頁398a。

34 〔西漢〕孔安國傳，〔唐〕孔穎達等正義，〔清〕阮元校勘：《尚書正義》，頁303a。

35 〔東漢〕鄭玄注，〔唐〕孔穎達等正義，〔清〕阮元校勘：〈緇衣〉，《禮記正義》，頁927a。

再就史部而言，「天下」仍然是蟬連詞語顯著性高的詞彙，「帝」、「臣」、「將軍」、「吏」，反映了《群書治要》選史書注重君王與各種臣下關係的互動。而「陛下」與「臣聞」一組詞彙，「陛下」是臣下對於尊上的敬稱，而「臣聞」則通常是臣子上奏時引經據典的開頭，二者的詞語顯著性皆很高，大量取用奏疏入史書，此點是《漢書》以降史書編寫時的特徵，而《群書治要》引史書時，因為資鑑治國的目的，因此對於史書中的奏議，便有更多的選用。有趣的是，在表4中「先帝」與「太子」也是《群書治要》史部關注的焦點，說明了國之薪傳是以史為鑑的政術參考要點。

而子部之中各詞彙的詞語顯著性明顯不及經部和史部，但如果就內部比較觀察，「刑罰」、「不肖」、「亡國」、「任賢」、「危」、「勸」、「亂」，仍就可以看見子部思想中，《群書治要》仍舊是以致用為目標，選取與治國有關的內容。但由於其詞語顯著性不明顯，表示編選者選錄文獻時編輯者概念較分散，因此以上述幾個詞來概括子部編纂宗旨，代表性較不高。

如果僅就詞語顯著性觀察，我們可以發現不論是全書或是分部，遠讀的距離都可以看到《群書治要》務乎政術的特徵。然而更重要的是，我們應該進一步觀察這些詞語顯著性高的詞語或概念，彼此之間的關係是什麼？這時候我們可以將表2、表3中表列的詞，計算其詞語共現結構。共現，本指在同一段語料中共同出現，當以概念作為關鍵詞，計算其彼此的共現關係，那麼，我們就能觀察這些概念之前是否存在群聚分類的狀況。筆者將上表2、3的詞彙，計算其彼此的共現關係，得出下圖1。

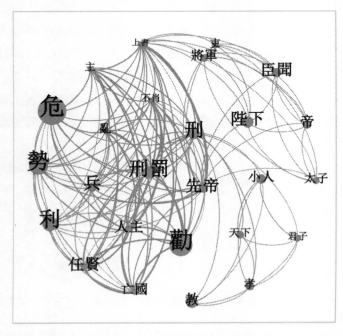

圖1 《群書治要》詞語顯著性詞彙共現關係圖

上圖是根據社會關係網路方法（Social Network Analyze, SNA）繪製的詞彙貢獻關係圖。每一個詞彙都是節點（node），節點與節點間形成邊（edge），邊的粗細為權重（weight）所控制，權重會根據研究狀況而異。以圖1而言，權重受到共現程度影響，當表2、3的詞彙其共現標準分數越高，其節點與節點間的邊就越粗，反之，當共現關係越少，邊就越細。由於概念詞的共現關係是以段落為單位，因此並不是所有表2、3的詞彙都能計算出正向的共現標準分數。而節點的大小反應節點連入度，當一個節點與其他節點也存在越多共現關係，它的連入度越大，節點便會越大。而節點的位置與線條的顏色則是電腦自動運算模塊化的結果，[36]相同顏色的線條、位置相近的節點，概念越常一起出現。

　　我們觀察圖1，可以看到圖形外圍的紫色節點，包括「吏」、「將軍」、「危」、「勢」、「利」、「兵」、「亂」多是史部內部或全書與史部有共現關係的詞彙。圖1右方的藍色最少，該節點為「太子」，就節點模塊化的演算結果，象徵「太子」的與紫色的概念距離較遠，屬於治國政術的不同向度。而圖1右下方橘色節點的「天下」、「君子」、「小人」、「孝」和「教」等詞，皆屬於經部的關鍵詞，就圖像生成而言是較獨立的群組，說明了《群書治要》經部所述的關鍵概念與實際治國的致用政術仍需透過其他概念詞的連接，換句話說，經部的理想需要經過經典轉化的嫁接，才能落實在實際政術應用之中。而圖像核心是綠色的部份，包括「人主」、「勸」、「任賢」、「刑罰」、「亡國」等詞，既可以連結到紫色的史部概念詞，也與橘色、藍色節點相連，可知上述幾個詞彙，是《群書治要》貫穿全書的核心概念。

　　透過上述的流程，我們可以歸納就兩種不同距離「遠讀」《群書治要》的詞語顯著性特徵：以全書為單位，透過最遠的距離分析其詞語顯著性，可以看見詞語顯著性體現了《群書治要》編纂旨趣，並且反映了重視君臣關係、居安思危、省刑息兵等政術方法論。而後再調整「遠讀」距離，以經、史、子分部計算其詞語顯著性，會發現以經部、史部相關卷次詞語顯著性較高；搭配社會關係網路方法繪圖，電腦計算其模塊化結果，則能群聚類分概念詞，串聯彼此之間的關係，尋找其編纂旨趣的論述核心，及其主從次第。進而觀察出《群書治要》的核心概念，較多能從史部相關卷次中讀出。

（二）《群書治要》的「遠讀」與「細讀」的特徵比較

　　透過全書「遠讀」、分類「遠讀」，我們觀察到兩種不同距離利用詞語顯著性的計算，就共相而言，其結果皆能反映出一定的編纂旨趣。並且透過經、史、子分類運算方法，可以細部看見不同類別書籍凝聚出不同重點的側重。那麼，我們不禁要問，是否能

---

36 模塊化（Modularity Class）是衡量網絡或圖結構的度量，它衡量將網絡劃分為模塊的強度。

更層層遞進，以引用原典的「書」為單位，計算詞語顯著性，就「遠讀」看出更多的內容？同時，分冊「遠讀」所得，與前人細讀分析的結果，有何異同？由於上表4《群書治要》分類詞語顯著性計算結果顯示，以經部、史部的典籍詞語顯著性較高。因此接下來，筆者將以《詩經》、《左傳》、《史記》三種已有的經部、史部相關成果為核心，先分別計算其詞語顯著性，再與已有成果對讀，展開討論。

1 《群書治要·詩經》的詞語顯著性

《群書治要·毛詩》摘錄78首，〈國風〉24首、〈小雅〉31首、〈大雅〉15首、〈周頌〉5首、〈魯頌〉1首、〈商頌〉2首。根據學者計算，風和雅頌的佔比可分為30.77%和69.23%，或18%與74.64%。[37] 可以看出《群書治要》選錄《詩經》，側重於〈雅〉、〈頌〉二類。我們知道「風」為十五國風，多數起源於民間，〈毛詩序〉曰：「雅者，正也，言王政之所由廢興也，政有小大，故有小雅焉，有大雅焉。頌者，美盛德之形容，以其成功告於神明者也。」[38] 〈雅〉多數是朝廷官吏及公卿大夫的作品，內容或讚頌、或諷刺，多與政治有關。而〈頌〉的內容多是祭祀或頌美讚美君王功德，也與朝廷密不可分。則單就《群書治要》選篇比重而言，其「務乎政術」的編纂標準可見一班。

那麼就詞語顯著性觀察《群書治要》選《詩經》又當如何呢？筆者將《群書治要》卷三作為標的語料庫，武英殿十三經注疏本的《毛詩正義》作為參照語料庫，獲得下表5：

表5 《群書治要·詩經》詞語顯著性表

序號	詞	詞語顯著性
1	廢	37.45401
2	興	25.84567
3	德	20.11698
4	君子	18.82132
5	我	18.56601

上表5是《群書治要·詩經》詞語顯著性表，興、廢是《群書治要》選《詩經》關注的焦點。然而，這裡存在著一個「遠讀」的陷阱。我們知道賦、比、興是《詩經》著名的寫作方法，《毛傳》《鄭箋》注《詩經》時，特別注重「興」法的標注。而《群書治要》

---

37 林耀潾共提出兩種計算方法，一是直接根據引用出處計算，二是去除總論、逸詩、非《詩》句，則雅頌佔74.64%，國風為18%。詳見林耀潾：〈另類的《詩經》接受：《群書治要》詩觀蠡測〉，收入林朝成、張瑞麟主編：《第一屆《群書治要》國際學術研討會論文集》，頁211、255-256。

38 〔西漢〕毛亨傳，〔東漢〕鄭玄箋，〔唐〕孔穎達等正義，〔清〕阮元校勘：《毛詩正義》，頁18b。

選《詩經》除了原文也選入《毛傳》《鄭箋》，因此「興」字的詞語顯著性才會如此之高。因此，上表5的「興」與「廢」，其實並不是「興廢」連用的概念。這樣的匯算結果除了展現鄭箋的特性外，同時也暴露了以詞語顯著性「遠讀」文本，常有忽略語境的缺陷。因此在使用詞語顯著性觀察時，必須適時的檢視文檔，才不至於因為誤讀而蹈空。

上表5中詞語顯著性第三高的是「德」，《毛傳》《鄭箋》慣以論理道德、政治教化詮釋整部《詩經》，就計算結果觀察，也反映了此點。而詞語顯著性第四、第五的「君子」與「我」則是一組詞彙，強調《詩經》中君子大致有四層涵義，其一是天子、諸侯的代稱；其二指貴族、官員；其三是情人或丈夫；其四是有才德之人。第一、第二種的君子，多出現在〈雅〉；第三、第四種的君子，則多出現在〈風〉。「我」則是自我的指稱代詞，與君子相對。雖然〈國風〉中的君子與我的內容，應在是上古民歌的情感交流，但是經過《毛傳》《鄭箋》的道德教化詮釋，《群書治要》選《詩經》也轉化為近乎君臣關係的詮解。因此就《群書治要・詩經》的詞語顯著性觀察，可以看出與細讀分析相似的編纂旨趣，只是要注意其選文是經文、《毛傳》，抑或是《鄭箋》。

2　《群書治要・左傳》的詞語顯著性

接著看《左傳》。《群書治要》選錄經部典籍，以《左傳》最多。儘管以今日所見《群書治要》卷四已亡佚，但卷五為〈左傳中〉，卷六為〈左傳下〉，按照編纂體例推論，卷四當為〈左傳上〉的內容。現存《左傳》兩卷所錄，為宣、成、襄、昭、定、哀六公，屬於《左傳》下半部的內容。因此，如果要追求更精確的詞語顯著性計算結果，原文可以不取《左傳》前半部，而是將原文與選文的紀錄年代對齊。

表6　《群書治要・左傳》詞語顯著性表

序號	詞	詞語顯著性
1	吾	65.57901
2	民	28.05798
3	德	16.79559
4	小人	15.68668
5	刑	9.981553

上表6為《群書治要・左傳》的詞語顯著性計算結果。我們可以看到以指稱代詞「吾」詞語顯著性最高，可知《群書治要》選《左傳》錄入大量人物間的對話。張素卿認為《群書治要》節錄《左傳》，往往接近《國語》的「語」體。[39] 以指稱代詞「吾」展現

39　張素卿：〈《群書治要》君臣觀下的《左傳》要義〉，頁24。

出最高的詞語顯著性來看,「遠讀」的結果與文本細讀分析的觀察趨向一致。

依《群書治要》卷五、卷六來考察,編纂者注重的不是書法義例等經學專門的內容,也非霸主會盟、征戰、諸國君臣弑殺出奔之爭,而多採擇足堪垂範以為綱紀之德行、嘉言,或可供後世為人君、為人臣資取鑒戒之事。[40]表6中「民」、「德」、「小人」、「刑」等詞語顯著性高的詞彙,則反映出《群書治要》選《左傳》具體提出足堪資鑑的幾個向度。陳恆嵩曾歸納出《群書治要》選《左傳》蘊含幾大治國思想,包括:1. 誠信為人君者治國之根本,2. 禮之根本在守國行政安民,當明德慎罰,省刑愛民。3. 君主應有居安思危之思想。4. 平時宜有君王之威儀,而名器不可輕易假借給臣民,免引起邪佞之覬覦覦。5. 自己或執政大臣施政時應凡事盡人事後聽天命,切不可迷信,亦不可徇私情而忘公理。6. 凡事以息事安民,與民生息。君主舉賢不避親疏仇敵,當殖善而擇人,善加維護,而決策應聽諫從眾,而不可作威以防民怨。[41]張素卿也談到《群書治要》選錄《左傳》除了明德、重禮外,對舉用善人、賢才十分重視,是別具意義的一項特點。[42]綜合前人研究成果,就詞語顯著性的幾個詞彙來看,對應了上述2和6,及兩項明德慎罰、省刑愛民、息事安民幾項。相對的1、3、4、5與任用賢善幾項,無法從表6觀察得知,這似乎也反應了以詞語顯著性遠讀文本,雖有能快速掌握大意的有點,但是同時也有對於單一文本解讀深度不足的弱點。

3 《群書治要・史記》的詞語顯著性

以詞語顯著性「遠讀」單一文本,這種「抓大放小」的特性,也體現在《群書治要》編選《史記》之上。我們先就詞語顯著性來看《史記》選文反映出的討論焦點。

表7　《群書治要・史記》詞語顯著性表

序號	詞	詞語顯著性
1	世	32.19133
2	紂	14.02824
3	始皇	13.1108
4	天下	11.04756
5	秦王	9.431519

在上表7之中,「世」的詞語顯著性最高,「世」常有幾種涵義:父子相繼為一世,也可指稱朝代時代,還有對於世界的概念。《史記》中的「世」,常與萬世、後世連用。當然

40　張素卿:〈《群書治要》君臣觀下的《左傳》要義〉,頁22。

41　陳恆嵩:〈《群書治要・左傳》蘊含之治國理念〉,頁15。

42　張素卿:〈《群書治要》君臣觀下的《左傳》要義〉,頁31。

還有指「秦二世」的特稱狀況。如果「世」作「秦二世」解，則可與表7的「始皇」、「秦王」合併一起看。《史記》雖上起五帝，下迄漢武帝時的通史，但是一百三十卷的篇幅，有過半在談秦漢間及西漢本朝之事。「通古今之變」[43]是太史公撰史動機之一，目的透過梳理「王跡所興，原始察終，見盛觀衰」[44]以資鑑當代。因此前朝如何興起、如何由盛轉衰、如何覆滅的過程，都是太史公敘事的重點。而從上表7的詞語顯著性表中，商紂王是商朝覆滅的關鍵人物，歷代秦王和秦始皇是觀察政權興起與轉型的焦點，秦二世是秦政權由盛轉衰、走向覆滅的主事者。而太史公試圖在在政權興衰之間，找出天下傳承的歷史哲學。而《群書治要》選用《史記》，也重視政權的興起、覆滅以及由盛轉衰的轉折。[45]因此就「過秦宣漢」一項，上表7的確能「遠讀」出編纂《群書治要》選《史記》的旨趣。然而筆者研究發現《群書治要》選《史記》列傳文臣武將各11人，弱化《史記》原本對列傳「扶義倜儻」的特質設計，轉為強調君臣關係。同時對於《史記》論贊的引用，引述太史公對〈管晏列傳〉、〈循吏列傳〉、〈酷吏列傳〉的評論，強調人臣之道[46]等內容，則是以詞語顯著性「遠讀」無法觀察得出的結論，則以詞語顯著性「遠讀」一書，可就其大者觀察編纂旨趣的趨向，但對於觀念內在理路的系統流變，則需要回歸到人文細讀分析的爬梳。

四 結語

《群書治要》編選經、史、子部典籍66種，透過取捨呈顯其務乎政術的編纂旨趣。而詞語顯著性則將文本視為語料，通過標的語料與和參照語料庫的比較，計算出文本中特殊的概念。本文運用詞語顯著性的研究方法，嘗試觀察數位人文「遠讀」，與傳統文本系讀分析對於主旨掌握的異同。並且調整「遠讀」的距離，將《群書治要》分為通覽全書、分類觀察，以及各書獨立三個層次，討論該方法的宜忌。具體得出以下幾點結論：

首先詞語顯著性確實能反應《群書治要》一定程度的編纂旨趣。通過語料庫間的比較，獲得詞語顯著性的詞表，詞語顯著性越高，反應編選相關文獻時的概念越集中，因此能夠作為編纂理念具體落實的證據。

其次，《群書治要》內容依照經、史、子分類，在計算出各自的詞語顯著性之後。發現以史部的詞語顯著性最高，子部的詞語顯著性較低。顯著性與研究效度成正比，換句話說，詞語顯著性越高，編纂特色越能突顯，才有討論的意義。因此以《群書治要》

---

43 〔西漢〕司馬遷：〈報任少卿書〉，收入〔南朝梁〕蕭統：《文選》（臺北：藝文印書館，1991年），卷41，頁592。

44 〔西漢〕司馬遷：〈太史公自序〉，《史記》（北京：中華書局，1982年），頁3319。

45 邱詩雯：〈治要與成一家言：論《群書治要》對《史記》的剪裁與再造〉，頁68。

46 邱詩雯：〈治要與成一家言：論《群書治要》對《史記》的剪裁與再造〉，頁69。

的詞語顯著性匯算結果而言，可集中分析經部、史部的內容。

再來，可根據詞語顯著性串連詞語共現關係。透過電腦運算模塊化的顯示，能夠有效群聚類分書中觀念的象限，建立核心與邊陲的思想概念座標。筆者發現《群書治要》集中討論「人主」、「勸」、「任賢」、「刑罰」、「亡國」等詞，貫穿全書，然後再根據各書的性質，與上述幾個核心概念串接。因此透過座標的觀察，能夠更貼信政術的內涵要義。

最後，在層層推進「遠讀」距離時，筆者也發現了詞語顯著性「遠讀」的一些侷限，最明顯的是「抓大放小」的問題。計算詞語顯著性雖有能快速掌握通覽大意，但是當「遠讀」距離調整到以引用一種文獻為單位時，就會暴露對於單一文本解讀深度不足的弱點。我們就其大大者掌握關鍵詞語，觀察編纂旨趣的趨向。但卻因為缺乏前後文的語境，無法系統梳理思想內在理路的系統流變。因此運用詞語顯著性「遠讀」，當注意語料庫取用的閱讀距離。

其他還有一些詞語顯著性計算操作的具體問題，如對於經、注、疏文字的區別，以整批語料計算無法區別，必須再分層次處理的層級。並且部份典籍的選擇有年代斷限的問題，因此如要追求更精確的詞語顯著性計算結果，需將原文與選文的紀錄年代對齊。

總體而言，「遠讀」儘管有一些侷限，但我們不能忽視它擅長處理大量文獻的優點。過去運用文本細讀分析，儘管能貼近文本，深度逐字逐句討論內容，但是欲觀察特色，必須運用歷時性、共時性比較，歸納特色。換言之，所謂特色，是與他人比較的相對座標，必須用跟他人的比較，而不是精確的位置，如此難免會有見樹不見林之憾。但是透過數位人文方法，通覽全書，將66種引用文獻分成三層次觀察，我們就能模組化圖像，看見每一群類的特性。當然，機器遠讀無法完全取代人文研究細讀，但是我們可善用其特性，將整體座標視為共相，然後深入細讀分析時集中討論共相以外的殊相，如此才能更精細區別出各類、各卷的特色。因此，筆者以為數位人文的閱讀方法可以先立其大的經緯出整體座標，是後續進一步深度分析的具體途徑。

徵引書目

一　原典文獻

〔西漢〕孔安國傳，〔唐〕孔穎達等正義，〔清〕阮元校勘：《尚書正義》，臺北：藝文印書館，2001年。

〔西漢〕毛亨傳，〔東漢〕鄭玄箋，〔唐〕孔穎達等正義，〔清〕阮元校勘：《毛詩正義》，臺北：藝文印書館，2001年。

〔西漢〕司馬遷：〈報任少卿書〉，收入〔南朝梁〕蕭統：《文選》，臺北：藝文印書館，1991年。

〔西漢〕司馬遷：《史記》，北京：中華書局，1982年。

〔東漢〕鄭玄注，〔唐〕孔穎達等正義，〔清〕阮元校勘：《禮記正義》，臺北：藝文印書館，2001年。

〔魏〕王弼、〔晉〕韓康伯注，〔唐〕孔穎達等正義，〔清〕阮元校勘：《周易正義》，臺北：藝文印書館，2001年。

〔魏〕何晏集解，〔北宋〕邢昺疏，〔清〕阮元校勘：《論語正義》，臺北：藝文印書館，2001年。

〔唐〕魏徵：《群書治要》，臺北：臺灣商務印書館，1967年。

二　近人論著

Douglas Biber & Susan Conrad & Randi Reppen. *Corpus Linguistics: Investigating Language Structureand Use*. Cambridge: Cambridge University Press, 1998.

Franco Moretti. "Conjectureson WorldLiterature." *New Left Review* 1 (Jan. & Feb. 2000), pp.54-68.

Franco Moretti. *Distantreading*. London & New York: Verso, 2013.

Ma, Wei-Yun & Keh-Jiann Chen. "Introductionto CKIP Chinese Word Segmentation System for the First International Chinese Word Segmentation Bakeoff." *Proceedings of the Second SIGHAN Workshopon Chinese Language Processing*. Sapporo: Association for Computational Linguistics, 2003.

Mike Scott & Christopher Tribble. *Textual Patterns: Key Wordsand Corpus Analysis In Language Education*. Philadelphia, PA: John Benjamins, 2006.

〔日〕水上雅晴：〈日本金澤文庫古鈔本《群書治要》寫入的音義註記〉，收入林朝成、

張瑞麟主編：《第一屆《群書治要》國際學術研討會論文集》，臺北：萬卷樓圖書股份有限公司，2020年，頁1-20。

〔南韓〕金光一：〈日本江戶時代古學派與《群書治要》回傳中國的關係〉，收入林朝成、張瑞麟主編：《第一屆《群書治要》國際學術研討會論文集》，臺北：萬卷樓圖書股份有限公司，2020年，頁21-34。。

〔南韓〕金光一：〈《群書治要》東渡日本〉，發表於「第二屆《群書治要》國際學術研討會」，國立成功大學中文系主辦，2020年9月11日。

王文暉：〈從古寫本《群書治要》看通行本《孔子家語》存在的問題〉，《中國典籍與文化》2018年4期（2018年12月），頁113-119。

王先謙：《王氏續古文辭類纂注》，臺北：世界書局，2020年。

王海棻、趙長才、黃珊、吳可穎編：《古漢語虛詞詞典》，北京：北京大學出版社，1996年。

吳金華：〈略談日本古寫本《群書治要》的文獻學價值〉，《文獻》2003年3期（2003年07月），頁118-127。

林秀一、陸明波、刁小龍：〈《孝經》鄭注輯佚及刊行的歷史——以日本為中心〉，《中國典籍與文化論叢》15輯（2013年12月），頁52-66。

林富士：〈何謂「數位人文學」？〉，《人文與社會科學簡訊》19卷2期（2018年03月），頁97。

林朝成：〈無為於親事，有為於用臣—論《群書治要莊子》中「聖人」觀之流衍〉，收入林朝成、張瑞麟主編：《第一屆《群書治要》國際學術研討會論文集》，臺北：萬卷樓圖書股份有限公司，2020年，頁331-354。

林溢欣：〈唐見本《孔子家語》面貌考論——兼論其校勘及輯佚問題〉，收入林朝成、張瑞麟主編：《第一屆《群書治要》國際學術研討會論文集》臺北：萬卷樓圖書股份有限公司，2020年，頁69-94。

林溢欣：〈從《群書治要》看唐初《孫子》版本系統——兼論《孫子》流傳、篇目序次等問題〉，《古籍整理研究學刊》2011年第3期（2011年05月），頁62-68。

林溢欣：〈從日本藏卷子本《群書治要》看《三國志》校勘及其版本問題〉，《中國文化研究所學報》53期（2011年07月），頁193-216。

林耀潾：〈另類的《詩經》接受：《群書治要》詩觀蠡測〉，收入林朝成、張瑞麟主編：《第一屆《群書治要》國際學術研討會論文集》，臺北：萬卷樓圖書股份有限公司，2020年，頁197-228。

邱詩雯：〈治要與成一家言：論《群書治要》對《史記》的剪裁與再造〉，《成大中文學報》68期（2020年03月），頁43-72。

張素卿：〈《群書治要》君臣觀下的《左傳》要義〉，《成大中文學報》74期（2021年09月），頁17-46。

張瑞麟：〈《群書治要》選編《墨子》的意蘊：從初期墨學的解讀談起〉，《成大中文學報》68期（2020年03月），頁1-42。

張瑞麟：〈轉舊為新：《群書治要》的編纂與意義〉，《文與哲》36期（2020年06月），頁81-134。

許愷容：〈論《群書治要》、漢書〉的編選意識與價值〉，收入林朝成、張瑞麟主編：《第一屆《群書治要》國際學術研討會論文集》，臺北：萬卷樓圖書股份有限公司，2020年，頁244-274。

陳恆嵩：〈《群書治要·左傳》蘊含之治國理念〉，發表於「第二屆《群書治要》國際學術研討會」，國立成功大學中文系主辦，2020年09月11日。

黃聖松：〈天明本《群書治要》引《左傳》改易文字析論〉，收入林朝成、張瑞麟主編：《第一屆《群書治要》國際學術研討會論文集》臺北：萬卷樓圖書股份有限公司，2020年，頁35-68。

黃麗頻：〈《群書治要》與唐代老學發展〉，收入林朝成、張瑞麟主編：《第一屆《群書治要》國際學術研討會論文集》，臺北：萬卷樓圖書股份有限公司，2020年，頁275-296。

管盼盼：〈《群書治要》注文來源初探〉，《安徽文學》2018年11期（2018年11月），頁9-11。

潘銘基：〈《群書治要》所載《孟子》研究〉，《域外漢籍研究集刊》16輯（2018年07月），頁293-317。

潘銘基：〈《群書治要》所錄《漢書》及其注解研究〉，收入林朝成、張瑞麟主編：《第一屆《群書治要》國際學術研討會論文集》臺北：萬卷樓圖書股份有限公司，2020年，頁95-130。

蔡　蒙：〈《群書治要》所引《尸子》校勘研究〉，《文教資料》2018年35期（2018年12月），頁84-86、110。

闕河嘉、陳光華：〈庫博中文獨立語料庫分析工具之開發與應用〉，收入項潔主編：《數位人文研究與技藝》6輯，臺北：國立臺灣大學出版中心，2016年，頁285-313。

《群書治要》引《荀子》研究

潘永鋒

〔香港〕香港大學中國語言及文學系博士生

摘要

《群書治要》五十卷，為初唐官修書鈔，其遍引經、史、子三部典籍，今存四十七卷，其中卷三十八載有《荀子》之文。考《荀子》一書，現存最早的本子是《古逸叢書》所收的南宋台州本，然《治要》成書初唐年間，其所錄《荀子》面貌實較前者更為近古。

歷代學者如王念孫、王先謙、王天海等據《治要》一書校理《荀子》，亦多所創獲，惜其所據《治要》底本，為清代嘉慶年間自日本流傳回國的天明刻本，即今《四部叢刊》本，未及時代更早的九条家本、金澤文庫本、駿府御文庫本及駿河版，誠為憾事。本篇之撰，以《治要》所引《荀子》為本，考究當時《荀子》一書的面貌，並本諸前人所論，復作補充，以見《治要》校勘《荀子》之作用。

又，對於駿府御文庫本《治要》，學界所論甚少。本文以此發端，從駿府御文庫本《治要》所錄《荀子》為切入點，指出駿府御文庫本雖為駿河版所據底本，然駿府御文庫本所錄文字實存脫文。推而論之，駿河版或非如前人所論，僅以駿府御文庫本為參照本，其於刊刻之時亦當參考他本《治要》為是。

關鍵詞：《群書治要》、《荀子》、唐代類書、駿府御文庫本、互見文獻

A Study of *Xunzi* Cited by *Qunshu zhiyao*

Pooh, Weng Fong Alex

Phd student, Department of Chinese Language and Literature,
The Chinese University of Hong Kong

Abstract

The *Qunshuzhiyao* 群書治要 is an early Tang 唐 (618-907) imperially commissioned political epitome (*shuchao* 書鈔) consisting of selected excerpts on statecraft from canonical (*jing* 經), historical (*shi* 史), and masters (*zi* 子) texts. Originally in 50 scrolls (*juan* 卷), only 47 scrolls of the *Qunshu zhiyao* survives, wherein the Xunzi 荀子 is cited in scroll 38. The Xunzi text cited in the *Qunshuzhiyao* predates the earliest received edition of the Xunzi, which is the Southern Song 南宋 (1127-1279) Taizhou 台州 print reproduced in the *Guyicongshu* 古逸叢書.

The *Qunshu zhiyao* had been utilized by Qing 清 (1636-1912) and modern philologists including Wang Niansun 王念孫 (1744-1832), Wang Xianqian 王先謙 (1842-1917), and Wang Tianhai 王天海 in their Xunzi emendations. However, they only referred to the later Tenmei 天明 (1781-1789) print that was returned from Japan to China during the Jiaqing 嘉慶 (1796-1820) period (i.e. the current *Sibu congkan* 四部叢刊 edition). They did not consult earlier editions of the *Qunshu zhiyao*, namely the Kujōke 九条家, Kanazawa Bunko 金沢文庫, and Sunpu Gobunko 駿府御文庫 manuscripts, as well as the Suruga 駿河 movable type print, which have never been returned to China and are all still preserved in Japan. With reference to the aforementioned editions of the *Qunshu zhiyao*, this paper examines the characteristics of the early Tang *Xunzi* text, and illustrates how the epitome contributes to the emendation of the *Xunzi*.

Furthermore, scholars have only paid little attention to the *Sunpu Gobunko Qunshu zhiyao* manuscript. This paper includes a further inspection of the Xunzi text recorded in this particular *Qunshu zhiyao* manuscript, noting the presence of textual lacunae in the cited Xunzi text. Building upon the current belief that the *Sunpu Gobunko* manuscript was the base text of the Suruga movable type print, this paper proceeds to argue that another *Qunshu zhiyao* manuscript was also used as a base text while producing the Suruga movable type print.

Keywords: *Qunshu zhiyao*, *Xunzi*, Tang encyclopedias, Sunpu Gobunko manuscript, parallel texts

一　前言

　　《群書治要》（下稱《治要》）五十卷，遍引經、史、子三部典籍，今存四十七卷，其中卷三十八載有《荀子》之文。考《荀子》一書，現存最早的本子是《古逸叢書》所收的南宋台州本，然《治要》成書初唐年間，其所錄《荀子》面貌實較前者更為近古。

　　歷代學者如王念孫、王先謙、王天海等據《治要》一書校理《荀子》，亦多所創獲，惜其所據《治要》底本，為清代嘉慶年間自日本流傳回國的天明刻本，即今《四部叢刊》本，未及時代更早的九条家本、金澤文庫本、駿府御文庫本及駿河版，誠為憾事。本文以此發端，首先對《治要》不同本子作一略論，復以《治要》所引《荀子》為本，考究當時《荀子》一書的面貌，並本諸前人所論，復作補充，以見《治要》校勘《荀子》之功用。

　　又，對於駿府御文庫本《治要》，學界所論甚少。本文以此發端，從駿府御文庫本《治要》所錄《荀子》為切入點，指出駿府御文庫本雖為駿河版所據底本，然駿府御文庫本所錄文字實存脫文。推而論之，駿河版或非如前人所論，僅以駿府御文庫本為參照本，其於刊刻之時亦當參考他本《治要》為是。

二　《群書治要》述略

　　《治要》為唐初年間官修書鈔，其成書於太宗朝貞觀五年（631），[1]南宋年間在中土完全散佚。[2]然而，《治要》一書在日本卻有流傳，不曾中斷。日本所藏《治要》重要本子合共五種，分別為平安時代（794-1185）寫本（九条家本）、鎌倉時代（1192-1333）寫本（金澤文庫本）、慶長十九年（1614）寫本（駿府御文庫本）、元和二年（1616）銅活字刊印活字本（駿河版）以及天明七年（1787）刊刻本。

　　除駿府御文庫本《治要》外，對於諸本《治要》的流傳情況，甚或《治要》不同本子間的承傳關係，學界所論極多，如尾崎康〈群書治要とその現存本〉、[3]潘銘基〈日藏平安時代九条家本《群書治要》研究〉、[4]林溢欣〈《群書治要》引書考〉、[5]以及金光一

1　案：相關說法見《唐會要》：「貞觀五年九月二十七日，祕書監魏徵撰《群書政要》，上之。」〔宋〕王溥：《唐會要》（北京：中華書局，1955年），卷36，頁651。

2　案：相關說法見譚樸森（P. M. Thompson）：「The last catalogue in which it was listed, the *Chung Hsing Kuan Ke Shu Mu* (1178), knew only a fragment (chüan nos. 11-20).」P. M. Thompson, *The Shen Tzu Fragments* (Oxford: Oxford University Press, 1979), p. 65.

3　〔日〕尾崎康：〈群書治要とその現存本〉，《斯道文庫論集》1990年第25號（1990年03月），頁121-210。

4　潘銘基：〈日藏平安時代九条家本《群書治要》研究〉，《中國文化研究所學報》67期（2018年07月），頁1-38。

〈日本江戶時代古學派與《群書治要》回傳中國的關係〉等文，[6]對於諸本《治要》的流傳，以及諸本間的承傳關係，俱論之甚詳，故在此不累。惟駿府御文庫本《治要》，僅福井保《江戶幕府刊行物》，[7]以及尾崎康〈群書治要とその現存本〉兩種材料論及，[8]故本文將對駿府御文庫本《治要》的基本面貌作一略論，並以《治要》所錄《荀子》條目，即卷三十八為例，推論其與他本《治要》間的承傳關係。

（一）駿府御文庫本《群書治要》略論

駿府御文庫本《治要》，現藏日本國立公文書館，共四十七卷，缺卷四、卷十三及卷二十。福井保《江戶幕府刊行物》有云：

> 慶長十五年九月に鎌倉五山の僧に命じて金沢文庫本を謄寫させた。慶長十九年十月三日に活字版翻印の底本として崇伝から提出したのも金沢文庫本の新寫本であろう。[9]

尾崎康〈群書治要とその現存本〉亦云：

> 慶長一五年九月に家康が鎌倉五山の僧に命じて金沢文庫本を謄寫させ、元和銅活字版の底本として參照されたものであろう。[10]

根據福井保及尾崎康兩人考證，德川家康曾命五山僧侶重新謄寫金澤文庫本《治要》，而此謄抄本，即駿府御文庫本《治要》，後為駿河版《治要》所依據的底本。

近年，日本國立公文書館已經將駿府御文庫本《治要》數碼化，可透過日本國立公文書館網站瀏覽。全書共四十七冊，每冊頁數不一，而第一冊最末處貼有一紙片，上書「駿府御文庫本群書治要四十七冊」。[11]

此本學界罕有論及，僅尾崎康〈群書治要とその現存本〉論及是本與金澤文庫本的關係，相關考證如下：

5　林溢欣：〈《群書治要》引書考〉（香港：香港中文大學中國語言及文學系哲學碩士論文，2011年）。

6　〔南韓〕金光一：〈日本江戶時代古學派與《群書治要》回傳中國的關係〉，收入林朝成、張瑞麟主編：《第一屆《群書治要》國際學術研討會論文集》（臺北：萬卷樓圖書股份有限公司，2020年），頁21-34。

7　〔日〕福井保：《江戶幕府刊行物》（東京：雄松堂出版，1985年），頁27、30。

8　〔日〕尾崎康：〈群書治要とその現存本〉，《斯道文庫論集》1990年第25號，頁155。

9　〔日〕福井保：《江戶幕府刊行物》（東京：雄松堂出版，1985年），頁27。

10　〔日〕尾崎康：〈群書治要とその現存本〉，《斯道文庫論集》1990年第25號，頁155。

11　〔唐〕魏徵等撰：《群書治要》（日本國立公文書館藏慶長年間駿府御文庫鈔本），卷1，頁55。

　　金沢文庫本の異体字は通行体に改め、同本は改行していないが、その旨を引い
　　て示したところは改行する。朱筆の句点、ヲコト点、墨筆の返点、振・送仮名、
　　音訓符、声点、反切等の書入は金沢文庫本にかなり忠実であるが、やや省略し
　　たところもあり、音訓符は増えているかにみえる。[12]

尾崎康指出，金澤文庫本與駿府御文庫本所錄文字，乃至旁校、訓點及眉箋大多相合。
惟細意比較金澤文庫本與駿府御文庫本卷三十八所錄《荀子》文字，駿府御文庫本誤將
「亡國之人」至「人無百壽」共六十九個字誤抄至「以為福乃」四字及「得死亡」三字
之間，詳參下圖：

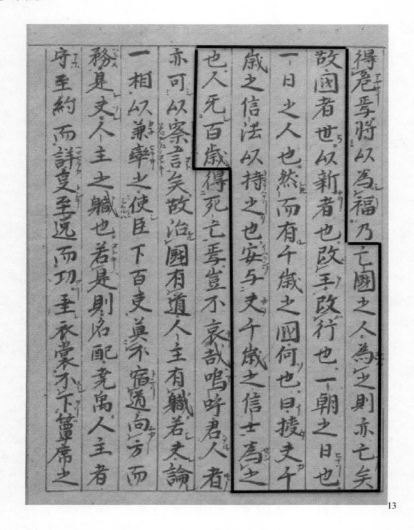

[13]

12　〔日〕尾崎康：〈群書治要とその現存本〉，《斯道文庫論集》1990年第25號，頁156。

13　〔唐〕魏徵等撰：《群書治要》（日本國立公文書館藏慶長年間駿府御文庫鈔本），卷38，頁25。

然而，「亡國之人」至「人無百壽」此次序錯亂的六十九個字，剛好是金澤文庫本卷三十八第十三紙所載文字，見下圖：

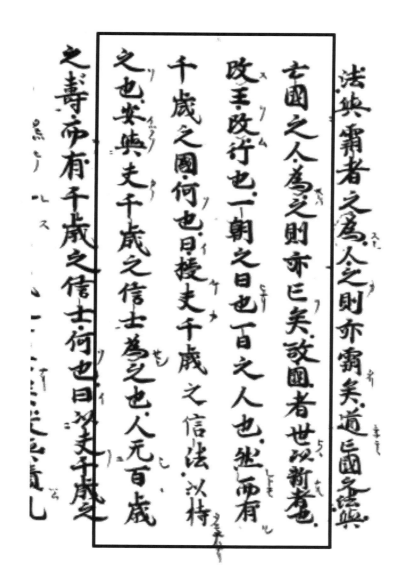

14

當中第218行至第221行，即為第十三紙的內容。顯而易見，第十二紙末六字「道亡國之法與」與第十三紙首六字「亡國之人為之」，正是「道亡國之法，與亡國之人為之」；第十三紙末四字「人無百歲」與第十四紙首兩字「之壽」，正是「人無百歲之壽」，可見金澤文庫本此處未有出現文字次序錯亂。

---

14 〔唐〕魏徵等奉敕撰，〔日〕尾崎康、小林芳規解題：《群書治要》第6冊（東京：汲古書院，1989年，據日本宮內廳書陵部藏鐮倉時代鈔本影印），卷38，頁32。

　　推而論之，即駿府御文庫本《治要》抄錄之時，其所見金澤文庫本《治要》卷三十八第十三紙或置於第十四頁紙後，詳參下圖：[15]

| 第十五紙
（節錄） | 第十三紙 | 第十四紙
（節錄） |

15　〔唐〕魏徵等奉敕撰，〔日〕尾崎康、小林芳規解題：《群書治要》第6冊，卷38，頁32、34。

故駿府御文庫本所錄文字，才會出現次序錯亂的情況。然而，據駿府御文庫本刊印的駿河版《治要》未見相同的文字次序錯亂，則今所見金澤文庫本《治要》卷三十八的面貌，或為刊印駿河版《治要》時，發現所據的駿府御文庫本出現多達六十九字的次序錯亂。其後，取金澤文庫本校對，發現金澤文庫本所錄文字次序亦見錯亂，故將錄有此六十九字的部分剪下，並移至第十二紙後。經過相關移動，金澤文庫本《治要》卷三十八的文字序次亦成為今所見面貌。

三 《群書治要》所引《荀子》篇目序次考

　　《治要》卷三十八所引《荀子》，[16]當中所錄篇目，僅〈大略〉及〈君子〉兩篇篇目，然考鎌倉時代日人所加眉箋以及今本《荀子》文字，引文實遍及〈勸學〉、〈修身〉、〈不苟〉、〈榮辱〉、〈非十二子〉、〈仲尼〉、〈儒效〉、〈王制〉、〈富國〉、〈王霸〉、〈君道〉、〈臣道〉、〈致士〉、〈議兵〉、〈天論〉、〈正論〉、〈子道〉、〈性惡〉、〈哀公〉、〈大略〉及〈君子〉二十一篇，詳見下表：

篇題	位置[17]	金澤文庫本節數	駿府御文庫本節數	駿河版節數	天明本節數
〈勸學〉	1/1	1	1	1	1
〈修身〉	2/3	2	2	2	2
〈不苟〉	2/4	2	2	2	2
〈榮辱〉	3/7	1	1	1	1
〈非十二子〉	4/8	1	1	1	1
〈仲尼〉	4/9	1	1	1	1
〈儒效〉	5/10	2	2	2	1
〈王制〉	6/12	2	2	2	2
〈富國〉	9/15	2	2	2	2
（〈王霸〉）[18]	11/23	2	2	2	2

---

16 案：九条家本《治要》現存十三卷，惟破損情況嚴重，今完成修復，可見者僅七卷，分別為卷二十二、卷二十六、卷三十一、卷三十三、卷三十五、卷三十六及卷三十七，並不包括引錄《荀子》的卷三十八。

17 案：金澤文庫本、駿府御文庫本、駿河版及天明本《治要》，僅金澤文庫本及駿府御文庫本天頭處錄有《荀子》一書篇目，故此表格「位置」一欄，僅收錄此兩種《治要》所錄標題的位置。以首則資料為例，「1/1」表示該標題出現在金澤文庫本的第1紙以及駿府御文庫本的第1頁。

18 案：金澤文庫本及駿府御文庫本《治要》正文及眉箋俱未有收錄〈王霸〉此篇，篇目位置據所錄《荀子》文字推斷而來。

篇題	位置[17]	金澤文庫本節數	駿府御文庫本節數	駿河版節數	天明本節數
〈君道〉	17/31	4	4	4	4
〈臣道〉	21/37	1	1	1	1
〈致士〉	23/39	1	1	1	1
〈議兵〉	23/40	2	1	1	1
〈天論〉	24/43	2	2	2	2
〈正論〉[19]	26/46	1	1	1	1
〈子道〉	26/46	1	1	1	1
〈性惡〉	27/47	1	1	1	1
〈哀公〉	27/49	1	1	1	1
〈大略〉	28/49	2	1	1	1
〈君子〉	29/51	1	2	1	1

從上表可見，諸本《治要》所錄節數總數雖略有小異，然此實為部分節數合併之故，當中各篇目所收內容仍是相同。然與劉向〈孫卿新書書錄〉所記《荀子》篇目，以及今本《荀子》篇目比較，詳見下表：

劉向〈孫卿新書書錄〉所錄《荀子》篇目[20]	勸學篇第一、脩身篇第二、不苟篇第三、榮辱篇第四、非相篇第五、非十二子篇第六、仲尼篇第七、成相篇第八、儒效篇第九、王制篇第十、富國篇第十一、王霸篇第十二、君道篇第十三、臣道篇第十四、致仕篇第十五、議兵篇第十六、彊國篇第十七、天論篇第十八、正論篇第十九、樂論篇第二十、解蔽篇第廿一、正名篇第廿二、禮論篇第廿三、宥坐篇第廿四、子道篇第廿五、性惡篇第廿六、法行篇第廿七、哀公篇第廿八、大略篇第廿九、堯問篇第三十、君子篇第三一、賦篇第三二
金澤文庫本《治要》所錄《荀子》篇目[21]	勸學、修身、不苟、榮辱、非十二子、仲尼、儒效、王制、富國、王霸、君道、臣道、致士、議兵、天論、正論、子道、性惡、哀公、大略、君子

---

19 案：金澤文庫本及駿府御文庫本《治要》作「正道」，當為傳鈔訛誤。

20 〔漢〕劉向、劉歆撰，〔清〕姚振宗輯錄，鄧駿捷校補：《七略別錄佚文・七略佚文》（上海：上海古籍出版社，2008年），頁41-43。

21 〔唐〕魏徵等奉敕撰，〔日〕尾崎康、小林芳規解題：《群書治要》第6冊，卷38，頁5-72。

今本《荀子》篇目[22]	勸學、修身、不苟、榮辱、非相、非十二子、仲尼、儒效、王制、富國、王霸、君道、臣道、致士、議兵、強國、天論、正論、禮論、樂論、解蔽、正名、性惡、君子、成相、賦、大略、宥坐、子道、法行、哀公、堯問

就篇名而言，《治要》所錄篇目雖僅及《荀子》其中的二十一篇，然大抵與〈孫卿新書書錄〉所記以及今本《荀子》相合。惟細考三者所錄篇目之序次，顯而易見，《治要》所錄《荀子》篇目序次與〈孫卿新書書錄〉所記相同而與今本《荀子》篇目序次相異。對此，劉師培《荀子斠補》已有論及：「《群書治要》引本書第次並與舊目同，如〈子道篇〉在〈性惡〉前，〈哀公篇〉在〈大略前〉，〈君子篇〉在〈大略〉後是也。」[23]劉說是，蓋《荀子》一書，按其篇目序次，現存「劉向本系統」及「楊倞本系統」兩者。

「劉向本系統」，源自西漢年間劉向校定的《荀子》，此本今雖不可見，然據〈孫卿新書書錄〉所載，其篇目序次與今本《荀子》頗有不同之處。若與今本比較，當中〈成相篇〉置〈儒效篇〉前，為全書第七篇；〈禮論篇〉置〈正名篇〉後，為全書第二十三篇。至於餘下各篇序次，依序為〈宥坐篇〉、〈子道篇〉、〈性惡篇〉、〈法行篇〉、〈哀公篇〉、〈大略篇〉、〈堯問篇〉、〈君子篇〉、〈賦篇〉。

「楊倞本系統」，源自唐代楊倞注解的《荀子》，今傳《荀子》俱屬此系統。其〈荀子序〉有云：「以文字繁多，故分舊十二卷三十二篇為二十卷。又改《孫卿新書》為《荀卿子》。其篇第亦頗有移易，使以類相從云。」[24]當中所謂「以類相從」者，在其《荀子》注文中有所說明：

禮論篇第十九	舊目錄第二十三，今升在論議之中，於文為比。[25]
性惡篇第二十三	舊第二十六，今以是荀卿論議之語，故亦升在上。[26]
大略篇第二十七	此篇蓋弟子襍錄荀卿之語，皆略舉其要，不可以一事名篇，故總謂之大略也。舊第二十七。[27]
宥坐篇第二十八	此以下皆荀卿及弟子所引記傳襍事，故總推之於末。[28]
「為說者」段	自「為說者」已下，荀卿弟子之辭。[29]

22 〔清〕王先謙撰，沈嘯寰、王星賢點校：《荀子集解》（北京：中華書局，1988年），目錄，頁1-3。
23 劉師培著：《荀子斠補》，收入《劉申叔遺書》（南京：江蘇古籍出版社，1997年，據民國二十三年（1934）寧武南氏刊本影印），卷1，頁907。
24 〔唐〕楊倞：〈荀子序〉，收入〔清〕王先謙撰，沈嘯寰、王星賢點校：《荀子集解》，序，頁52。
25 〔清〕王先謙撰，沈嘯寰、王星賢點校：《荀子集解》，卷13，頁346。
26 〔清〕王先謙撰，沈嘯寰、王星賢點校：《荀子集解》，卷17，頁434。
27 〔清〕王先謙撰，沈嘯寰、王星賢點校：《荀子集解》，卷19，頁485。
28 〔清〕王先謙撰，沈嘯寰、王星賢點校：《荀子集解》，卷20，頁520。
29 〔清〕王先謙撰，沈嘯寰、王星賢點校：《荀子集解》，卷20，頁554。

是知楊氏編排《荀子》的準則，蓋以荀子議論之作居首，次以荀子的文學作品，次以荀子及弟子所記雜錄之事，最後為荀卿弟子之辭。故「楊倞本系統」《荀子》篇目的序次，實經楊氏重新編排，其篇目序次亦自與〈孫卿新書書錄〉所載相異。

《治要》所錄《荀子》篇目序次既與〈孫卿新書書錄〉所記大抵相同，無疑當屬同一系統。推而論之，則《荀子》一書自西漢劉向校定以後，及至初唐年間《治要》編定之時，其書目篇次當未見更動。

四 據《群書治要》校勘今本《荀子》文字例

《治要》從日本回傳中土後，一直為歷代學者所重，如王念孫《讀書雜志》有云：「凡《治要》所引之書，於原文皆無所增加，故知是今本遺脫也。」[30]此可見《治要》校補典籍脫文之用。又，汪辟疆《工具書之類別及其解題》「《淵鑒類函》」條下：

> 高郵王氏之學，卓絕千古，嘉道之間頗有傳其訂正群書，皆先檢古本類書，及馬總《意林》、《群書治要》諸書所引用經子原文，如遇異文，條記座右，然後詳稽音詁，力求貫通，再證以宋以前類書群籍引用異文，定為某宜作某，或衍或奪，每下一義，確不可易，皆類書之助也。[31]

日人島田翰《古文舊書考》亦云：「是書（案：指《治要》）所載，皆初唐舊本，可藉以訂補今本之訛誤者，亦復不鮮。」[32]汪氏及島田氏兩人所論，無疑指出《治要》在校訂典籍訛誤上的功用。

《治要》除清代嘉慶年間回傳中土的天明本外，尚有九条家本、金澤文庫本、駿府御文庫本及駿河版四種本子，而諸本文字亦見歧異，如島田翰《古文舊書考》有云：「以元和活字刊本對校秘府卷子本，稍有異同。」[33]楊守敬《日本訪書志》亦云：「《治要》有鈔本、活字二種，[……]，彼國亦別本互出，異同疊見，則亦何可略之？」[34]故當代學者取資《治要》校理典籍，往往提出並用諸本《治要》，如林溢欣〈從日本藏卷子本《群書治要》看《三國志》校勘及其版本問題〉一文有云：

---

30 〔清〕王念孫撰，徐煒君等校點：《讀書雜志》（上海：上海古籍出版社，2015年），淮南內篇第九，頁2158。

31 汪辟疆著：《工具書之類別及其解題》，收錄於《汪辟疆文集》（上海：上海古籍出版社，1988年），頁56。

32 〔日〕島田翰撰，杜澤遜、王曉娟點校：《古文舊書考》（上海：上海古籍出版社，2014年），卷1，頁79。

33 〔日〕島田翰撰，杜澤遜、王曉娟點校：《古文舊書考》，卷1，頁77。

34 〔清〕楊守敬：〈日本訪書志緣起〉，載《日本訪書志》，收入《續修四庫全書》第930冊（上海：上海古籍出版社，1995年，據清光緒鄰蘇園刻本影印），頁6上，總頁473。

卷子本為鈔本，偶有筆誤；駿河版以卷子本作底本，故其文字可與卷子本互為參證。晚出之天明本嘗經回改，[⋯⋯]，惟恐非《治要》之舊。[⋯⋯]因此諸本宜參伍比度，方能有效利用《治要》作校勘、輯佚之用。[35]

潘銘基〈日藏平安時代九条家本《群書治要》研究〉一文亦云：

倘用《群書治要》勘證古籍，必須以九条家本（最古）、金澤文庫本（最全）為主，天明刻本為輔。[36]

據此，取《治要》作校勘者，當兼取諸本《治要》為是。然《荀子》一書，諸家雖有取資《治要》作參校之用，然礙於時代地域所限，所據僅為天明本，未竟全功，實為憾事。下文以諸本《治要》校勘《荀子》，本諸前人所論，復作補充，以見《治要》校勘《荀子》之功用。[37]

例1：〈脩身篇〉「豈若跛鼈之與六驥之哉」句

《荀子》：	彼人之才性之相縣也，豈若跛鼈之與六驥足哉？[38]
金澤文庫本：	彼人之才性之相懸也，豈若跛鼈之與六驥之哉？[39]
駿府御文庫本：	彼人之才性之相懸也，豈若跛鼈之與六驥之哉？[40]
駿河版：	彼人之才性之相懸也，豈若跛鼈之與六驥之哉？[41]
天明本：	彼人之才性之相懸也，豈若跛鼈之與六驥足哉？[42]

案：金澤文庫本、駿府御文庫本及駿河版俱作「六驥之」，而天明本及《荀子》作「六驥足」。日人久保愛有云：「足，當作『矣』，字之誤也。」[43]日人豬飼彥博則云：

35 林溢欣：〈從日本藏卷子本《群書治要》看《三國志》校勘及其版本問題〉，《中國文化研究所學報》53期（2011年07月），頁199。

36 潘銘基：〈日藏平安時代九条家本《群書治要》研究〉，《中國文化研究所學報》67期（2018年07月），頁26。

37 案：本文所列校勘例，僅包括能夠圓滿文意或切合行文格式者，其餘例子不在本文討論範圍。

38 〔清〕王先謙撰，沈嘯寰、王星賢點校：《荀子集解》，卷1，頁32。

39 〔唐〕魏徵等奉敕撰，〔日〕尾崎康、小林芳規解題：《群書治要》第6冊，卷38，頁9。

40 〔唐〕魏徵等撰：《群書治要》，卷38，頁3。

41 〔唐〕魏徵等撰：《群書治要》（日本東京大學東洋文化研究所藏元和2年（1616）銅活字本），卷38，頁3a。

42 唐・魏徵等撰：《群書治要》，《續修四庫全書》第1187冊（上海：上海古籍出版社，2002年，據日本天明7年（1787）尾張藩刻本影印），卷38，頁2b。

43 〔清〕王先謙集解，〔日〕久保愛增註，〔日〕豬飼彥博補遺：《增補荀子集解》，收錄於〔日〕服部宇之吉編：《漢文大系》第15冊（成都：四川大學出版社，2017年），卷1，頁35，總頁數153。

「足，當作『爾』。」[44] 王天海《荀子校釋》：「『足』字衍。」[45] 論說雖異，然俱指出「足」字有誤。考金澤文庫本《治要》所錄：

[46]

明顯可見，「足」、「之」二字字形極為接近，今本《荀子》誤作「足」，當為形近而訛。究其行文結構，「六驥之」亦正好與「跛鼈之」相對並列。此當據金澤文庫本、駿府御文庫本及駿河版《治要》作「六驥之」為是。

例2：〈儒效篇〉「貴道誠存也」句

《荀子》：	雖隱於窮閻漏屋，人莫不貴之，道誠存也。[47]
金澤文庫本：	雖隱於窮閻陋屋，人莫不貴，貴道誠存也。[48]
駿府御文庫本：	雖隱於窮閻陋屋，人莫不貴，貴道誠存也。[49]
駿河版：	雖隱於窮閻陋屋，人莫不貴，貴道誠存也。[50]
天明本：	雖隱於窮閻陋屋，人莫不貴，貴道誠存也。[51]

案：諸本《治要》俱少一「之」字而多一「貴」字。王先謙《荀子集解》有云：

《群書治要》作「人莫不貴，貴道誠存也」言人所以莫不貴此人者，其可貴之道在也，文義為長。〈脩身篇〉云：「雖困四夷，人莫不貴」，〈非相篇〉云：「雖不說人，人莫不貴」，句法一律，俱無「之」字。此作「貴之」，不重「貴」字者，下「貴」字或作「ㄟ」轉寫者誤為「之」字耳。〈君道篇〉云「夫文王欲立貴

44 〔清〕王先謙集解，〔日〕久保愛增註，〔日〕豬飼彥博補遺：《增補荀子集解》，收錄於〔日〕服部宇之吉編：《漢文大系》第15冊，卷1，頁35，總頁數153。

45 〔戰國〕荀況著，王天海校釋：《荀子校釋》（上海：上海古籍出版社，2005年），卷1，頁70。

46 〔唐〕魏徵等奉敕撰，〔日〕尾崎康、小林芳規解題：《群書治要》第6冊，卷38，頁9。

47 〔清〕王先謙撰，沈嘯寰、王星賢點校：《荀子集解》，卷4，頁118。

48 〔唐〕魏徵等奉敕撰，〔日〕尾崎康、小林芳規解題：《群書治要》第6冊，卷38，頁16。

49 〔唐〕魏徵等撰：《群書治要》（日本國立公文書館藏慶長年間駿府御文庫鈔本），卷38，頁10。

50 〔唐〕魏徵等撰：《群書治要》（日本東京大學東洋文化研究所藏元和2年銅活字本），卷38，頁6b。

51 〔唐〕魏徵等撰：《群書治要》，《續修四庫全書》第1187冊，卷38，頁5b。

道」，又云「於是乎貴道果立」，正與此「貴道」同義。[52]

王氏以《治要》引文為據，輔以《荀子》一書的用語習慣，指出「貴之」不合《荀子》一書的慣常用語，當作「人莫不貴」及「貴道」為是。另外，王氏亦從「之」字字形處著手，推斷相關訛誤或從重文符號而來。今考金澤文庫本及駿府御文庫本《治要》：

 [53]　　 [54]

金澤文庫本《治要》　　　　駿府御文庫本《治要》

從上圖中，可見《治要》所錄文句，正好與王先謙的推論相合，後一「貴」字以重文符號表示，作「貴ㄥ道」。是故《荀子》此則引文，當如王氏所言，據《治要》訂正作「人莫不貴，貴道誠存也」為是。

例3：〈儒效篇〉「非能偏賢人之所賢之謂也」句

《荀子》：	君子之所謂賢者，非能偏能人之所能之謂也。[55]
金澤文庫本：	君子之所謂賢者，非能偏賢人之所賢之謂也。[56]
駿府御文庫本：	君子之所謂賢者，非能偏賢人之所賢之謂也。[57]
駿河版：	君子之所謂賢者，非能偏賢人之所賢之謂也。[58]
天明本：	君子之所謂賢者，非能偏能人之所能之謂也。[59]

案：金澤文庫本、駿府御文庫本及駿河版《治要》俱作「非能偏賢人之所賢之謂也」，天明本及《荀子》作「非能偏能人之所能之謂也」。然細考《荀子·儒效》：

52 〔清〕王先謙撰，沈嘯寰、王星賢點校：《荀子集解》，卷4，118。
53 〔唐〕魏徵等奉敕撰，〔日〕尾崎康、小林芳規解題：《群書治要》第6冊，卷38，頁16。
54 〔唐〕魏徵等撰：《群書治要》（日本國立公文書館藏慶長年間駿府御文庫鈔本），卷38，頁10。
55 〔清〕王先謙撰，沈嘯寰、王星賢點校：《荀子集解》，卷4，頁122。
56 〔唐〕魏徵等奉敕撰，〔日〕尾崎康、小林芳規解題：《群書治要》第6冊，卷38，頁17。
57 〔唐〕魏徵等撰：《群書治要》（日本國立公文書館藏慶長年間駿府御文庫鈔本），卷38，頁11。
58 〔唐〕魏徵等撰：《群書治要》（日本東京大學東洋文化研究所藏元和2年（1616）銅活字本），卷38，頁7a。
59 〔唐〕魏徵等撰：《群書治要》，《續修四庫全書》第1187冊，卷38，頁6a。

> 君子之所謂賢者，非能遍能人之所能之謂也；君子之所謂知者，非能遍知人之所
> 知之謂也；君子之所謂辯者，非能遍辯人之所辯之謂也；君子之所謂察者，非能
> 遍察人之所察之謂也。[60]

明顯可見，「知者」、「辯者」及「察者」分別與「遍知人之所知」、「遍辯人之所辯」及「遍察人之所察」並舉。據此，「賢者」亦當與「遍賢人之所賢」並舉，而非今本《荀子》「徧能人之所能」。金澤文庫本、駿府御文庫本及駿河版《治要》正作「徧賢人之所賢」，可謂文義通達。故《荀子》此則引文，當訂正作「非能徧賢人之所賢之謂也」為是。

例4：〈儒效篇〉「有所止矣」句

《荀子》：	君子之所謂察者，非能徧察人之所察之謂也；有所正矣。[61]
金澤文庫本：	君子之所謂察者，非能徧察人之所察之謂也；有所止矣。[62]
駿府御文庫本：	君子之所謂察者，非能徧察人之所察之謂也；有所上矣。[63]
駿河版：	君子之所謂察者，非能徧察人之所察之謂也；有所止矣。[64]
天明本：	君子之所謂察者，非能徧察人之所察之謂也；有所止矣。[65]

案：金澤文庫本、駿河版及天明本《治要》俱作「有所止矣」，駿府御文庫本作「有所上矣」，而今本《荀子》作「有所正矣」。駿府御文庫本作「上」，當為「止」字之訛。楊倞注文有云：「『正』，當為『止』。言止於禮義也。」[66]王念孫認同楊說，有云：「〈解蔽篇〉曰：『夫學也者，固學止之也。惡乎止之？曰：止諸至足。曷謂至足？曰：聖王也。』是其證。《群書治要》正作『有所止矣』。」[67]對於楊氏之說，王念孫補充〈解蔽篇〉及《治要》兩則書證。王天海亦認同諸家所說，有云：「作『止』是，當據《治要》與諸說改。」[68]準此，當據《治要》作「止」為是。

---

60 〔清〕王先謙撰，沈嘯寰、王星賢點校：《荀子集解》，卷4，頁122。

61 〔清〕王先謙撰，沈嘯寰、王星賢點校：《荀子集解》，卷4，頁122。

62 〔唐〕魏徵等奉敕撰，〔日〕尾崎康、小林芳規解題：《群書治要》第6冊，卷38，頁17。

63 〔唐〕魏徵等撰：《群書治要》（日本國立公文書館藏慶長年間駿府御文庫鈔本），卷38，頁11。

64 〔唐〕魏徵等撰：《群書治要》（日本東京大學東洋文化研究所藏元和2年（1616）銅活字本），卷38，頁7a-b。

65 〔唐〕魏徵等撰：《群書治要》，《續修四庫全書》第1187冊，卷38，頁6a-b。

66 〔清〕王先謙撰，沈嘯寰、王星賢點校：《荀子集解》，卷4，頁122。

67 〔清〕王念孫撰，徐煒君等校點：《讀書雜志》，荀子弟二，頁1714-1715。

68 〔戰國〕荀況著，王天海校釋：《荀子校釋》，卷4，頁276。

例5：〈王制篇〉「其無法者以類舉」句

《荀子》：	其有法者以法行，無法者以類舉，聽之盡也。[69]
金澤文庫本：	其有法者以法行，其無法者以類舉，聽之盡也。[70]
駿府御文庫本：	其有法者以法行，其無法者以類舉，聽之盡也。[71]
駿河版：	其有法者以法行，其無法者以類舉，聽之盡也。[72]
天明本：	其有法者以法行，其無法者以類舉，聽之盡也。[73]

　　案：諸本《治要》俱多一「其」字。王先謙《荀子集解》有云：「『無法者』上，《群書治要》有『其』字。」[74]王氏僅列出《治要》異文而未作判斷。王天海《荀子校釋》則云：「『無』上，巾箱本、《題注》本、遞修本皆有『其』字，《治要》用此文亦有『其』字，此或脫之。」[75]除《治要》外，王天海更列舉其他《荀子》版本為証。況且前句既作「其有法者以法行」，則後句亦當有「其」字，作「其無法者以類舉」，如此句式則前後一致。「其」字當據《治要》補上為是。

例6：〈富國篇〉「使之以辨貴賤而已」及「使之以辨吉凶、合歡、定和而已」句

《荀子》：	故為之雕琢、刻鏤、黼黻、文章，使足以辨貴賤而已，
金澤文庫本：	故為雕琢、刻鏤，黼黻、文章，使之以辨貴賤而已，
駿府御文庫本：	故為雕琢、刻鏤，黼黻、文章，使之以辨貴賤而已，
駿河版：	故為雕琢、刻鏤，黼黻、文章，使之以辨貴賤而已，
天明本：	故為雕琢、刻鏤，黼黻、文章，使之以辨貴賤而已，
《荀子》：	不求其觀。為之鐘鼓、管磬、琴瑟、竽笙，
金澤文庫本：	不求其觀，為鐘鼓、管磬、琴瑟、竽笙，
駿府御文庫本：	不求其觀，為鐘鼓、管磬，琴瑟、竽笙，

69　〔清〕王先謙撰，沈嘯寰、王星賢點校：《荀子集解》，卷5，頁151。
70　〔唐〕魏徵等奉敕撰，〔日〕尾崎康、小林芳規解題：《群書治要》第6冊，卷38，頁19。
71　〔唐〕魏徵等撰：《群書治要》（日本國立公文書館藏慶長年間駿府御文庫鈔本），卷38，頁13。
72　〔唐〕魏徵等撰：《群書治要》（日本東京大學東洋文化研究所藏元和2年（1616）銅活字本），卷38，頁8a。
73　〔唐〕魏徵等撰：《群書治要》，《續修四庫全書》第1187冊，卷38，頁7a。
74　〔清〕王先謙撰，沈嘯寰、王星賢點校：《荀子集解》，卷5，頁151。
75　〔戰國〕荀況著，王天海校釋：《荀子校釋》，卷5，頁374。

駿河版：	不求其觀，為鐘鼓、管磬，琴瑟、竽笙，
天明本：	不求其觀，為鐘鼓、管磬，琴瑟、竽笙，
《荀子》：	使足以辨吉凶，合歡、定和而已。[76]
金澤文庫本：	使之以辨吉凶、合歡、定和而已。[77]
駿府御文庫本：	使之以辨吉凶、合歡、定和而已。[78]
駿河版：	使之以辨吉凶、合歡、定和而已。[79]
天明本：	使之以辨吉凶、合歡、定和而已。[80]

案：比較諸本《治要》與今本《荀子》所錄，所別者有二：其一為諸本《治要》所錄較今本《荀子》原文少「之」字，作「故為雕琢」及「為鐘鼓」；其二為諸本《治要》作「使之以辨貴賤而已」及「使之以辨吉凶、合歡、定和而已」，而非《荀子》原文「之」作「足」。《治要》引文往往於原文有所刪減，故少一「之」字當為編者所刪。王天海《荀子校釋》有云：「『足』字，《治要》作『之』，下同。」[81] 王氏僅列出《治要》異文而未作判斷。「使之以辨貴賤而已」及「使之以辨吉凶、合歡、定和而已」中的「之」字，分別代指「雕琢、刻鏤，黼黻、文章」以及「鐘鼓、管磬，琴瑟、竽笙」這些行為，若「之」字作「足」，即上述所論及的行為無法清楚說明是用來「辨貴賤」及「辨吉凶、合歡、定和」。況且，「足」、「之」二字字形極為接近，傳抄過程中將兩字混同亦不足為奇。故「足」字當據《治要》作「之」為是。

例7：〈王霸篇〉「不善擇者為人制之」句

《荀子》：	善擇者制人，不善擇者人制之。[82]
金澤文庫本：	善擇者制人，不善擇者為人制之。[83]
駿府御文庫本：	善擇者制人，不善擇者為人制之。[84]

76　〔清〕王先謙撰，沈嘯寰、王星賢點校：《荀子集解》，卷6，頁180。

77　〔唐〕魏徵等奉敕撰，〔日〕尾崎康、小林芳規解題：《群書治要》第6冊，卷38，頁24。

78　〔唐〕魏徵等撰：《群書治要》（日本國立公文書館藏慶長年間駿府御文庫鈔本），卷38，頁17。

79　〔唐〕魏徵等撰：《群書治要》（日本東京大學東洋文化研究所藏元和2年（1616）銅活字本），卷38，頁10b-11a。

80　〔唐〕魏徵等撰：《群書治要》，《續修四庫全書》第1187冊，卷38，頁9a-b。

81　〔戰國〕荀況著，王天海校釋：《荀子校釋》，卷6，頁433。

82　〔清〕王先謙撰，沈嘯寰、王星賢點校：《荀子集解》，卷5，頁174。

83　〔唐〕魏徵等奉敕撰，〔日〕尾崎康、〔日〕小林芳規解題：《群書治要》第6冊，卷38，頁31。

84　〔唐〕魏徵等撰：《群書治要》（日本國立公文書館藏慶長年間駿府御文庫鈔本），卷38，頁22-23。

駿河版：	善擇者制人，不善擇者為人制之。[85]
天明本：	善擇者制人，不善擇者為人制之。[86]

案：諸本《治要》多一「為」字，作「為人制之」。究之文義，「不善擇者人制之」與「不善擇者為人制之」相差無幾。然考《助字辨略》「為」條下：「為字，猶云被也。」[87]據此，「不善擇者為人制之」的「為」，相當於「被」，能夠帶出後文的「人」是進行「制」此動作行為的對象，使全句文義更為精準。故「為」字當據《治要》補上。

例8：〈王霸篇〉「改王改行也」句

《荀子》：	故國者、世所以新者也，是憚憚非變也，改王改行也。[88]
金澤文庫本：	故國者、世以新者也，改王改行也。[89]
駿府御文庫本：	故國者、世以新者也，改王改行也。[90]
駿河版：	故國者、世以新者也，改王改行也。[91]
天明本：	故國者、世以新者也，改玉改行也。[92]

案：諸本《治要》俱少一「所」字，以及未有收錄「是憚憚非變也」六字。然《治要》引文往往對原文有所刪減，故「所」字及「是憚憚非變也」六字，當為編者所刪。又，金澤文庫本、駿府御文庫本、駿河版《治要》及今本《荀子》俱作「改王改行也」，僅天明本作「改玉改行也」。楊倞注文有云：「《國語》襄王謂晉文公曰：『先民有言曰：「改玉改行。」』」[93]王念孫則云：「《治要》正作『改玉改行』。」[94]日人久保愛有云：「定公五年《左氏傳》曰『改步改玉』。」[95]除王氏列舉《治要》外，楊氏及久保氏亦列舉兩則書證，指出作「玉」為是。盧文弨及郝懿行則從古文字切入，盧文弨有云：

85　〔唐〕魏徵等撰：《群書治要》（日本東京大學東洋文化研究所藏元和2年（1616）銅活字本），卷38，頁14a。

86　〔唐〕魏徵等撰：《群書治要》，《續修四庫全書》第1187冊，卷38，頁12a。

87　〔清〕劉淇著，章錫琛校注：《助字辨略》（北京：中華書局，1954年），卷1，頁24。

88　〔清〕王先謙撰，沈嘯寰、王星賢點校：《荀子集解》，卷7，頁208。

89　〔唐〕魏徵等奉敕撰，〔日〕尾崎康、小林芳規解題：《群書治要》第6冊，卷38，頁32。

90　〔唐〕唐‧魏徵等撰：《群書治要》（日本國立公文書館藏慶長年間駿府御文庫鈔本），卷38，頁25。

91　〔唐〕魏徵等撰：《群書治要》（日本東京大學東洋文化研究所藏元和2年（1616）銅活字本），卷38，頁14b。

92　〔唐〕魏徵等撰：《群書治要》，《續修四庫全書》第1187冊，卷38，頁12b。

93　〔清〕王先謙撰，沈嘯寰、王星賢點校：《荀子集解》，卷7，頁208。

94　〔清〕王念孫撰，徐煒君等校點：《讀書雜志》，荀子弟四，頁1765-1766。

95　〔清〕王先謙集解，〔日〕久保愛增註，〔日〕豬飼彥博補遺：《增補荀子集解》，收錄於〔日〕服部宇之吉編：《漢文大系》第15冊，卷7，頁9，總頁數369。

「古『玉』字本作『王』,與『王』字形近易訛。」[96]郝懿行亦云:「王,古『玉』字也。」[97]盧、郝二人所論極是,若參帛書《老子甲本》中「王」、「玉」二字的寫法:

[98]
玉

[99]
王

可見「玉」字字形,若沒有加上斜筆或點作區別符號,僅以三橫畫間的距離來分辨,[100]容易與「玉」字相混。故王天海《荀子校釋》認同諸家所說,有云:「據《左傳》及諸說改。」[101]準此,當據天明本《治要》作「玉」為是。

例9:〈王霸篇〉「闍君者必將荒逐樂而緩治國」句

《荀子》:	闍君必將急逐樂而緩治國,故憂患不可勝校也。[102]
金澤文庫本:	闍君者必將荒逐樂而緩治國,故憂患不可勝校也。[103]
駿府御文庫本:	闍君者必將荒逐樂而緩治國,故憂患不可勝校也。[104]
駿河版:	闍君者必將荒逐樂而緩治國,故憂患不可勝校也。[105]
天明本:	闍君者必將荒逐樂而緩治國,故憂患不可勝校也。[106]

案:諸本《治要》所錄俱少一「者」字。王先謙《荀子集解》有云:「『闍君』下,

---

96 〔唐〕楊倞注,〔清〕盧文弨、謝墉校:《荀子》,收錄於〔清〕盧文弨編:《抱經堂叢書》(北京:直隸書局,1923年,據乾隆丙午(1786)校刊嘉善謝氏藏版影印),卷7,頁5b。

97 〔清〕郝懿行撰:《荀子補注》,收錄於四庫未收書輯刊編纂委員會編:《四庫未收書輯刊》第6輯第12冊(北京:北京出版社,2000年,據清嘉慶光緒間刻郝氏遺書本影印),卷上,頁27b,總頁數15。

98 湖南省博物館,復旦大學出土文獻與古文字研究中心編纂,裘錫圭主編:《長沙馬王堆漢墓簡帛集成》第1冊(北京:中華書局,2014年),頁99。

99 湖南省博物館,復旦大學出土文獻與古文字研究中心編纂,裘錫圭主編:《長沙馬王堆漢墓簡帛集成》第1冊,頁100。

100 案:簡帛文字中的「王」字,首兩橫畫的距離比較接近,與底畫的距離則比較遠;「玉」字三橫畫間的距離相約。

101 〔戰國〕荀況著,王天海校釋:《荀子校釋》,卷7,頁487。

102 〔清〕王先謙撰,沈嘯寰、王星賢點校:《荀子集解》,卷7,頁211。

103 〔唐〕魏徵等奉敕撰,〔日〕尾崎康、小林芳規解題:《群書治要》第6冊,卷38,頁34。

104 〔唐〕魏徵等撰:《群書治要》(日本國立公文書館藏慶長年間駿府御文庫鈔本),卷38,頁24。

105 〔唐〕魏徵等撰:《群書治要》(日本東京大學東洋文化研究所藏元和2年(1616)銅活字本),卷38,頁15b。

106 〔唐〕魏徵等撰:《群書治要》,《續修四庫全書》第1187冊,卷38,頁13a。

《群書治要》有『者』字。以上文『明君者』例之，此亦當有。」[107]王說是，此處若作「闇君者」，詞語形式正好與上句「明君者」一致。準此，當據《治要》補上「者」字。

例10：〈王霸篇〉「使臣下百吏莫不宿道向方而務」句

《荀子》：	使臣下百吏莫不宿道鄉方而務，是夫人主之職也。[108]
金澤文庫本：	使臣下百吏莫不宿道向方而務，是夫人主之職也。[109]
駿府御文庫本：	使臣下百吏莫不宿道向方而務，是夫人主之職也。[110]
駿河版：	使臣下百吏莫不宿道向方而務，是夫人主之職也。[111]
天明本：	使臣下百吏莫不宿道向方而務，是夫人主之職也。[112]

案：諸本《治要》俱作「向方」。究其文義，「鄉方」與「向方」並無分別，然考楊倞注：「向方，不迷亂也。臣下皆以宿道向方而務。」[113]從注文來看，楊倞所見《荀子》當與《治要》所本《荀子》一樣，作「向方」。據此，作「向方」者當為《荀子》一書的舊貌，當參諸本《治要》訂正為是。

例11：〈君道篇〉「拔材官能」句

《荀子》：	然後明分職、序事業、材技官能，莫不治理。[114]
金澤文庫本：	明分職，序事業，拔材官能，莫不治理。[115]
駿府御文庫本：	明分職，序事業，拔材官能，莫不治理。[116]
駿河版：	明分職，序事業，拔材官能，莫不治理。[117]
天明本：	明分職，序事業，拔材官能，莫不治理。[118]

107 〔清〕王先謙撰，沈嘯寰、王星賢點校：《荀子集解》，卷7，頁211。
108 〔清〕王先謙撰，沈嘯寰、王星賢點校：《荀子集解》，卷7，頁212。
109 〔唐〕魏徵等奉敕撰，〔日〕尾崎康、小林芳規解題：《群書治要》第6冊，卷38，頁34。
110 〔唐〕魏徵等撰：《群書治要》（日本國立公文書館藏慶長年間駿府御文庫鈔本），卷38，頁25。
111 〔唐〕魏徵等撰：《群書治要》（日本東京大學東洋文化研究所藏元和2年（1616）銅活字本），卷38，頁15b。
112 〔唐〕魏徵等撰：《群書治要》，《續修四庫全書》第1187冊，卷38，頁13b。
113 〔清〕王先謙撰，沈嘯寰、王星賢點校：《荀子集解》，卷7，頁212。
114 〔清〕王先謙撰，沈嘯寰、王星賢點校：《荀子集解》，卷8，頁239。
115 〔唐〕魏徵等奉敕撰，〔日〕尾崎康、小林芳規解題：《群書治要》第6冊，卷38，頁44。
116 〔唐〕魏徵等撰：《群書治要》（日本國立公文書館藏慶長年間駿府御文庫鈔本），卷38，頁33。
117 〔唐〕魏徵等撰：《群書治要》（日本東京大學東洋文化研究所藏元和2年（1616）銅活字本），卷38，頁20b。
118 〔唐〕魏徵等撰：《群書治要》，《續修四庫全書》第1187冊，卷38，頁17a。

案：諸本《治要》俱刪去「然後」二字，以及「材技官能」作「拔材官能」。《治要》引書多為摘錄，故「然後」二字當為《治要》編者所刪。至於後者，歷代注家俱將「材枝」以述賓結構的形式解釋，如日人冢田虎有云：「材技官能，技藝之人，應以技而材用之。」[119]王先謙《荀子集解》：「材以驗技，官以程能。」[120]北京大學《荀子》注釋組《荀子新注》：「材技官能：任用有技術、有才能的人。」[121]

然而，若取之與「拔材官能」比較，後者於義較長。況且，今本《荀子》作「材技」者，或源於「拔材」先倒訛作「材拔」，後「拔」字又訛為「技」字。故此，當據諸本《治要》訂正作「拔材官能」為是。

例12：〈致士篇〉「而在乎不誠」句

《荀子》：	人主之患，不在乎不言用賢，而在乎誠必用賢。[122]
金澤文庫本：	人主之患，不在乎不言，而在乎不誠。[123]
駿府御文庫本：	人主之患，不在乎不言，而在乎不誠。[124]
駿河版：	人主之患，不在乎不言，而在乎不誠。[125]
天明本：	人主之患，不在乎不言，而在乎不誠。[126]

案：諸本《治要》俱刪去「用賢」兩字以及「必用賢」三字，以及多一「不」字。然而，《治要》引文往往對原文有所刪減，故「用賢」二字及「必用賢」三字，當為編者所刪。諸家所論甚多，如盧文弨有云：「此句有誤，當作『而在乎不誠用賢』。」[127]盧氏認為當作「不誠用賢」，惟未有深論。王念孫《讀書雜志》有云：

> 當作「而在乎不誠必用賢」，言用賢之不誠不必也。《管子‧九守篇》曰「用賞者貴誠，用刑者貴必」，《呂氏春秋‧論威篇》曰「又況乎萬乘之國而有所誠必

---

119 案：冢田虎《荀子斷》原書未見，引文轉引自戰國‧荀況撰，王天海校釋：《荀子校釋》，卷8，頁548。

120 〔清〕王先謙撰，沈嘯寰、王星賢點校：《荀子集解》，卷8，頁239。

121 北京大學《荀子》注釋組：《荀子新注》（北京：中華書局，1979年），頁200。

122 〔清〕王先謙撰，沈嘯寰、王星賢點校：《荀子集解》，卷9，頁261。

123 〔唐〕魏徵等奉敕撰，〔日〕尾崎康、小林芳規解題：《群書治要》第6冊，卷38，頁52。

124 〔唐〕魏徵等撰：《群書治要》（日本國立公文書館藏慶長年間駿府御文庫鈔本），卷38，頁39。

125 〔唐〕魏徵等撰：《群書治要》（日本東京大學東洋文化研究所藏元和2年（1616）銅活字本），卷38，頁24a。

126 〔唐〕魏徵等撰：《群書治要》，《續修四庫全書》第1187冊，卷38，頁20b。

127 〔唐〕楊倞注，〔清〕盧文弨、謝墉校：《荀子》，收錄於〔清〕盧文弨編：《抱經堂叢書》，卷9，頁9b。

乎」，《賈子‧道術篇》曰「伏義誠必謂之節」，《淮南‧兵略篇》曰「將不誠必則卒不勇敢」，枚乘《七發》曰「誠必不悔，決絕以諾」，皆以「誠必」連文，則「必」字不可刪。[128]

王氏提出書證，指「誠必」連文，並非訛文，當作「不誠必用賢」。其後王先謙《荀子集解》：「《群書治要》作『不在乎不言，而在乎不誠』。《治要》引書，多節刪而不增字，其引此文，『誠』有『不』字，此脫『不』字之明證。」[129]劉師培《荀子斠補》：「《中論‧亡國篇》引此文云：『人主之患，不在乎言不用賢，而在乎誠不用賢』。當據訂。」[130]論說雖略有分別，然兩人分別以《治要》及《中論》為據，指出後句當有「不」字為是。王天海亦同意後句當有「不」字，其云：「據下文『口行相反』之意，可知『必』乃『不』字之誤。下文『言用賢者口也，卻賢者行也。』此『誠不用賢』即『卻賢者』也，是其證。」[131]既知後句當有「不」字為是，加上王念孫證「誠必」為連文，並非訛文，且《治要》作「不誠」，故當據《治要》補上「不」字。

例13：〈議兵篇〉「若以指撓沸」句

《荀子》：	譬之若以卵投石，以指撓沸，若赴水火，入焉焦沒耳。[132]
金澤文庫本：	譬之若以卵投石，若以指撓沸；若赴水火，入焉焦沒耳！[133]
駿府御文庫本：	譬之若以卵投石，若以指撓沸；若起水火，入焉焦沒耳！[134]
駿河版：	譬之若以卵投石，若以指撓沸；若赴水火，入焉焦沒耳！[135]
天明本：	譬之若以卵投石，若以指撓沸；若赴水火，入焉焦沒耳！[136]

案：諸本《治要》俱多一「若」字，作「若以指撓沸」。前句作「若以卵投石」，後句作「若起水火」，則此句當據《治要》補上「若」字，作「若以指撓沸」，如此則句式一致。

128 〔清〕王念孫撰，徐煒君等校點：《讀書雜志》，荀子弟五，頁1795。
129 〔清〕王先謙撰，沈嘯寰、王星賢點校：《荀子集解》，卷9，頁261。
130 劉師培著：《荀子斠補》，收入劉師培著：《劉申叔遺書》，卷1，頁919。
131 〔戰國〕荀況著，王天海校釋：《荀子校釋》，卷9，頁594。
132 〔清〕王先謙撰，沈嘯寰、王星賢點校：《荀子集解》，卷10，頁267。
133 〔唐〕魏徵等奉敕撰，〔日〕尾崎康、小林芳規解題：《群書治要》第6冊，卷38，頁55。
134 〔唐〕魏徵等撰：《群書治要》（日本國立公文書館藏慶長年間駿府御文庫鈔本），卷38，頁41-42。
135 〔唐〕魏徵等撰：《群書治要》（日本東京大學東洋文化研究所藏元和2年（1616）銅活字本），卷38，頁25b。
136 〔唐〕魏徵等撰：《群書治要》，《續修四庫全書》第1187冊，卷38，頁21b。

例14：〈天論篇〉「循道而不忒」句

《荀子》：	脩道而不貳，則天不能禍。[137]
金澤文庫本：	循道而不忒，則天不能禍。[138]
駿府御文庫本：	循道而不忒，則天不能禍。[139]
駿河版：	循道而不忒，則天不能禍。[140]
天明本：	循道而不忒，則天不能禍。[141]

案：諸本《治要》俱作「循」、「忒」，而非《荀子》的「脩」、「貳」。王念孫《讀書雜志》有云：

> 「脩」，當為「循」，字之誤也。（隸書「循」「脩」相似，說見《管子·形勢篇》。）循，順也。「貳」，當為「貣」，亦字之誤也。（凡經傳中「貣」字多誤作「貳」，說見《管子·勢篇》。）貣與忒同。〔……〕《群書治要》作「循道而不忒」，足正楊本之誤。[142]

王氏從字形切入，指出《荀子》誤作「脩」「貳」，俱為形近而訛所致，並以《治要》為書證，證當作「循」、「忒」為是。故當據王氏所論，以《治要》所錄為是。

例15：〈天論篇〉「故水旱不能使之飢」句

《荀子》：	故水旱不能使之飢渴，寒暑不能使之疾，[143]
金澤文庫本：	故水旱不能使之飢，寒暑不能使之疾，[144]
駿府御文庫本：	故水旱不能使之飢，寒暑不能使之疾，[145]
駿河版：	故水旱不能使之飢，寒暑不能使之疾，[146]
天明本：	故水旱不能使之飢，寒暑不能使之疾，[147]

---

137 〔清〕王先謙撰，沈嘯寰、王星賢點校：《荀子集解》，卷11，頁307。
138 〔唐〕魏徵等奉敕撰，〔日〕尾崎康、小林芳規解題：《群書治要》第6冊，卷38，頁57。
139 〔唐〕魏徵等撰：《群書治要》（日本國立公文書館藏慶長年間駿府御文庫鈔本），卷38，頁43。
140 〔唐〕魏徵等撰：《群書治要》（日本東京大學東洋文化研究所藏元和2年（1616）銅活字本），卷38，頁26b。
141 〔唐〕魏徵等撰：《群書治要》，《續修四庫全書》第1187冊，卷38，頁22b。
142 〔清〕王念孫撰，徐煒君等校點：《讀書雜志》，荀子弟五，頁1818。
143 〔清〕王先謙撰，沈嘯寰、王星賢點校：《荀子集解》，卷11，頁307。
144 〔唐〕魏徵等奉敕撰，〔日〕尾崎康、小林芳規解題：《群書治要》第6冊，卷38，頁57。
145 〔唐〕魏徵等撰：《群書治要》（日本國立公文書館藏慶長年間駿府御文庫鈔本），卷38，頁43。
146 〔唐〕魏徵等撰：《群書治要》（日本東京大學東洋文化研究所藏元和2年（1616）銅活字本），卷38，頁26b。
147 〔唐〕魏徵等撰：《群書治要》，《續修四庫全書》第1187冊，卷38，頁22b。

　　案：諸本《治要》俱少一「渴」。王念孫有云：「《群書治要》無『渴』字。下文『水旱未至而飢』，亦無『渴』字。」[148]潘重規〈王先謙《荀子集解》訂補〉：「『渴』字或是衍文。」[149]王天海《荀子校釋》：「據下文例，『渴』字不當有，疑衍。《治要》無『渴』字。」[150]諸家說是。若作「水旱不能使之飢渴」，則句式與後句「寒暑不能使之疾」、「祅怪不能使之凶」並不一致，故當從諸家所說，據《治要》所錄刪去「渴」字。

例16：〈天論篇〉「恠未生而凶」句

《荀子》：	故水旱未至而飢，寒暑未薄而疾，祅怪未至而凶。[151]
金澤文庫本：	故水旱未至而飢，寒暑未薄而疾，恠未生而凶。[152]
駿府御文庫本：	故水旱未至而飢，寒暑未薄而疾，恠未生而凶。[153]
駿河版：	故水旱未至而飢，寒暑未薄而疾，怪未生而凶。[154]
天明本：	故水旱未至而飢，寒暑未薄而疾，怪未生而凶。[155]

　　案：諸本《治要》俱作「生」，而非《荀子》作「至」。王念孫有云：「『未至』二字，與上文複。《群書治要》『至』作『生』，是也。下文『祅是生於亂』，即其證。『生』『至』字相似，又涉上文『未至』而誤。」[156]王天海認同王念孫所論，有云：「《治要》此句作『怪未生而凶』，故王說是。」[157]準此，當據《治要》作「生」為是。

例17：〈大略篇〉「務哉！務哉！」句

| 《荀子》： | 豫哉！豫哉！[158] |
| 金澤文庫本： | 務哉！務哉！[159] |

148　〔清〕王念孫撰，徐煒君等校點：《讀書雜志》，荀子弟五，頁1819。

149　潘重規：〈王先謙《荀子集解》訂補〉，《師大學報》1期（1956年01月），頁59。

150　〔戰國〕荀況著，王天海校釋：《荀子校釋》，卷11，頁678。

151　〔清〕王先謙撰，沈嘯寰、王星賢點校：《荀子集解》，卷11，頁308。

152　〔唐〕魏徵等奉敕撰，〔日〕尾崎康、小林芳規解題：《群書治要》第6冊，卷38，頁57。

153　〔唐〕魏徵等撰：《群書治要》（日本國立公文書館藏慶長年間駿府御文庫鈔本），卷38，頁43。

154　〔唐〕魏徵等撰：《群書治要》（日本東京大學東洋文化研究所藏元和2年（1616）銅活字本），卷38，頁26b。

155　〔唐〕魏徵等撰：《群書治要》，《續修四庫全書》第1187冊，卷38，頁22b。

156　〔清〕王念孫撰，徐煒君等校點：《讀書雜志》，荀子弟五，頁1819。

157　〔戰國〕荀況著，王天海校釋：《荀子校釋》，卷11，頁679。

158　〔清〕王先謙撰，沈嘯寰、王星賢點校：《荀子集解》，卷19，頁493。

159　〔唐〕魏徵等奉敕撰，〔日〕尾崎康、小林芳規解題：《群書治要》第6冊，卷38，頁66。

駿府御文庫本：	務哉！務哉！[160]
駿河版：	務哉！務哉！[161]
天明本：	務哉！務哉！[162]

　　案：諸本《治要》俱作「務」，而非《荀子》作「豫」。王先謙有云：「《治要》作『務哉，務哉』！」[163]劉師培從古音切入，認為當作「務」，有云：「務、茂古通，務哉，務哉，猶之茂哉茂哉也。」[164]鍾泰認為今本《荀子》作「豫」為涉上文而訛，其云：「『豫哉』，涉上文『豫』字而偽，當從《群書治要》作『務哉』。」[165]

五　略論駿府御文庫本與駿河版《群書治要》之關係

　　有關駿府御文庫本與駿河版《治要》的關係，相關研究幾近於無，暫時僅見福井保《江戶幕府刊行物》及尾崎康〈群書治要とその現存本〉兩文論及相關問題。兩文僅提及駿府御文庫本《治要》為刊印駿河版《治要》時所依據底本，然未有深論。今以卷三十八所引《荀子》為例，以見駿府御文庫本與駿河版《治要》之關係。

（一）駿府御文庫本與駿河版《治要》相同訛文例

　　透過對讀諸本《治要》所錄《荀子》以及今本《荀子》文字，當中唯駿府御文庫本及駿河版有誤，而他本《治要》皆不誤者，合計四例，今詳析如下：

例18：〈修身編〉

《荀子》：	致亂而惡人之非己也，致不肖而欲人之賢己也。[166]
金澤文庫本：	致亂而惡人之非己也，致不肖而欲人之賢己也。[167]
駿府御文庫本：	致亂而惡人之非己也，致不肖而欲人之賢己也。[168]

160　〔唐〕魏徵等撰：《群書治要》（日本國立公文書館藏慶長年間駿府御文庫鈔本），卷38，頁50。

161　〔唐〕魏徵等撰：《群書治要》（日本東京大學東洋文化研究所藏元和2年（1616）銅活字本），卷38，頁30b。

162　〔唐〕魏徵等撰：《群書治要》，《續修四庫全書》第1187冊，卷38，頁25b。

163　〔清〕王先謙撰，沈嘯寰、王星賢點校：《荀子集解》，卷19，頁493。

164　劉師培著：《荀子斠補》，收入《劉申叔遺書》，卷4，頁933。

165　鍾泰：《荀注訂補》（上海：商務印書館，1936年），頁192。

166　〔清〕王先謙撰，沈嘯寰、王星賢點校：《荀子集解》，卷1，頁20。

167　〔唐〕魏徵等奉敕撰，〔日〕尾崎康、小林芳規解題：《群書治要》第6冊，卷38，頁8。

駿河版：	致亂而惡人之非己也，致不肖而欲人之賢己也。[169]
天明本：	致亂而惡人之非己也，致不肖而欲人之賢己也。[170]

　　案：就對讀所見，僅駿府御文庫本及駿河版作「惡」，金澤文庫本、天明本及今本《荀子》俱作「惡」。「惡」、「惡」二字字形相近，駿府御文庫本及駿河版亦因此同樣誤「惡」作「惡」，可見其關係密切。

例19：〈修身編〉

《荀子》：	亦或遲或速、或先或後耳，胡為乎其不可亦相及也？[171]
金澤文庫本：	或遲或速、或先或後耳，胡為乎其不可亦相及也？[172]
駿府御文庫本：	或遲或速、或先或後耳，胡為平其不可亦相及也？[173]
駿河版：	或遲或速、或先或後耳，胡為平其不可亦相及也？[174]
天明本：	或遲或速、或先或後耳，胡為乎其不可亦相及也？[175]

　　案：就對讀所見，僅駿府御文庫本及駿河版作「平」，金澤文庫本、天明本及今本《荀子》俱作「乎」。「平」字當為「乎」字之訛，駿府御文庫本及駿河版既存相同錯誤，可證兩本關係密切。

例20：〈榮辱編〉

《荀子》：	脩正治辨矣，而亦欲人之善己也。[176]
金澤文庫本：	脩正治辨矣，而亦欲人之善己也。[177]
駿府御文庫本：	循治辨矣，而亦欲人之善己也。[178]

168

169　〔唐〕魏徵等撰：《群書治要》（日本東京大學東洋文化研究所藏元和2年（1616）銅活字本），卷38，頁2b。

170　〔唐〕魏徵等撰：《群書治要》，《續修四庫全書》第1187冊，卷38，頁2a。

171　〔清〕王先謙撰，沈嘯寰、王星賢點校：《荀子集解》，卷1，頁31。

172　〔唐〕魏徵等奉敕撰，〔日〕尾崎康、小林芳規解題：《群書治要》第6冊，卷38，頁8。

173　〔唐〕魏徵等撰：《群書治要》（日本國立公文書館藏慶長年間駿府御文庫鈔本），卷38，頁4。

174　〔唐〕魏徵等撰：《群書治要》（日本東京大學東洋文化研究所藏元和2年（1616）銅活字本），卷38，頁2b。

175　〔唐〕魏徵等撰：《群書治要》，《續修四庫全書》第1187冊，卷38，頁2b。

176　〔清〕王先謙撰，沈嘯寰、王星賢點校：《荀子集解》，卷2，頁61。

177　〔唐〕魏徵等奉敕撰，〔日〕尾崎康、小林芳規解題：《群書治要》第6冊，卷38，頁12-13。

178　〔唐〕魏徵等撰：《群書治要》（日本國立公文書館藏慶長年間駿府御文庫鈔本），卷38，頁7。

駿河版：	循治辨矣，而亦欲人之善己也。[179]
天明本：	脩正治辨矣，而亦欲人之善己也。[180]

案：就對讀所見，僅駿府御文庫本及駿河版脫一「正」字，金澤文庫本、天明本及今本《荀子》俱未有脫誤。此脫文乃駿府御文庫本及駿河版所獨有，可證兩本關係密切。

例21：〈性惡編〉

《荀子》：	所見者汙漫、淫耶、貪利之行也。[181]
金澤文庫本：	所見者汙漫、淫耶、貪利之行也。[182]
駿府御文庫本：	所見者汙漫、滛邪、貪利之行也。[183]
駿河版：	所見者汙漫、滛邪、貪利之行也。[184]
天明本：	所見者汙漫、淫邪、貪利之行也。[185]

案：就對讀所見，駿府御文庫本及駿河版作「滛」，金澤文庫本、天明本及今本《荀子》俱作「淫」。「滛」、「淫」二字字形相近，今駿府御文庫本及駿河版同樣誤「淫」作「滛」，是知兩本關係密切。

（二）駿府御文庫本《治要》獨有脫文例

駿府御文庫本與駿河版《治要》雖然關係密切，存有唯駿府御文庫本及駿河版有誤，而他本《治要》皆不誤的文字，然駿府御文庫本《治要》亦見其獨有的脫文例，則駿河版刊印之時，曾參考他本《治要》為是。以下為相關例子：

---

179 〔唐〕魏徵等撰：《群書治要》（日本東京大學東洋文化研究所藏元和2年（1616）銅活字本），卷38，頁5a。

180 〔唐〕魏徵等撰：《群書治要》，《續修四庫全書》第1187冊，卷38，頁4b。

181 〔清〕王先謙撰，沈嘯寰、王星賢點校：《荀子集解》，卷17，頁449。

182 〔唐〕魏徵等奉敕撰，〔日〕尾崎康、小林芳規解題：《群書治要》第6冊，卷38，頁64。

183 〔唐〕魏徵等撰：《群書治要》（日本國立公文書館藏慶長年間駿府御文庫鈔本），卷38，頁48-49。

184 〔唐〕魏徵等撰：《群書治要》（日本東京大學東洋文化研究所藏元和2年（1616）銅活字本），卷38，頁29b。

185 〔唐〕魏徵等撰：《群書治要》，《續修四庫全書》第1187冊，卷38，頁25a。

例22：〈君道篇〉

《荀子》：	民不為己用，不為己死，而求兵之勁，城之固，不可得
金澤文庫本：	民不為己用，不為己死，而求兵之勁，城之固，不可得
駿府御文庫本：	民不為己用，不為己死，而求兵之勁，
駿河版：	民不為己用，不為己死，而求兵之勁，城之固，不可得
天明本：	民不為己用，不為己死，而求兵之勁，城之固，不可得
《荀子》：	也。兵不勁，城不固，而求敵之不至，不可得也。[186]
金澤文庫本：	也。兵不勁，城不固，而求敵之不至，不可得也。[187]
駿府御文庫本：	城不固，而求敵之不至，不可得也。[188]
駿河版：	也。兵不勁，城不固，而求敵之不至，不可得也。[189]
天明本：	也。兵不勁，城不固，而求敵之不至，不可得也。[190]

案：從上述排比對讀可見，駿府御文庫本《治要》脫「城之固，不可得也。兵不勁」十個字，而金澤文庫本、駿河版、天明本《治要》及今本《荀子》俱未見脫文。此當是駿府御文庫本《治要》之獨有脫文。準此，今駿河版《治要》

例23：〈君道篇〉

《荀子》：	「唯明主為能愛其所愛，闇主則必危其所愛。」此之謂也。[191]
金澤文庫本：	「唯明主為能愛其所愛，闇主則必危其所愛。」此之謂也。[192]
駿府御文庫本：	「唯明主為能愛其所愛。」此之謂也。[193]
駿河版：	「唯明主為能愛其所愛，闇主則必危其所愛。」此之謂也。[194]

---

186 〔清〕王先謙撰，沈嘯寰、王星賢點校：《荀子集解》，卷8，頁235。
187 〔唐〕魏徵等奉敕撰，〔日〕尾崎康、小林芳規解題：《群書治要》第6冊，卷38，頁43-44。
188 〔唐〕魏徵等撰：《群書治要》（日本國立公文書館藏慶長年間駿府御文庫鈔本），卷38，頁32。
189 〔唐〕魏徵等撰：《群書治要》（日本東京大學東洋文化研究所藏元和2年（1616）銅活字本），卷38，頁20a。
190 〔唐〕魏徵等撰：《群書治要》，《續修四庫全書》第1187冊，卷38，頁17a。
191 〔清〕王先謙撰，沈嘯寰、王星賢點校：《荀子集解》，卷8，頁243。
192 〔唐〕魏徵等奉敕撰，〔日〕尾崎康、小林芳規解題：《群書治要》第6冊，卷38，頁49。
193 〔唐〕魏徵等撰：《群書治要》（日本國立公文書館藏慶長年間駿府御文庫鈔本），卷38，頁37。
194 〔唐〕魏徵等撰：《群書治要》（日本東京大學東洋文化研究所藏元和2年（1616）銅活字本），卷38，頁22b。

天明本：	「唯明主為能愛其所愛，闇主則必危其所愛。」此之謂也。[195]

案：從上述排比對讀可見，駿府御文庫本《治要》脫「闇主則必危其所愛」句，金澤文庫本、駿河版、天明本《治要》及今本《荀子》俱未見脫文。此亦是駿府御文庫本《治要》的獨有脫文。

小結

綜上所論，諸本《治要》中，僅駿府御文庫本及駿河版有誤，而他本皆不誤的文例，當可為駿府御文庫本為駿河版所據底本之說法提供實證。然駿府御文庫本既存獨有脫文，推而論之，駿河版或非如前人所論，僅以駿府御文庫本為參照本，其於刊印之時亦當參考他本《治要》為是。

六 結語

本文從篇目序次及校勘兩方面討論《治要》引錄《荀子》的情況。總括而言，可得以下數點：

其一、有關《治要》版本上的研究，學界所論雖多，卻罕有論及駿府御文庫本。本文以卷三十八為例，指出駿府御文庫本抄錄時所據金澤文庫本，其文字序次或與今所見不同。推而論之，駿府御文庫本所錄文字序次，或保留金澤文庫本的原來面貌，若可以對駿府御文庫本所錄文字作全面研究，對於研究金澤文庫本《治要》的原來面貌，當有所裨益。

其二、透過比對劉向〈孫卿新書書錄〉及金澤文庫本《治要》兩者所收《荀子》篇目之序次，證《荀子》一書自劉向校定以後，及至初唐年間《治要》編定之時，其書目篇次俱未見更動。

其三、《治要》本子眾多，然學界整理《荀子》一書者，僅取資天明本《治要》校理典籍，誠為憾事。本文以《荀子》為例，列舉金澤文庫本、駿府御文庫本、駿河版及天明本四種《治要》為證，以證取《治要》勘證古籍，當兼取諸本《治要》為是。

其四、對於駿府御文庫本與駿河版《治要》的關系，學界罕有論及。本文從駿府御文庫本《治要》既存在只與駿河版《治要》相合的訛文，亦有獨有脫文的情況，推論駿河版或非如前人所論，僅以駿府御文庫本為參照本，其於刊印之時亦當參考他本《治要》。

---

195 〔唐〕魏徵等撰：《群書治要》，《續修四庫全書》第1187冊，卷38，頁19a。

徵引書目

一　原典文獻

〔日〕島田翰撰，杜澤遜、王曉娟點校：《古文舊書考》，上海：上海古籍出版社，2014年。

〔日〕福井保：《江戶幕府刊行物》，東京：雄松堂出版，1985年。

〔戰國〕荀況著，王天海校釋：《荀子校釋》，上海：上海古籍出版社，2005年。

〔漢〕劉向、劉歆撰，〔清〕姚振宗輯錄，鄧駿捷校補：《七略別錄佚文・七略佚文》，上海：上海古籍出版社，2008年。

〔唐〕楊倞注，〔清〕盧文弨、謝墉校：《荀子》，收錄於〔清〕盧文弨編：《抱經堂叢書》，北京：直隸書局，1923年，據乾隆丙午（1786）校刊嘉善謝氏藏版影印。

〔唐〕魏徵等奉敕撰，〔日〕尾崎康、小林芳規解題：《群書治要》，東京：汲古書院，1989年，據日本宮內廳書陵部藏鏞倉時代鈔本影印。

〔唐〕魏徵等撰：《群書治要》，《續修四庫全書》第1187冊，上海：上海古籍出版社，2002年，據日本天明7年（1787）尾張藩刻本影印。

〔唐〕魏徵等撰：《群書治要》，日本東京大學東洋文化研究所藏元和2年（1616）銅活字本。

〔唐〕魏徵等撰：《群書治要》，日本國立公文書館藏慶長年間駿府御文庫鈔本。

〔唐〕魏徵等撰：《群書治要》，日本國立博物館藏平安時代寫本。

〔宋〕王溥：《唐會要》，北京：中華書局，1955年。

〔清〕王先謙集解，〔日〕久保愛增註，〔日〕豬飼彥博補遺：《增補荀子集解》，收錄於〔日〕服部宇之吉編：《漢文大系》第15冊，成都：四川大學出版社，2017年。

〔清〕王先謙撰，沈嘯寰、王星賢點校：《荀子集解》，北京：中華書局，1988年。

〔清〕王念孫撰，徐煒君等校點：《讀書雜志》，上海：上海古籍出版社，2015年。

〔清〕郝懿行撰：《荀子補注》，收錄於四庫未收書輯刊編纂委員會編：《四庫未收書輯刊》第6輯第12冊，北京：北京出版社，2000年，據清嘉慶光續間刻郝氏遺書本影印。

〔清〕楊守敬：《日本訪書志》，收入《續修四庫全書》第930冊，上海：上海古籍出版社，1995年，據清光緒鄰蘇園刻本影印。

〔清〕劉淇著，章錫琛校注：《助字辨略》，北京：中華書局，1954年。

北京大學《荀子》注釋組：《荀子新注》，北京：中華書局，1979年。

湖南省博物館，復旦大學出土文獻與古文字研究中心編纂，裘錫圭主編：《長沙馬王堆漢墓簡帛集成》第1冊，北京：中華書局，2014年。

劉師培著：《荀子斠補》，收入《劉申叔遺書》，南京：江蘇古籍出版社，1997年，據民
　　　國二十三年（1934）寧武南氏刊本影印。

鍾泰：《荀注訂補》，上海：商務印書館，1936年。

二　近人論著

P. M. Thompson, *The Shen Tzu Fragments*, Oxford: Oxford University Press, 1979.

〔日〕小林芳規：〈金澤文庫本群書治要の訓點〉，收入〔唐〕魏徵等奉敕撰，〔日〕尾
　　　崎康、小林芳規解題：《群書治要》第7冊，東京：汲古書院，1989年，頁479-
　　　512。

〔日〕尾崎康：〈群書治要とその現存本〉，《斯道文庫論集》1990年第25號（1990年03
　　　月），頁121-210。

〔日〕尾崎康：〈群書治要解題〉，收入〔唐〕魏徵等奉敕撰，〔日〕尾崎康、小林芳規
　　　解題：《群書治要》第7冊，東京：汲古書院，1989年，頁471-478。

〔南韓〕金光一：〈日本江戶時代古學派與《群書治要》回傳中國的關係〉，收入林朝
　　　成、張瑞麟主編：《第一屆《群書治要》國際學術研討會論文集》（臺北：萬卷
　　　樓，2020年），頁21-34。

汪辟疆：《汪辟疆文集》，上海：上海古籍出版社，1988年。

林溢欣：〈《群書治要》引書考〉，香港：香港中文大學中國語言及文學系哲學碩士論
　　　文，2011年。

林溢欣：〈從日本藏卷子本《群書治要》看《三國志》校勘及其版本問題〉，《中國文化
　　　研究所學報》53期（2011年07月），頁193-216。

潘重規：〈王先謙《荀子集解》訂補〉，《師大學報》1期（1956年01月），頁49-65。

潘銘基：〈日藏平安時代九条家本《群書治要》研究〉，《中國文化研究所學報》67期
　　　（2018年07月），頁1-38。

《群書治要》編選《抱朴子・酒誡》意蘊：貞觀時代的飲酒與政治關係

江伊薇

國立成功大學中國文學系中國文學博士生

摘要

　　魏徵等人奉唐太宗的命令編纂《群書治要》，收錄古今重要典籍，加以翦截浮放，呈現編者想強調的精神宗旨，且內容多扣緊政要之務，故本文透過查考《群書治要》對於《抱朴子・酒誡》的收錄情形，以了解唐初知識分子對於飲酒文化與政治的想法與關聯，亦可由此照見魏徵等人對於統治者飲酒觀的期待與提醒。回歸初唐的時代背景，《群書治要》特意收錄《抱朴子・酒誡》一篇，可見飲酒之風已是社會上的重要議題，由是對應至《隋書》、《舊唐書》、《貞觀政要》等史料，更可見唐初酒政發展之情形，以及飲酒文化如何從群體禮制規範，漸漸走向個人飲品與感官享樂之物。透過《群書治要》的裁剪，使編者意蘊更能凸顯，亦是重新建構與認識唐代政治文化的重要視角。

關鍵詞：群書治要、葛洪、抱朴子、酒文化、貞觀時代

Implications of "Baopuzi·Jiujie" Compiled in Qunshu Zhiyao: Drinking and Political Relations in the Zhenguan Era

Yi-Wei Chiang

PhD Student, Department of Chinese Literature, National Cheng Kung University

Abstract

Wei Zheng and others compiled Qunshu Zhiyao under the order of Emperor Taizong of Tang Dynasty, which included important ancient and modern classics, cut and released them, and presented the spiritual purpose that the editor wanted to emphasize.Therefore, this article examines the collection of "Baopuzi · Jiujie" in "Qunshu Zhiyao" to understand the thinking and relationship between intellectuals in the early Tang Dynasty about drinking culture and politics, and also to see Wei Zheng et al. Expectations and Reminders. Returning to the background of the early Tang Dynasty, "Qunshu Zhiyao" specially included an article "Baopuzi · Liquor Commandments", which shows that the habit of drinking alcohol has become an important issue in society.Corresponding to "Sui Shu", "Old Tang Shu", "Zhenguan Zhengyao" and other historical materials, we can see the development of liquor administration in the early Tang Dynasty, and how the drinking culture gradually moved from group etiquette to individual drinking and sensory enjoyment. Thing.Through the tailoring of Qunshu Zhiyao, the meaning of the editor can be highlighted, and it is also an important perspective for reconstructing and understanding the political culture of the Tang Dynasty.

Keywords: Qunshu Zhizhi; Ge Hong; Baopuzi; wine culture; Zhenguan era

一　前言

　　《群書治要》一書是唐朝貞觀五年（631）由魏徵（580-643）等奉敕編纂的著作，該書摘錄了六十八種唐代以前的經典作品，重新節錄編排為五十卷，以作為君王治國要領的借鏡與參考，深入考察該書的體例與編纂問題，可以重新梳理貞觀君臣的互動狀態，並且對於「貞觀之治」的歷史脈絡更完整且多面向的認識，透過分析《群書治要》節鈔文獻的的具體內容，在書與不書之間，可以窺見貞觀君臣的治國理念與志向。

　　探究《群書治要》的編輯與初唐時代的社會情境需一併察考，根據《唐會要》記載：

> 太宗欲覽前王得失。爰自六經，訖於諸子，上始五帝，下盡晉年。徵與虞世南、褚亮、蕭德言等始成凡五十卷。[1]

根據上文，敘述了《群書治要》的編纂用意，可見唐太宗是為了觀覽前代作品，以作為施政得失的參考，由是也可窺見魏徵等人在採擷經典時，會依照著這樣的編輯目的，進行節選，以呼應帝王治理國政之需求。

　　唐太宗（598-649）生於戎馬之上，年輕時正處於隋末唐初的建國情境，幾乎都在戰場上開拓疆土，《舊唐書》曾載：「龍鳳之姿，天日之表，年將二十，必能濟世安民矣。」[2]、「大業末，煬帝於鴈門為突厥所圍，太宗應募救援，隸屯衛將軍雲定興營。」[3]可知青年時期的李世民驍勇善戰、用兵如神，步步建立出大唐江山，但也因在兵馬倥傯之中，而較少有時間去閱讀古典作品，吸取文獻知識，當攻守之勢更換時，擔任君王者，更需要治國良策與歷史借鑑來思考統治之術，而年輕時忙於征戰的李世民，在登基為帝後，即有閱讀經典作品以思考王政的需求，故令魏徵等人在六經與諸子論述之間節錄篩選內文，提供唐太宗作為治國方針的參考。

　　回歸到魏徵所著〈群書治要序〉所言：

> 以為六籍紛綸，百家踳駁。窮理盡性，則勞而少功；周覽汎觀，則博而寡要。故爰命臣等，採摭群書，翦截浮放，光昭訓典，聖思所存，務乎政術，綴敘大略，咸發神衷，雅致鈎深，規摹宏遠，網羅政體，事非一日。[4]

從「六籍紛綸，百家踳駁」，故而對於期待透過閱讀古籍，以達實用治事者，會「勞而少功」，更清楚的彰明了《群書治要》編輯的初衷，其中「採摭群書，翦截浮放」是《群書治要》擷取古典文獻的原則，由是可見魏徵等人以「翦截」的方式去採摭古典書

1　宋‧王溥：《唐會要》（京都：中文出版社，1978年），頁651。

2　後晉‧劉昫撰，楊家駱主編：《舊唐書》（臺北：鼎文書局，1981年，據清懼盈齋刻本），卷2，頁21。

3　後晉‧劉昫撰，楊家駱主編：《舊唐書》，卷2，頁21。

4　唐‧魏徵等編撰：〈群書治要序〉，《群書治要》（上海：世界書局，2011年），頁22-23。

籍，讓君王能有效率的觀覽群書，至於編輯要旨緊扣「務乎政術」、「網羅政體」，可呼應書名「治要」的精神，魏徵等人在節錄文字時，便以適合君王從政思辨的內容為主，由是可見唐初君臣處世思想與社會狀況，有助於掌握貞觀之治的重要內涵。

至於《群書治要》與傳統類書之別，在〈群書治要序〉中亦特別指出：

> 皇覽遍略，隨方類聚，名目互顯，首尾淆亂，文義斷絕，尋究為難。今之所撰，異乎先作，總立新名，各全舊體，欲令見本知末，原始要終，並棄彼春華，采茲秋實。一書之內，牙角無遺；一事之中，羽毛咸盡。[5]

《皇覽》一書為三國魏文帝時期編纂的類書，共分四十餘部，為類書之祖，而《遍略》即為南北朝時期重要的類書《華林遍略》，由梁武帝蕭衍下令華林園學士編纂，是中國古代許多重要類書的藍本。而魏徵認為這樣的類書，名目相互重複，且首尾混亂，文氣意義阻塞，這些都是傳統類書的缺點，因此魏徵在編纂《群書治要》時，便希望能以不同的形式撰寫，以期能達到「總立新名」、「見本知末」的效果，在序中亦提及了《群書治要》輯錄的特色，才能突破傳統類書框架，開啟群書經典精華，纂輯要點體現在「棄彼春華，采茲秋實」的說明上，春華與秋實者，皆比喻書中的意義，透過編輯者的捨棄與摘錄，使經世治國之理，有意識地呈現重要精神，才能總立新名，呈現編者想強調與看重的意蘊，並見本知末，雖有所節選，但魏徵亦特別標明一書中的選錄內容，結構皆全面完整，細讀《群書治要》，文句通暢，且文氣連結，若非與原文比對，很難發現其中之差異，這正是該書在編輯與撰寫時的用心經營，更可見編者並非只是將該書視為文獻收錄的類書，而是藉由文本的選擇與編排，重新二創，賦予嶄新意義。

最後，在〈群書治要序〉末段，提及魏徵等人期待藉由編輯該書，以達治世之成效，「用之當今，足以殷鑒前古；傳之來葉，可以貽厥孫謀。引而申之，觸類而長。」[6]藉由纂輯《群書治要》，提供唐太宗快速取得治國之理，能借古鑑今，甚至能提供給後代子孫作為吸取經驗與教訓的寶典，且就實用層面，這些經典之作，若將內容加以延伸，可以觸類旁通，以解決各方面的問題，故從魏徵所言，可見《群書治要》的編纂，與「崇巍巍之盛業，開蕩蕩之王道。」[7]的王政期待相互連結，故透過〈群書治要序〉可見該書的內容選錄與唐初的政治、社會情境息息相關，由是考察貞觀之政，更可見其深刻內涵。

梳理《群書治要》中對於東晉葛洪（283-343）《抱朴子》的選錄，可以發現魏徵等人在編輯上有其偏重，《抱朴子》一書，分成內篇二十卷與外篇五十卷，在《抱朴子外篇·自敘》言：「其內篇言神仙、方藥、鬼怪變化、養生延年、禳邪卻禍之事，屬道

家；其外篇言人間得失、世事臧否，屬儒家。」[8]彰顯了《抱朴子》屬於兼綜儒道之作，歷來研究者多重視內篇而忽略外篇，凸顯了葛洪的道教色彩，卻遺漏了外篇中，作者論及的政治、哲學、歷史和文學思想。在《群書治要》選錄的《抱朴子》內文中，編輯者完全沒有選錄內篇二十卷的任何文字，反而聚焦在外篇之中，在五十卷中，特別選錄了其中五卷，分別為「酒誡、疾謬、刺驕、博喻、廣譬」，可見這五個面向為魏徵等人特別著力的焦點，本論文以〈酒誡〉篇為核心，試圖去探析《群書治要》編選此篇文字的意蘊，並藉此為切入點，認識其中呈現的內在價值與思想內涵。

關於《群書治要》的研究，過去多側重於文獻輯佚方面，如吳金華〈略談日本古寫本《群書治要》的文獻學價值〉、[9]潘銘基〈日藏平安時代九条家本《群書治要》研究〉[10]等論文，皆是從版本與古籍之間的價值為探究面向；林溢欣〈從《群書治要》看唐初《孫子》版本系統——兼論《孫子》流傳、篇目序次等問題〉、[11]潘明基〈《群書治要》所錄《漢書》及其注解研究——兼論其所據《漢書》注本〉、[12]蔡蒙〈《群書治要》所引《尸子》校勘研究〉[13]等論文，針對《群書治要》收錄異文進行校勘比對，加以研究探討，上述內容多著重於文本比對與文獻分析，對於思想與意義的著墨較少，至於，論及對該書時代思想沒落與價值的探析，要以林朝成〈《群書治要》與貞觀之治——從君臣互動談起〉、[14]林朝成〈無為於親事，有為於用臣——論《群書治要・莊子》中「聖人」觀之流衍〉、[15]張瑞麟〈轉舊為新：《群書治要》的編纂與意義〉、[16]施穗鈺〈為君之難，為臣不易——以《群書治要》之納諫與勸諫為主軸〉[17]等論文為主，但多聚焦於全書整體編纂脈絡與單一古籍的選錄意義，對於《群書治要》與《抱朴子》的關係，並未有專論討論，且對於《抱朴子・外篇》的研究，雖有崔紅健〈葛洪《抱朴子・外篇》政

8　東晉・葛洪撰，陳飛龍註譯：《抱朴子內篇今註今譯》（臺北：臺灣商務印書館，2001年），頁1255。

9　吳金華：〈略談日本古寫本《群書治要》的文獻學價值〉，《文獻》，2003年7月，頁118-127。

10　潘銘基：〈日藏平安時代九条家本《群書治要》研究〉，《中國文化研究所學報》，2018年7月，頁1-38。

11　林溢欣：〈從《群書治要》看唐初《孫子》版本系統——兼論《孫子》流傳、篇目序次等問題〉，《古籍整理研究學刊》，2011年5月，頁62-68。

12　潘明基：〈《群書治要》所錄《漢書》及其注解研究——兼論其所據《漢書》注本〉，《成大中文學報》，2020年3月，頁73-114。

13　蔡蒙：〈《群書治要》所引《尸子》校勘研究〉，《文教資料》，2018年12月，頁84-85。

14　林朝成〈《群書治要》與貞觀之治——從君臣互動談起〉，《成大中文學報》，2019年12月，頁101-142。

15　林朝成：〈無為於親事，有為於用臣——論《群書治要・莊子》中「聖人」觀之流衍〉，收錄自林朝成、張瑞麟主編：《第一屆《群書治要》國際學術研討會論文集》（臺北：萬卷樓圖書股份有限公司，2020年），頁331-354。

16　張瑞麟：〈轉舊為新：《群書治要》的編纂與意義〉，《文與哲》，2020年6月，頁81-134。

17　施穗鈺：〈為君之難，為臣不易——以《群書治要》之納諫與勸諫為主軸〉，收錄自林朝成、張瑞麟主編：《第一屆《群書治要》國際學術研討會論文集》（臺北：萬卷樓圖書股份有限公司，2020年），頁409-433。

治思想中對儒家思想的取與棄〉、[18]孔毅〈論葛洪《抱朴子・外篇》的社會風俗批判思想〉[19]等研究，對於《抱朴子・外篇》的思考脈絡有深入分析，但多未論及《群書治要》編選的意蘊，故關於這個主題仍有許多空間加以剖析，本論文聚焦於《群書治要》與《抱朴子外篇・酒誡》的節選關係，試圖藉此探究貞觀時代的飲酒與政治關係，透過經典的選錄，展示其深具時代性的獨特思維內涵。

二　《抱朴子・酒誡》在《群書治要》中的選錄情形

葛洪在歷史上是著名的道教人士，亦曾自稱「竟不成純儒」[20]、「洪忝為儒者之末」[21]可知其思想跨足儒家與道家，駁雜而豐富的社會思維，兼採了儒家、道家、法家，甚至還涉及少量的墨家思想，以至於《隋書・經籍志》、《新唐書・藝文志》都將之歸類於「雜家」，而葛洪儒道兼修、內外開舉的人生追求，可在《抱朴子》中照見其生命軌跡與思想內涵，而本文聚焦探討的外篇，多含蘊了葛洪入世觀，對於當代的政治與風俗有其臧否，且兩者影響密切相關，「社會條件，尤其是統治階級的導向決定人們的價值取向和精神狀態。」[22]由是可見魏徵等人在編纂《群書治要》時，期待唐太宗能透過政治引導社會風尚，故而在選錄內容上有所編排，其中《抱朴子・酒誡》一文，在外篇五十卷中特意被選入，可見編者對於飲酒文化與政治狀況的聯繫。

分析《抱朴子・酒誡》原文，共2173字，而《群書治要》選錄了1032字，選錄比例高達47%，近一半的內容被選入，是《抱朴子》一書在《群書治要》中收錄比例相當高者，可見編者對於〈酒誡〉篇的重視，亦能從中認識魏徵等人對於飲酒風俗的見解，以及其期待的酒政關係。

表一為筆者比對《群書治要》選錄《抱朴子・酒誡》內容與原文的差異，由於篇幅關係，置於論文後之附錄，藉由考查其中之別，探究魏徵等人在文字擷采間，棄彼春華，采茲秋實，進而呈現其「總立新名」所含蘊的新意。

關於這樣的編排與書寫方式，可體現在清代章學誠《文史通義・答客問上》所言：

> 史之大原本乎《春秋》，《春秋》之義昭乎筆削。筆削之義，不僅事具本末、文成

---

18 崔紅健：〈葛洪《抱朴子・外篇》政治思想中對儒家思想的取與棄〉，《山東教育學報》，2009年9月，頁5-6。

19 孔毅：〈論葛洪《抱朴子・外篇》的社會風俗批判思想〉，《重慶師範大學學報》（哲學社會科學版），2009年5月，頁34-41。

20 東晉・葛洪撰，陳飛龍註譯：《抱朴子內篇今註今譯》，頁1190。

21 東晉・葛洪撰，陳飛龍註譯：《抱朴子內篇今註今譯》，頁1216。

22 孔毅：〈論葛洪《抱朴子・外篇》的社會風俗批判思想〉，《重慶師範大學學報》（哲學社會科學版），2009年5月，頁34。

規矩已也；以夫子「義則竊取」之旨觀之，固將綱紀天人，推明大道，所以通古今之變而成一家之言者，必有詳人之所略，異人之所同，重人之所輕，而忽人之所謹，繩墨之所不可得而拘，類例之所不可得而泥，而後微茫杪忽之際有以獨斷於一心；及其書之成也，自然可以參天地而質鬼神，契前修而俟後聖，此家學之所以可貴也。[23]

章學誠所言，頗具見地，於此論及「筆削之法」，試圖以方法論的視角，觀看文章意旨，以更深刻的方式查探一家之言背後的微言大義，故而能通古今之變，若以此寫作觀察視角，思考《群書治要》編選過程中，對於古往今來各家學說、典籍的取捨，亦有異曲同工之妙。從歷史事件的記載剪裁而論，透過事件忽謹與輕重的描寫，以筆削之法，照見作者取材的原則與態度，故所謂「成一家之言」，可由是闡明寫作目的，使人在爬梳歷史事件中，能夠「獨斷於一心」，得其精義，甚至能通古今之變；而「剪裁」的概念，在魏徵〈群書治要序〉中亦十分重要，魏徵試圖從紛雜的六經與百家學說中，節選取材，以呈現治世之要旨，供統治者鑑往知來，而這樣的編輯精神，與章學誠論史的筆削方法，可以相互呼應，且序文首先就提及「左史右史，記事記言，皆所以昭德塞違，勸善懲惡。」[24]以史的精神，作為《群書治要》編纂的核心概念，因此，以章學誠論史的筆削之法，觀看魏徵「爰自六經，訖乎諸子，上始古帝，下盡晉年」[25]間的取捨篩選，以簡而易從的方式，呈現意蘊，達至「可久可大之功，並天地之貞觀；日用日新之德，將金鏡以長懸矣。」[26]由是亦可以呼應章學誠所謂「固將綱紀天人，推明大道，所以通古今之變而成一家之言」的筆削之義，因此，《群書治要》在纂輯經典文本「書與不書」的判斷上，與章學誠筆削以見義的書寫特色貫通，透過作者別識新裁的判斷與見解，在龐雜的歷史著作中，加以剪裁與編排，以見其背後含蘊的政治與社會意義，底下將透過《群書治要》對於《抱朴子·酒誡》中「書與不書」之處，爬梳編者的視野與思維概念。

（一）「書」之內容與意蘊

葛洪《抱朴子》一書透過考察時政得失，諷刺世俗，希冀透過對於社會風俗的批判，移風易俗，以達安上治民之政治成效。其中，魏徵等人編錄《群書治要》的目的亦與之相同，在《抱朴子·酒誡》中，可見收錄內容大致可分成兩個重要面向的強調，提供統治者依此肅律風教，扭轉俗弊。

---

23 清·章學誠著，葉瑛校注：《文史通義校注》（北京：中華書局，1985年），頁470。

24 唐·魏徵等編撰：〈群書治要序〉，《群書治要》，頁22。

25 唐·魏徵等編撰：〈群書治要序〉，《群書治要》，頁23。

26 唐·魏徵等編撰：〈群書治要序〉，《群書治要》，頁23。

1 反對失禮傲慢之風

強調「禮」與「敬」，透過禮教維持政治與社會活動的穩定，但到了漢末之後，禮教漸頹，而風俗凋敝，時至魏晉任誕成風，待人接物更顯傲俗自放，因此，葛洪在《抱朴子·酒誡》中特別描寫了人們在飲酒的場合，如何肆意忘形，失禮傲慢，而酒正是風俗劇變的催化劑之一，時至唐初，歷經魏晉末期到隋末動盪，上下懈怠，飲酒玩樂之風，亦值得統治者重視，倘若放任這種縱情飲酒、百姓囂然的世俗情境，政治制度也必將崩毀。故魏徵在選錄《抱朴子·酒誡》時，表面上從個人的失禮傲慢談起，描寫人們如何酒後亂性、窮形癲狂之景，實質上則有更深的憂慮，從個人禮儀失態的概念談起，更期待社會禮治的建立，因此，「酒」成了魏徵論禮崩樂壞的切入點，試圖藉由提出酒之敗壞，引導統治者思考社會風俗與政治的密切連結，如其在《群書治要》中節選了以下內容，皆與之相關：

> 日未移晷，體輕耳熱，流離海螺之器并用，滿酌罰餘之令遂急，醉而不出，拔轄投井。[27]

> 舍其座遷，載號載呶，如沸如羹，或爭辭尚勝，或啞啞獨笑，或無對而談，或嘔吐機筵，或顛蹶梁倡，或冠脫帶解。[28]

> 貞良者流華督之顧盼，怯懾者效慶忌之蕃捷，遲重者蓬轉而波擾，整肅者鹿踴而魚躍，口訥於寒暑者，皆撫掌以諧聲，謙卑而不競者，悉裨瞻以高交，廉恥之儀毀，而荒錯之疾發，闇茸之性露，而傲狠之態出。[29]

> 褻嚴主以夷戮者有矣。[30]

> 言雖尚辭，煩而叛理，拜伏徒多，勞而非敬，臣子失禮於君親之前，幼賤悖慢於老宿之座。謂清談為詆訐，以忠告為侵己。於是白刃抽而忘思難之慮，棒杖奮而罔顧乎先後，構瀝之讎血，招大辟之禍。[31]

由上述《群書治要》選錄《抱朴子·酒誡》的內文，其中皆描述飲酒對於感官與理智的損害，並導致人們言行舉止癲狂放縱，不合法度，甚至除了言行失態外，亦會有廉恥具毀、傲狠態出，褻瀆主上，而招致殺身之禍者，因此魏徵等人特別選錄了飲酒之亂的內容，提醒君主此乃招大辟之禍，不可不謹慎自持。

---

27 唐·魏徵等編撰：《抱朴子·酒誡》，《群書治要》，頁
28 唐·魏徵等編撰：《抱朴子·酒誡》，《群書治要》，頁5588。
29 唐·魏徵等編撰：《抱朴子·酒誡》，《群書治要》，頁5590。
30 唐·魏徵等編撰：《抱朴子·酒誡》，《群書治要》，頁5591。
31 唐·魏徵等編撰：《抱朴子·酒誡》，《群書治要》，頁5593。

2 提倡簡樸的心態與生活

　　品德修養與禮法教養是社會穩定的要件，然從漢末開始，戰亂頻仍，風俗日益頹喪，到了東晉葛洪的年代，隨著政治黑暗，玄風興盛，傷化敗俗之行，甚囂塵上，社會縱情聲色，貪於財貨與飲食，對於飲酒更是癡迷，在《抱朴子外篇‧譏惑》中曾提及時代風貌：「喪亂日久，風頹教沮，抑斷之儀廢，簡脫之俗成。」[32]社會風俗之紊亂，自然牽動著政治情勢的變化，其中一項鮮明的特徵就是「酗酒輕慢」，因此，葛洪在《抱朴子‧酒誡》中，特別強調簡樸風俗，去情欲重清簡，透過譏刺飲酒輕薄之徒，試圖引導並提倡不隨世變，期於守常的簡單態度與生活形式。

　　回到魏徵等人選錄的《群書治要》，在《抱朴子‧酒誡》中，亦擷取相關的內文，期待透過對於統治階級的影響，以達上行下效，移風易俗的社會風氣，與此內容相關者有：

> 是以其抑情也。劇乎隄防之備決，其禦性也。過乎腐轡之乘奔，故能內保永年，外免覂累也。[33]

> 縱口心之近欲，輕召災之根原，似熱腸之恣冷，雖適己而身危，小大亂喪，亦罔非酒。[34]

> 然而歡集莫之或釋，舉白盈耳，不論能否，料湎酹於小餘，以稽遲為輕己，傾筐注於所敬，殷勤變而成薄，勸之不持，督之不盡，惡色醜音，所由而發也。[35]

由上述《群書治要》選錄《抱朴子‧酒誡》的內文，其中描述到了「抑情」的概念，強調透過感情克制，以內保長壽，外避災禍，甚至還特別提醒君主，認為控制性情比防備堤壩決口、駕馭快馬還難，卻是涵養德行的重要關鍵。所以口腹之慾就是心理慾望的顯現，人們在歡聚縱樂之時，酒成了助興之物，因此，魏徵等人透過酒誡，更想表達寡欲的精神，如能不貪於飲酒，也能克制貪歡享樂，在簡樸之中，陶冶心性，而至隨心所欲不踰矩的境界。

（二）「不書」之內容與意蘊

　　在筆削書寫之法中，行文除了關注側重之處，對於刪去或省略之處，亦可以顯見編者含藏的精神與意義。在魏徵等人編選的《群書治要》時，刪去了《抱朴子‧酒誡》中

32　東晉‧葛洪撰，陳飛龍註譯：《抱朴子內篇今註今譯》，頁513。
33　唐‧魏徵等編撰：《抱朴子‧酒誡》，《群書治要》，頁5586。
34　唐‧魏徵等編撰：《抱朴子‧酒誡》，《群書治要》，頁5587。
35　唐‧魏徵等編撰：《抱朴子‧酒誡》，《群書治要》，頁5595。

的一些片段，透過顯著的取捨偏重，可由是照見編者在選錄過程中的斟酌與細心考量，並說明其中的編排之意。

1 刪去暴行禁酒的政令

《群書治要》刪去了葛洪《抱朴子・酒誡》中論及政府以嚴刑禁令，控制社會飲酒之風，被刪去的原文如下：

> 曩既年荒穀貴，人有醉者相殺，牧伯因此輒有酒禁，嚴令重申，官司搜索，收執榜徇者相辱，制鞭而死者太半。防之彌峻，犯者至多。至乃穴地而釀，油囊懷酒。民之好此，可謂篤矣。余以匹夫之賤，托此空言之書，未如之何矣。
> 又臨民者雖設其法，而不能自斷斯物，緩己急人，雖令不從，弗躬弗親，庶民弗信。以此而教，教安得行；以此而禁，禁安得止哉？沽賣之家，廢業則困，遂修飾賂遺，依憑權右，所屬吏不敢問。無力者獨止，而有勢者擅市。張爐專利，乃更倍售，從其酤買，公行靡憚，法輕利重，安能免乎哉？[36]

觀察被刪去的原文中，提及百姓沉溺酒慾，多次嚴申告誡，甚至還透過官府搜索、鞭打巡街等酷刑，懲處喝酒過度的百姓，但防範越是嚴密，違犯者卻仍不見少，民眾甚至私藏釀酒，民風更為鄙俗。文中還提及「以此而禁，禁安得止哉？」，既是無效且錯誤的政策，《群書治要》自然沒有收錄的理由，且在《抱朴子》中不同身分階級，對於酒禁的反應，賣酒的家庭，因禁令而生活困窘，但達官顯貴卻可獨佔賣酒市場，因位高權重，而無人敢過問，如是不僅僅是飲酒縱慾的問題，甚至還衍生出社會亂象與權力不公的情況。《抱朴子》中對此政令多有批判，而《群書治要》更精要的將這些敘述皆去除，既是無益於施政之內容，也就無需特意收錄，且在吳兢（670－749）編纂的《貞觀政要》中，「刑法」一章中記載與「酒」相關的內容，此部分將在第三節討論，但在「刑法」一章中，亦可見唐太宗時代施行的寬簡政治風貌：

> 貞觀元年，太宗謂侍臣曰：「死者不可再生，用法務在寬簡。古人云，鬻棺者欲歲之疫，非疾于人，利于棺售故耳。今法司核理一獄，必求深刻，欲成其考課。今作何法，得使平允？」諫議大夫王珪進曰：「但選公直良善人，斷獄允當者，增秩賜金，即奸偽自息。」詔從之。太宗又曰：「古者斷獄，必訊于三槐、九棘之官，今三公、九卿，即其職也。自今以後，大辟罪皆令中書、門下四品以上及尚書九卿議之。如此，庶免冤濫。」由是至四年，斷死刑，天下二十九人，幾致刑措。[37]

---

36 東晉・葛洪撰，陳飛龍註譯：《抱朴子內篇今註今譯》，頁455-456。
37 唐・吳兢撰：《貞觀政要集校》（北京：中華書局，2012年），頁428-429。

透過上述記載可見唐太宗對於執法部門的要求，在於準確判案，而不要求快，而形成冤案，甚至對於比較嚴厲的刑罰，如死刑，必經層層討論與議案，以避免無辜之人受害，由是記載可見貞觀時期，非但沒有暴行苛政等事，唐太宗還非常重視判案的公允性，以保護百姓免於嚴刑峻法的迫害，由「斷死刑，天下二十九人，幾致刑措」可見被判處死刑的人數不僅銳減，且整個社會政治幾乎可以至擱置刑法不用的安定情況，故以此觀魏徵選錄〈酒誡〉時，刪去以嚴刑峻法施行禁酒的暴政，一方面是無需收錄編者不認同且失敗的政令，另一方面，《群書治要》從貞觀五年開始輯纂，而貞觀四年時，全國的死刑率已極低，且無需動用到刑法，以威嚇人民，在這樣的風氣下，魏徵亦無需特別節錄暴政禁酒的失敗內容，提醒唐太宗行仁政，並循序漸進施行酒誡，《群書治要》編纂前，初唐時期，早在寬簡政策中，形成安定與和諧的社會氛圍了，由是可藉魏徵等人「不書」之內容，更清楚照見編整用意與時代風氣。

2 刪去反駁誡酒的言論

《群書治要》中亦刪去了時人對於飲酒禍國與是否酒禁的討論，〈酒誡〉中記載了時人的提問與抱朴子的回應，此部分皆未收錄進《群書治要》，其中時人的反駁原文如下：

> 或人難曰：「夫夏桀殷紂之亡，信陵漢惠之殘，聲色之過，豈唯酒乎！以其生患於古，而斷之於今，所謂以褒姒喪周，而欲人君廢六宮，以阿房之危秦，而使王者結草庵也。蓋聞昊天表酒旗之宿，坤靈挺空桑之化，燎紫員丘，瘞蕤圻澤，祼鬯儀彝，實降神祇，酒為禮也。
> 千鍾百觚，堯舜之飲也。唯酒無量，仲尼之能也。姬旦酒肴不撤，故能制禮作樂。漢高婆娑巨醉，故能斬蛇鞠旅。於公引滿一斛，而斷獄益明。管輅傾仰三門，而清辯綺粲。揚云酒不離口，而《太玄》乃就。子圉醉無所識，而霸功以舉。一瓶之醪傾，而三軍之眾悅。解毒之觴行，而盜馬之屬感。消憂成禮，策勳飲至，降神合人，非此莫以也。內速諸父，外將嘉賓，如淮如湄，《春秋》所貴。由斯言之，安可誡乎？」[38]

此部分以反面立場紀錄了時人對於酒誡的反駁，雖然抱朴子於文後，皆一一回應澄清，予以駁斥，但魏徵等人選擇將提問與回應，一併刪去，此處既對治世無特別的建議，「或人難曰」的問題也會一一被解決，減省此處文本無礙於閱讀理解，且對於統治者而言，更具效率，可見《群書治要》編選者的細膩考量。

---

38 東晉・葛洪撰，陳飛龍註譯：《抱朴子內篇今註今譯》，頁457-458。

三 《群書治要》中的貞觀飲酒思維

中國人民好飲酒，酒與日常生活息息相關，且歷代史籍與文學作品當中都有許多描述飲酒的文字，在《抱朴子外篇‧酒誡》中以「千鍾百觚，堯舜之飲也。」[39]從堯舜時期論飲酒的起源，可見上古時期，酒的社會作用十分重要，多用於祭祀與禮樂之用，此部分在《群書治要》中未被收錄，可見時序從漢末、魏晉到唐代，飲酒之風已有了改變，不同於堯舜之飲，酒不再做為禮儀祭祀典範，反而成為縱慾沉迷的享樂，故《群書治要》特別選錄〈酒誡〉中的相關內容，予以統治者借鏡。

最早對於飲酒的告誡，應追溯至《尚書》中的〈酒誥〉一篇，相傳為周公在周人滅商後，對即將被分封至殷商的康叔給予的告誡，文中提及商人飲酒的狀況：

> 庶群自酒，腥聞在上，故天降喪于殷，罔愛于殷，惟逸。天非虐，惟民自速辜。[40]

透過周人的敘述視角，可見商人毫無節制的飲酒作樂，不分晝夜的狂歡與呼叫，縱酒之後，便失了平時的禮度和法制，自然而然使社會風氣崩毀，運行制度紊亂，看在先秦人民眼中，便認為他們因好酒而失去了上天的垂憐，進而導致殷商的滅亡。因此特別寫出了〈酒誥〉一文，警惕後代周人不要耽溺於飲酒，而重蹈覆轍。

由是可知，酒在統治者眼中，可載舟亦可覆舟，它既是禮樂制度下十分重要的元素，如《禮記》中記載了許多「鄉飲酒禮」之事，用於維持地方秩序與身分等級，這樣的情況到了唐代亦仍可見，如《新唐書‧韓琬傳》載：

> （韓）琬字茂貞，喜交酒徒，落魄少崖檢。有姻勸舉茂才，名動里中。刺史行鄉飲餞之，主人揚觶曰：「孝于家，忠于國，今始充賦，請行無算爵。」儒林榮之。[41]

從上述例子可見「鄉飲酒禮」除了維持鄉里間的秩序外，唐代更正式將其納入國家正式禮儀之內，成為科舉貢士制度的一環，賦予酒新的意義。韓琬（？）為唐代官員，以他被推舉為茂才為例，地方刺史特別為他舉行鄉飲之禮餞行，可見鄉飲酒禮已為行政禮儀的一種，有強化政權與表揚教化成效之目的。此乃酒可以載舟，彰顯飲酒為禮儀形式的一環，代表執政者欲彰顯的精神與內容。

但酒除了宗教、禮儀與政治等面向外，亦有覆舟之情景，如同西漢鄒陽（206BC-

---

39 東晉‧葛洪撰，陳飛龍註譯：《抱朴子內篇今註今譯》，頁458。

40 西漢‧孔安國撰，唐‧孔穎達疏：〈周書‧酒誥〉，《尚書正義》（上海：上海古籍出版社，2007年），卷14，頁448-449。

41 宋‧歐陽脩、宋祁：《新唐書》（北京：中華書局，1975年），卷112，頁4164。

129BC）的〈酒賦〉：「庶民以為歡，君子以為禮。」[42]可見飲酒亦成了人民取樂之物，人們藉酒使性，以滿足口腹之慾與情感宣洩，甚至成為「忘愁解憂」的方式，飲酒文化不再是早期講求節制與重視威儀的情態，豪放不羈與瘋狂的形象，取代了飲酒在宗教、禮儀與政治上的意義，因狂飲而聞名者甚多，因豪飲而誤事者，亦不少，在西漢時就以施行酒禁政策，「三人以上無故群飲酒，罰金四兩。」[43]到了魏晉之際，價值觀與社會風氣更因之動盪，因此東晉時期的葛洪才書寫〈酒誡〉一文，對飲酒之風提出提醒與勸諫。

回歸到《群書治要》的收錄情形，書中選錄《抱朴子・酒誡》一章，有其時代與政治考量，有趣的是，《尚書・酒誥》與《禮記・鄉飲酒義》的部分皆未選錄，此可見魏徵等人對於酒文化的觀點轉變。相較於以酒作為禮教象徵的《尚書》與《禮記》，《抱朴子・酒誡》中更強調去欲的身體觀，帶有道家理身而至理國的境界，董恩林曾指出：

> 唐代初期，對老子修身思想的理解基本上以河上公《老子注》為宗，河上公強調寶精、愛氣、養神，追求長生不死，特別是上流社會一些老學愛好者，如名相魏徵、太史令傅奕，知名學者陸德明等都曾注《老》，其宗旨不出河上公《老子注》思想。[44]

上文提及唐初整體社會風氣，包含《群書治要》的重要編者魏徵都深受這種理身理國之道的影響，故以此視角觀察選錄的酒文化作品，不再是著重於禮制、祭祀意義的飲酒，在〈酒誡〉中屢屢強調酒對於身體的戕害，並且推崇誡酒，以回歸簡樸與寡欲的生活，此都可見飲酒思想的改變，亦可由是窺見初唐政治與社會風氣的變化，藉此考察貞觀時代對於飲酒的思維，要論唐初酒文化的狀態與君臣間對於飲酒誤國與政治的聯想，宜分成漢末魏晉與隋末唐初兩個時代面向，透過縱酒行為展現的瀟灑與放蕩，照見飲酒活動不受傳統禮儀束縛後，宴飲爛醉而至不問世事，甚至以之為娛樂，沉迷其中，難以自拔，導致國家不安，政治混亂。

（一）漢末魏晉飲酒之風

從《晉書》與《世說新語》記載中，可反映出漢末魏晉以來文士的生活與思維，魏晉士人率性飲酒，純粹是為了追求個人的享樂與尋求心靈上的寄託，如東晉王忱曾感嘆，若三日不飲酒，便會感到「形神不復相和親」，[45]可見士大夫之間對飲酒的看法，

---

42 西漢・鄒陽：〈酒賦〉，西漢・劉歆《西京雜記》（上海：上海古籍出版社，2012年），卷4，頁6。

43 西漢・司馬遷：《史記》（北京：中華書局，1959年），頁417。

44 董恩林：《唐代老學：重玄思辯中的理身理國之道》（北京：新華書店，2002年），頁102。

45 南朝宋・劉義慶編，余嘉錫箋：《世說新語箋疏》（臺北：華正書局，1991年），〈任誕〉52：「王佛大歎言：『三日不飲酒，覺形神不復相和親也。』」，頁762。

這一時期的酗酒已經不再被視為是敗德的行徑，反而可說是灑脫與風流的表現。

回歸到時代背景查考，漢末以來複雜的政治環境導致戰亂頻仍、動盪不安的局勢，帶給士人對死亡的恐懼，與面對未知的迷茫，關於飲酒精神之改變，寧稼雨曾指出：

> 作為魏晉文人重要生活內容的《世說新語》中名士的飲酒活動，在很大的程度上受到當時社會的政治文化思潮的左右和影響，在飲酒文化的內涵上，表現出與古代傳統飲酒文化的很大變異。這些變異走向的基本特徵是，飲酒的社會性色彩大大淡化，而個人色彩卻大大強化，其超凡脫俗的精神需求取代了視而可見的物質需求。……從某種意義上說，沒有魏晉時期名士飲酒的文化內涵變異，就沒有中國文化史和中國文學史上酒文化和酒文學的繁榮和興盛。[46]

由是可知，在政局紛亂的時代，飲酒成了人們面對人生短暫、生命苦短的寄託，藉由縱酒超脫生死境界，將現實的困苦與死亡拋諸腦後，酒作為享樂之用，尋覓當下的及時行樂。

不過，這時代的「酒」，雖已淡化了代表群體社會的禮儀制度，成為個人化的飲品，但它與純粹縱情感官刺激的夏桀、商紂仍是不同，魏晉名士的醉酒歷程中，含藏著「不得不飲」的現實無奈，也是對黑暗政治現實的無言抵抗。

以三國時期曹操為例，《後漢書‧孔融列傳》載：「時年飢兵興，操表制酒禁，融頻書爭之，多侮慢之辭。」[47]雖然曹操為社會整體考量，實行禁酒令，而孔融頻爭之的飲酒行為，也帶有非常強烈的政治意圖，展現對曹魏政權的不滿。有趣的是，曹操也是飲酒的，在〈短歌行〉中寫到：「慨當以慷，憂思難忘。何以解憂？唯有杜康。」[48]可見屏除統治者身分考量，在瞬息萬變、風雨飄搖的戰場上，曹操亦須要依賴酒作為消愁的工具。

到了魏晉時期，酒更成為名士風流的無形象徵，竹林七賢熱愛酣飲暢談，以酒雅聚，透過酒的媒介，以驚世駭俗的方式，試圖鬆綁生命中的枷鎖，回歸生命的本真，以飲酒聞名的劉伶為例，其耽溺與任誕的特徵，可視為當時社會風氣的縮影。

《世說新語》對於劉伶與酒的記載內容為：

> 劉伶病酒，渴甚，從婦求酒。婦捐酒毀器，涕泣諫曰：「君飲太過，非攝生之道，必宜斷之！」伶曰：「甚善。我不能自禁，唯當祝鬼神，自誓斷之耳！便可具酒肉。」婦曰：「敬聞命。」供酒肉於神前，請伶祝誓。伶跪而祝曰：「天生劉

---

46 寧稼雨：《魏晉名士人格精神——《世說新語》的士人精神史研究》（天津：南開大學出版社，2003年），頁240。

47 南朝宋‧范曄：《後漢書》（臺北：鼎文書局，1980年），卷70，頁2272。

48 曹操：〈短歌行〉，收入梁‧蕭統編，唐‧李善注：《昭明文選》（臺北：華正書局有限公司，1982年），卷27，頁390。

> 伶，以酒為名，一飲一斛，五斗解酲。婦人之言，慎不可聽。」便引酒進肉，隗然已醉矣。[49]

> 劉伶恆縱酒放達，或脫衣裸形在屋中，人見譏之。伶曰：「我以天地為棟宇，屋室為褌衣，諸君何為入我褌中？」[50]

第一則中，劉伶以強辭奪理的方式，向其婦詭辯，而其中婦人的角色，恰巧與劉伶作對比，婦人以「非攝生之道」勸諫，代表較為傳統禮教的思維方式，而劉伶則大喇喇的自述「天生劉伶，以酒為名」，不僅毫無羞愧之意，甚至有以縱酒為自豪之感，正如前文所論，許多魏晉名士，多視飲酒為必備條件，代表著自己的氣韻與風度，因此，劉伶「引酒進肉，隗然已醉」，在痛飲之中，讓酒精鬆綁黑暗時代下的不安與壓力。

不過，開頭從「病酒」可知，飲酒過度確實對魏晉文士造成身心傷害，劉伶對於飲酒的耽溺，以現在視角來看，可謂與「酒精中毒」相去不遠，因此亟需喝酒以解酒癮，這樣嗜酒如命的情形，在魏晉時期並不少見，在《世說新語》中也曾記載王忱因飲酒毫無節制，「一飲或至連日不醒，遂以此死。」[51]可見名士放縱喝酒，而枉送自己的生命，回歸史實查看，王忱的政治才幹亦頗佳，其治理荊州之政績不容忽視，[52]但飲酒過度確實葬送了它的才能與前途，如張叔寧所言：「從王忱身上我們可看到魏晉名士嗜酒之深，亦可看到這種嗜酒給嗜酒者本人帶來的危害之烈。」[53]我們亦能了解東晉時的葛洪與初唐魏徵等人，為何在撰寫時，會著力強調飲酒之害，縱酒雖然是魏晉時期展現文化神采與消憂解愁的重要風潮，但嗜酒對於個體與社會之損傷，卻是無可計量，因此站在為國家與風氣考量的層面上，才有葛洪之文與魏徵等人之選錄。

至於上述與劉伶相關的第二則，表面上所見乃劉伶行為荒誕、不拘禮法，但在其縱酒放達後所言「以天地為棟宇」的裸袒宣言，正呼應著對於傳統束縛的不屑，以睥睨群眾的氣勢，將世俗成見拋下，達到形神相親的本然，「玄學作為玄遠之學，體現在行為方式上，便常有『通脫』、『曠達』、『通達』、『狂放』等特徵。」[54]而這正是魏晉玄理賦予飲酒的新內涵，雖被目為不率常法，違禮敗德，但透過酒所標榜出的政治黑暗與名教虛偽，正如魯迅所言「其言論行跡，容有過激，其心情懷抱，實亦可悲，而且可敬。」[55]

---

49 南朝宋‧劉義慶編，余嘉錫箋：《世說新語箋疏》，〈任誕〉3，頁729-730。

50 南朝宋‧劉義慶編，余嘉錫箋：《世說新語箋疏》，〈任誕〉6，頁731。

51 南朝宋‧劉義慶編，余嘉錫箋：《世說新語箋疏》，〈任誕〉52，注引《晉安帝紀》，頁742。

52 可見《晉書‧王忱傳》：「及鎮荊州，威風肅然，殊得物和。」，收錄自唐‧房玄齡：《晉書》（臺北：鼎文書局，1987年），卷75，頁1973。

53 張叔寧：《世說新語整體研究》（江蘇：南京出版社，1994年），頁213。

54 高晨陽：《儒道會通與正始玄學》（山東：齊魯書社，2000年），頁1-6。

55 魯迅：〈魏晉風度及文章與藥及酒之關係〉，收入自《魯迅全集》（北京：人民文學出版社，1982年），頁513。

縱酒昏醉的言行或許過於激烈，不過回歸時代思考，這些魏晉名士在這樣的政治生態中，透過飲酒所展現的反抗與突破態度，仍令人感慨與尊敬。只是這種情況若到了政權統一的初唐，又有些不同了，魏晉人的縱酒可視為一種保護傘，但唐初的知識份子若耽溺於酒精之中，反而容易誤事害國，在唐代正進入安定與治理之餘，這樣的社會風氣無助於朝政的發展。

（二）隋末唐初飲酒之風

時代演進至宋齊梁陳等朝代，因酒亂政，甚至國破家亡之例，越發增多，時局越是動盪，人們越希望寄身酒精之中，消磨煩憂，卻也因嗜酒成性，而使社會與政權更加不穩定，《隋書》中即載北齊之例，說明其亡國之因。

> 齊後主武平五年，鄴城東青桐樹，有如人狀。京房易傳曰：「王德衰，下人將起，則有木生為人狀。」是時後主怠於國政，耽荒酒色，威儀不肅，馳騁無度，大發繇役，盛修宮室，後二歲而亡。木不曲直之劾也。[56]

《隋書》的編纂是由魏徵「總知其務」，主編此書，該書具有明確的編寫目的，唐太宗在經歷隋末征戰後，深切體會以史為鏡的重要，因此期待透過隋朝滅亡的教訓，引以為戒，修正行政措施，故而修纂《隋書》以明朝代之興替。在這種背景下，《隋書》的內容多涉及大量政治外交、社會經濟以及科技文化資料，由是可見，飲酒是唐初十分重視的政治議題，其中，記載了齊後主「耽荒酒色」，而致國政衰敗，甚至也失了君王的威望，這種因酒而誤國的例證，正可以呼應魏徵等人在編纂《群書治要》時，特別選錄《抱朴子·酒誡》以引導統治者的用意。

另在《舊唐書》中亦載了隋末起義軍領袖李密，數落隋煬帝因酒而耽誤國政的罪狀：

> 大禹不貴於尺璧，光武不隔於支體，以是憂勤，深慮幽枉。而荒湎于酒，俾晝作夜，式號且呼，甘嗜聲伎，常居窟室，每藉糟丘。朝謁罕見其身，群臣希覩其面，斷決自此不行，敷奏於是停擁。中山千日之飲，酩酊無名；襄陽三雅之盃，留連詎比。又廣召良家，充選宮掖，潛為九市，親駕四驢，自比商人，見要逆旅。殷辛之譴為小，漢靈之罪更輕，內外驚心，遐邇失望。其罪三也。[57]

在李密敘述隋煬帝的罪狀中，無處不見「酒」的身影，以「荒湎于酒」顯現隋煬帝沉迷於酒色，甚至日夜顛倒，醉躺於酒糟堆上，早上也難以清醒，許久不曾早朝，荒廢國

---

56 唐・魏徵等撰：《隋書》（臺北：鼎文書局，1980年），卷22，頁618。

57 後晉・劉昫撰，楊家駱主編：《舊唐書》，卷53，頁2213。

政，奏章堆積如山，連朝臣也難以見上一面。李密以此認定隋煬帝之罪更大於商紂王與漢靈帝，由此可見，在唐初士人眼中，統治者的縱酒之舉，是亡國徵兆，其禍害甚至遠高於歷史上著名的暴君與昏君。

至於《資治通鑑》中，亦記載了隋煬帝享樂縱酒的事蹟，而致隋代因之亡國，可見後代文臣考察隋代滅亡之因，縱情酒色，是一重要原因，對於剛歷經朝代改弦易轍的初唐臣子，自然也會仔細檢討前朝之失，致力避免重蹈覆轍，故飲酒過度，成了魏徵等臣子想著力提醒之處：

> 帝臨朝凝重，發言降詔，辭義可觀；而內存聲色，其在兩都及巡遊，常以僧、尼、道士、女官自隨，謂之四道場。梁公蕭矩，琮之弟子；千牛左右宇文晶，慶之孫也；皆有寵於帝。帝每日於苑中林亭間盛陳酒饌，敕燕王倓與鉅、晶及高祖嬪御為一席，僧、尼、道士、女官為一席，帝與諸寵姬為一席，略相連接，罷朝即從之宴飲，更相勸侑，酒酣殽亂，靡所不至，以是為常。楊氏婦女之美者，往往進御。晶出入宮掖，不限門禁，至於妃嬪、公主皆有丑聲，帝亦不之罪也。[58]

文中提及隋煬帝巡遊玩樂的種種事蹟，如「帝每日於苑中林亭間盛陳酒饌」並且罷朝後也立刻前往宴飲，頻繁的飲酒作樂，甚至會有「酒酣殽亂，靡所不至，以是為常」的昏亂情形，而在飲酒的場合中，寵妃、美女等各式身分的人混雜，亦有輕浮放縱之舉，酒酣耳熱之際，隋煬帝都不予制止，從《資治通鑑》的記載，可知隋煬帝之荒淫無道，而酒正是其中一項催化他頹敗享樂的關鍵。

回到唐代，在史學家吳兢編纂的《貞觀政要》中，可見貞觀年間唐太宗和身邊大臣魏徵與房玄齡等人的對答，由是亦可以呼應唐太宗年間，朝廷大臣對於「酒誡」的觀點，並對應至《群書治要》收錄《抱朴子‧酒誡》的意蘊。

在《貞觀政要》中，特別提出對於飲酒勸諫之處於下：

> 彼嘉會而禮通，重旨酒之為德。至忘歸而受祉，在齊聖而溫克。若其酗醟以致昏，酖湎而成忒，痛殷受與灌夫，亦亡身而喪國。是以伊尹以酣歌而作戒，周公以亂邦而貽則。[59]

> 樂不可極，極樂成哀；欲不可縱，縱欲成災。壯九重於內，所居不過容膝；彼昏不知，瑤其臺而瓊其室。羅八珍於前，所食不過適口；惟狂罔念，丘其糟而池其酒。勿內荒於色，勿外荒於禽；勿貴難得之貨，勿聽亡國之音。內荒伐人性，外荒蕩人心；難得之物侈，亡國之聲淫。勿謂我尊而傲賢侮士，勿謂我智而拒諫矜

---

58 宋‧司馬光撰：《資治通鑑》（臺北：世界書局，1962年），卷181，頁5650。
59 唐‧吳兢撰：《貞觀政要集校》，頁225。

己。聞之夏後，據饋頻起；亦有魏帝，牽裾不止。安彼反側，如春陽秋露；巍巍蕩蕩，推漢高大度。撫茲庶事，如履薄臨深；戰戰慄慄，用周文小心。[60]

第一則出自「規諫太子」一章，太子為未來的儲君，這亦代表著對於未來統治者的規勸與諫言，而其中「重旨酒之為德」，便強調出飲酒之外的「酒德」，認為喝酒之餘，必須運用其智慧與自制力，避免發生「酗醟以致昏，酖湎而成忒」的情況，讓沉迷酒精，與酖酒誤國等錯誤，不致成為唐代治理國政的阻礙，《貞觀政要》中更引出紂王與灌夫等歷史上的昏君，因酒而亡，引以為戒，再舉出伊尹與周公提出的訓誡與準則，明確提醒飲酒應有的尺度與分寸。

第二則出自「刑法」一章，在論及不該縱欲之處，做了若干舉例，放肆飲酒就是其中之一，文中以「惟狂罔念，丘其糟而池其酒」，提出了歷代暴君，因不知節制，而由樂轉悲的歷史教訓，「糟丘」一詞，前述《隋書》中論及隋煬帝之爛酒，亦有此記載，而《群書治要》選錄《抱朴子・酒誡》中也有「糟丘酒池，辛、癸以亡」之語，不管是商紂王的例證，或是形容縱酒之後，酒糟堆積如丘的情景，皆可以相互呼應，可見魏徵等人在編纂與選錄《群書治要》時，考量了唐初對於酒政的想法，期待統治者能避免沉溺於酒精之中，耽誤國事，加上「唐初，因戰亂和災荒實行的幾次間斷性區域性的臨時禁酒，在一定程度上對緩解糧食匱乏起到了作用。」[61]可見酒與社會政經關係密切，飲酒的用度越高，對於糧食的需求與奢侈度也越高，對於政治環境的影響自然也更大。

透過記載勸諫事項，以提醒統治者，並尋求治國的要領，是《群書治要》編輯的宗旨，因此收錄《抱朴子・酒誡》中許多負面的縱酒之例，以呼應貞觀時代在酒與政治之間的連動，回歸到魏徵的〈群書治要序〉：「或傾城哲婦，亡國豔妻，候晨雞以先鳴，待舉烽而後笑者，時有所存，以備勸戒。」[62]透過選錄人物因酒而意志喪亂、行為失控的負面行為，希望能透過記載，加以勸諫後人，以避免重蹈歷史悲劇。

四 結語

魏徵等人編纂《群書治要》的思維架構，透過其選錄與擷取的篇章，可見其試圖透過學術經典，產生對於政治與社會的影響，而透過《群書治要》編選《抱朴子・酒誡》的情況剖析，可見該書在不只為保存文獻而編纂，更為了賦予嶄新意蘊而節錄，由是探究《抱朴子・酒誡》在其中展顯之不同面貌，便有著時代、學術與社會政治的意蘊。

首先，從《群書治要》捨棄內篇二十卷的內容，僅從外篇五十卷中，選擇五卷收

---

60 唐・吳兢撰：《貞觀政要集校》，頁432。
61 謝婧：〈唐宋酒政差異探析〉，《商丘師範學院學報》，2015年5月，頁75。
62 唐・魏徵等編撰：〈群書治要序〉，《群書治要》頁23。

錄，可見其偏重。《抱朴子》內篇以道家思想為主，多言神仙方術、鬼怪變化等事，或是聚焦於個人延年養生、避禍禳邪之事，與《群書治要》以治國要道為編纂宗旨的目的性不合，故魏徵等人將之省略；相較之下，《抱朴子》外篇，所述內容多臧否世道，關注的面向與思維多屬入世，與《群書治要》以治國為收錄重心的編纂意旨，相互呼應，而其中五十卷中，僅有收錄五卷，可見此五項議題，為魏徵等人所看重，並為唐初政治亟需重視之處。而〈酒誡〉正是五項議題的其中之一，且，收錄內文達一半，以《抱朴子》整本書在《群書治要》的比例來看，〈酒誡〉一篇對於魏徵等人而言，可謂非常看重，而就《群書治要》中書與不書之處，亦可見其編纂深意，進而呈現唐初對於飲酒思想的看法與見解。

其次，從《群書治要》刪取的〈酒誡〉內容而論，亦可以呼應《群書治要》的編纂用意與治要精神，其中，收錄內容可以分成兩類，一是強調酒精對於感官與身體上的傷害，另一方面，則是強調戒酒以實踐寡欲與簡樸的生活模式。以第一點來說，由於魏晉時期，縱飲嗜酒之行，為名士所推崇，甚有名士因飲酒過度而身亡，更遑論因酒而放浪形骸者，大有人在，如是敗壞了社會風氣，亦耽誤了國政的進展，魏晉士人縱情於酒，乃為逃避政治黑暗與迫害，部分出於無奈，只得裝瘋賣傻，但回到唐初的魏徵眼中，唐代建立了大一統的王朝，政治趨於穩定，飲酒遁世已無存在必要，且隋末許多統治者皆因縱酒而亡，此乃不得不提醒與告誡之重點，故截取〈酒誡〉中的相關內容，加以提點。至於第二點，可以稍稍回應到唐初的酒政狀態，唐初時期對於酒政的規範並不明確，直至唐中葉後才有清楚律令，因為釀酒需要大量穀物，對於平民百姓來說，可謂奢侈飲品，在饑荒之際，更是享樂的象徵，唐初的酒政，在糧食短缺之時，會臨時下達禁令，以免富者縱欲而貧者飢餓，但無論如何，由此都可見，酒乃為欲望與享樂的產物，《抱朴子・酒誡》中特別強調寡欲與質樸，才能陶冶心性，社會風氣才能達至理想境界，因此，魏徵特別選錄，可見其深意。

至於，《群書治要》刪去《抱朴子・酒誡》的內容，亦可以分成兩類，一是〈酒誡〉篇中記載了錯誤的酒禁方式，政府透過暴行禁止人民飲酒，但在上位者仍持續喝酒作樂，不僅無法達到真正禁止之效，以暴政解決問題，更是錯誤的方式，魏徵直接刪去了錯誤的酒禁政策，《群書治要》既為使君王閱讀達事半功倍之效，錯誤之例，便無參考必要；另一則是當時人對於抱朴子〈酒誡〉觀點的辯論，葛洪透過難與答的方式記錄了這段酒誡觀的討論，但魏徵等人既已認同唐初施政，「酒」是必須有所節制之物，這些討論就顯得有些冗贅而沒有必要了，因此，在《群書治要》中亦一併刪去，更顯文章的精簡與立論之明確。

最後，查考《群書治要》的選錄意義，對於呼應貞觀時代飲酒與政治狀況，有所裨益。回到唐太宗時代，剛經歷了隋末、各家起義、唐代建立，政權剛歷經變革，自然會想檢討隋朝迅速消亡之因，因此，在魏徵等人編纂的《隋書》中，可見對於君王飲酒誤

國的記載，而《舊唐書》中亦載李密起義時，數落隋煬帝的罪狀中，縱酒亦是其一，因此前代因喝酒而亡，這對於唐初的臣子而言，是必須勸諫君王的重要議題，也應藉此導正縱酒享樂的社會風氣。回到《貞觀政要》的記載，在〈規諫太子〉與〈刑法〉兩章，皆明確的提及縱酒後的負面性傷害，加以提醒，甚至許多用詞遣字與內容精神，皆可以與《群書治要》收錄的《抱朴子‧酒誡》相互對應，由是可見唐初對於過度縱酒的態度，應如同魏徵編纂〈酒誡〉的精神一致，期待藉由歷代教訓，可以適時克制，以較有智慧的方式面對酒的吸引力，以自制的心態，竭力避免飲酒享樂，而致由樂轉悲，如是亦可見儒家傳統以酒作為禮樂教化之用的意義性，歷經魏晉之後，回到唐初，其個人與享樂色彩加重，而群體與禮教性已不復從前，故而，飲酒需誡，此亦是《群書治要》收錄意蘊下，可以體察的飲酒與政治之變化。

綜上所論，魏徵等人編纂的《群書治要》不只具備文獻價值，其中書與不書的收錄意旨，亦值得探究，且以《群書治要》中傳達的治理精神，對應至貞觀時期的政治與社會背景，可見文化學術與政治的緊密關聯，亦可以從不同的視角，加以認識唐初的時代特色。

徵引書目

一　原典文獻

西漢‧孔安國撰，唐‧孔穎達疏：〈周書‧酒誥〉，《尚書正義》（上海：上海古籍出版
　　社，2007年）

西漢‧劉歆《西京雜記》（上海：上海古籍出版社，2012年）

東晉‧葛洪撰，陳飛龍註譯：《抱朴子內篇今註今譯》（臺北：臺灣商務印書館，2001年）

後晉‧劉昫撰，楊家駱主編：《舊唐書》（臺北：鼎文書局，1981年，據清懼盈齋刻本）

南朝宋‧范曄：《後漢書》（臺北：鼎文書局，1980年）

南朝宋‧劉義慶編，余嘉錫箋：《世說新語箋疏》（臺北：華正書局，1991年）

梁‧蕭統編，唐‧李善注：《昭明文選》（臺北：華正書局有限公司，1982年）

唐‧魏徵等編撰：《群書治要》（上海：世界書局，2011年）

唐‧魏徵等撰：《隋書》（臺北：鼎文書局，1980年）

唐‧房玄齡：《晉書》（臺北：鼎文書局，1987年）

唐‧吳兢撰：《貞觀政要集校》（北京：中華書局，2012年）

宋‧王溥：《唐會要》（京都：中文出版社，1978年）

宋‧歐陽脩、宋祁：《新唐書》（北京：中華書局，1975年）

清‧章學誠著，葉瑛校注：《文史通義校注》（北京：中華書局，1985年）

二　近人論著

（一）專著

林朝成、張瑞麟主編：《第一屆《群書治要》國際學術研討會論文集》（臺北：萬卷樓圖
　　書股份有限公司，2020年）

寧稼雨：《魏晉名士人格精神——《世說新語》的士人精神史研究》（天津：南開大學出
　　版社，2003年）

高晨陽：《儒道會通與正始玄學》（山東：齊魯書社，2000年）

張叔寧：《世說新語整體研究》（江蘇：南京出版社，1994年）

董恩林：《唐代老學：重玄思辯中的理身理國之道》（北京：新華書店，2002年）

魯迅：《魯迅全集》（北京：人民文學出版社，1982年）

（二）期刊論文

孔　毅：〈論葛洪《抱朴子·外篇》的社會風俗批判思想〉，《重慶師範大學學報》（哲學社會科學版），2009年5月，頁34-41。

林溢欣：〈從《群書治要》看唐初《孫子》版本系統——兼論《孫子》流傳、篇目序次等問題〉，《古籍整理研究學刊》，2011年5月，頁62-68。

林朝成〈《群書治要》與貞觀之治——從君臣互動談起〉，《成大中文學報》，2019年12月，頁101-142。

吳金華：〈略談日本古寫本《群書治要》的文獻學價值〉，《文獻》，2003年7月，頁118-127。

崔紅健：〈葛洪《抱朴子·外篇》政治思想中對儒家思想的取與棄〉，《山東教育學報》，2009年9月，頁5-6。

張瑞麟：〈轉舊為新：《群書治要》的編纂與意義〉，《文與哲》，2020年6月，頁81-134。

謝　婧：〈唐宋酒政差異探析〉，《商丘師範學院學報》，2015年5月，頁72-76。

蔡　蒙：〈《群書治要》所引《尸子》校勘研究〉，《文教資料》，2018年12月，頁84-85。

潘銘基：〈日藏平安時代九条家本《群書治要》研究〉，《中國文化研究所學報》，2018年7月，頁1-38。

潘明基：〈《群書治要》所錄《漢書》及其注解研究——兼論其所據《漢書》注本〉，《成大中文學報》，2020年3月，頁73-114。

附錄

表一 《群書治要》選錄《抱朴子・酒誡》內容差異[63]

《群書治要》選錄《抱朴子》篇章	《抱朴子・酒誡》原文	備註 《群書治要》選錄 《抱朴子・酒誡》內容
《群書治要》僅選錄《抱朴子》外篇「酒誡、疾謬、刺驕、博喻、廣譬」	抱朴子曰：目之所好，不可從也；耳之所樂，不可順〔慎〕也；鼻之所喜，不可任也；口之所嗜，不可隨也；心之所欲，不可恣也。故惑目者，必逸容鮮藻也；惑耳者，必妍音淫聲也；惑鼻者，必芳臣蕙芬〔芷蕙芥馥〕也；惑口者，必珍羞嘉旨也；惑心者，必勢利功名也。五者畢惑，則或承之禍，為身患者，不亦信哉！ 是以智者嚴檃括於性理，不肆神以逐物，檢之以恬愉，增之以長算。其抑情也，劇乎堤防之備決；其御〔禦〕性也，過乎腐轡之乘奔。故能內保永年，外免釁累也。蓋饑寒難堪者也，而清節者不納不義之谷帛焉；困賤難居者也，而高尚者不處危亂之榮貴焉。蓋計得則能忍之心全矣，道勝則害性之事棄矣。 夫酒醴之近味，生病之毒物，無毫分〔鋒〕之細益，有丘山之巨損，君子以之敗德，小人以之速罪，耽之惑之，鮮〔尠〕不及禍。世之士人，亦知其然，既莫能絕，又不肯節，縱心口之近欲，輕召災〔灾〕之根源〔原〕，似熱渴之恣冷，雖適己而身危也。小大亂喪，亦罔非酒。 然而俗人是酣是湎，其初筵也，抑抑濟濟，言希容整，詠〔咏〕《湛露》之厭厭，歌在鎬之愷樂，舉萬壽之觴，育〔誦〕溫克之	字體加黑者為《群書治要》選錄內容，選錄文字整理如下： 抱朴子曰：目之所好，不可從也。耳之所樂，不可不慎也。鼻之所喜，不可任也。口之所嗜，不可隨也。心之所欲，不可恣也。故惑目者必逸容鮮藻也。惑耳者必妍音淫聲也。惑鼻者必芷蕙芥馥也。惑口者必珍羞嘉旨也。惑心者必勢利功名也。五者畢惑，則或承之禍，為身患者，不亦信哉。是以其抑情也。劇乎隄防之備決，其禦性也。過乎腐轡之乘奔，故能內保永年，外免釁累也。夫酒醴之近味，生病之毒物，無豪鋒之細益，有丘山之巨損，君子以之敗德，小人以之速罪，耽之惑之，尠不及

《群書治要》選錄《抱朴子》篇章	《抱朴子·酒誡》原文	備註《群書治要》選錄《抱朴子·酒誡》內容
	義。日未移晷，體輕耳熱。夫琉璃海螺之器並用，滿酌罰余之令遂急。醉而不止，拔轄投井。 於是口涌〔湧〕，濡首及亂。屢舞躋躋，舍其坐遷；載號載呶，如沸如羹。或爭辭尚勝，或啞啞獨笑，或無對而談，或嘔吐几筵，或值〔顛〕厥〔蹶〕足良〔梁〕倡，或冠脫帶解。 貞良者流華督之顧眄〔盼〕，怯懦〔懦〕者效慶忌之蕃捷，遲重者蓬轉而波擾，整肅者鹿踴而魚躍。口訥於寒暑者，皆搖〔撫〕掌而譜聲，謙卑而不競者，悉裨瞻以高交。廉恥之儀毀，而荒錯之疾〔疢〕發；闒茸之性露，而傲佷之態出。 精濁神亂，臧否顛倒。或奔車走馬，赴阬〔坑〕谷而不憚，以九折之阪為蟲〔蟻〕豈封也；或登危躡顛，雖墮墜而不覺，以呂梁之淵為牛跡〔跡〕也。或肆仇〔忿〕於器物，或酌〔酩〕醬於妻子；加枉酷於臣仆〔僕〕，用剡鋒乎六畜；熾火烈於室廬，捨寶玩於淵流；遷威怒於路人，加暴害於士友。褻嚴主以夷戮者，有矣；犯兇人而受困者，有矣。 言雖尚辭，煩而叛理；拜伏徒多，勞悲非敬。臣子失禮於君親之前，幼賤悖慢於耆〔老〕宿之坐〔座〕。謂清談為訕嘗，以忠告為侵己。於是白刃抽而忘思難之慮，棒杖奮而罔顧乎前〔先〕後。構漉〔瀝〕血之讎〔之讎血〕，招大辟之禍。 以少淩長，則鄉〔鄰〕黨加重責矣；辱人父兄，則子弟將推刃矣；發人所諱，則壯士不能堪矣；計數深克〔刻〕，則醒者不能恕矣。起眾患於須臾，結百疒〔疴〕阿於膏肓。奔駟不能追既往之悔，思改而無自反之	禍，世之士人，亦知其然，既莫能絕，又不肯節，縱口心之近欲，輕召灾之根原，似熱腸之恣冷，雖適己而身危，小大亂喪，亦罔非酒。然而俗人是酤是湎，其初筵也。抑抑濟濟，言希容整，咏湛露之厭厭，歌在鎬之愷樂，舉萬壽之觴，誦溫克之義，日未移晷，體輕耳熱，流離海螺之器并用，滿酌罰餘之令遂急，醉而不出，拔轄投井。 於是口湧鼻溢，濡首及亂，屢舞僛僛，舍其座遷，載號載呶，如沸如羹，或爭辭尚勝，或啞啞獨笑，或無對而談，或嘔吐機筵，或顛蹶梁倡，或冠脫帶解。 貞良者流華督之顧盼，怯懦者效慶忌之蕃捷，遲重者蓬轉而波擾，整肅者鹿踴而魚躍，口訥於寒暑者，皆撫掌以譜聲，謙卑而不競者，悉裨瞻以高交，廉恥之儀毀，而荒錯之疢發，闒茸之性露，而傲狠之態出。 精濁神亂，臧否顛倒，

《群書治要》選錄《抱朴子》篇章	《抱朴子‧酒誡》原文	備註 《群書治要》選錄 《抱朴子‧酒誡》內容
	蹉。蓋智者所深防，而愚〔庸〕人所不免也。其為禍敗，不可勝載。 然而歡集，莫之或釋，舉白盈耳，不論於能否。計瀝雨留於小余〔料瀝霤於小餘〕，以稽遲為輕己。傾匡註〔筐注〕於所敬，殷勤變而成薄。勸之不持，督之不盡，怨〔惡〕色醜音所由而發也。 夫風經府藏，使人惚悅〔忽歡〕，及其劇者，自傷自虞。或遇斯疾，莫不憂懼，吞苦忍痛，欲其速愈。至於醉之病性，何異於茲。而獨居密以逃風，不能割情以節酒。若畏酒如畏風，憎醉如憎病，則荒沈之咎塞，而流連之失止矣。夫風之為疾，猶展攻治，酒之為變，在乎呼吸〔噏〕。及其悶亂，若存若亡，視泰山如彈丸，見滄海如盤盂，仰嘑〔嘩〕天墮，俯呼地陷，臥待虎狼，投井赴火，而不謂惡也。夫用身之如此，亦安能惜敬恭之禮，護喜怒之失哉！ 昔儀狄既疏，大禹以興。糟丘酒池，辛癸以亡。豐侯得罪，以戴尊銜懷〔杯〕。景升荒壞，以三雅之爵。*劉松爛腸，以逃暑之飲。郭珍發狂，以無日不醉。信陵之兇短，襄子之亂政，趙武之失眾，子反之誅戮，漢惠之伐命，灌夫之滅族，陳遵之遇害，季布之疏斥，子建之免退，徐邈之禁言，皆是物也。*世人好之樂之者甚多，而戒之畏之者至少，彼眾我寡，良箴安施？且願君節之而已。 *曩既年荒谷貴，人有醉者相殺，牧伯因此輒有酒禁，嚴令重申，官司搜索，收執榜徇者相辱，制鞭而死者太半。防之彌峻，犯者至多。至乃穴地而釀，油囊懷酒。民之好此，可謂篤矣。余以匹夫之賤，托此空言之書，未如之何矣。* *又臨民者雖設其法，而不能自斷斯物，緩己*	或奔車走馬，赴坑谷而不憚，以九折之阪為蟻封也。或登危蹋頹，雖墮墜而不覺，以呂梁之淵為牛跡也。或肆忿於器物，或酗鬺於妻子，加枉酷於臣僕，用剡鋒乎六畜，熾火烈於室廬，遷威怒於路人，加暴害於士友，褻嚴主以夷戮者有矣。犯凶人而受困者有矣。 言雖尚辭，煩而叛理，拜伏徒多，勞而非敬，臣子失禮於君親之前，幼賤悖慢於老宿之座。謂清談為詆訾，以忠告為侵己。於是白刃抽而忘思難之慮，棒杖奮而罔顧乎先後，構瀝之釁血，招大辟之禍。 以少陵長，則鄉黨加重責矣。辱人父兄，則子弟將推刃矣。發人所諱，則壯士不能堪矣。計數深刻，則醒者不能恕矣。起眾患於須臾，結百疴於膏肓，奔駟不能追既往之悔，思改而無自反之蹉，蓋知者所深防，而庸人所不免也。其為禍敗，不可勝載。 然而歡集莫之或釋，舉

《群書治要》選錄《抱朴子》篇章	《抱朴子·酒誡》原文	備註《群書治要》選錄《抱朴子·酒誡》內容
	急人，雖令不從，弗躬弗親，庶民弗信。以此而教，教安得行；以此而禁，禁安得止哉？沽賣之家，廢業則困，遂修飾賂遺，依憑權右，所屬吏不敢問。無力者獨止，而有勢者擅市。張爐專利，乃更倍售，從其酤買，公行靡憚，法輕利重，安能免乎哉？ 或人難曰：「夫夏桀殷紂之亡，信陵漢惠之殘，聲色之過，豈唯酒乎！以其生患於古，而斷之於今，所謂以褒姒喪周，而欲人君廢六宮，以阿房之危秦，而使王者結草庵也。蓋聞昊天表酒旗之宿，坤靈挺空桑之化，燎紫員丘，瘞薶坼澤，祼鬯儀彝，實降神祇，酒為禮也。 千鍾百觚，堯舜之飲也。唯酒無量，仲尼之能也。姬旦酒肴不撤，故能制禮作樂。漢高婆娑巨醉，故能斬蛇鞅旅。於公引滿一斛，而斷獄益明。管輅傾仰三鬥，而清辯綺粲。揚云酒不離口，而《太玄》乃就。子圍醉無所識，而霸功以舉。一瓶之醪傾，而三軍之眾悅。解毒之觴行，而盜馬之屬感。消憂成禮，策勛飲至，降神合人，非此莫以也。內逮諸父，外將嘉賓，如淮如湄，《春秋》所貴。由斯言之，安可誡乎？」 抱樸子答曰：酒旗之宿，則有之矣。譬猶懸象著明，莫大乎日月；水火之原，於是在焉。然節而宜之，則以養生立功；用之失適，則焚溺而死。豈可恃懸象之在天，而謂水火不殺人哉？宜生之具，莫先於食；食之過多，實結癥瘕。況於酒醴之毒物乎！夫使彼夏桀殷紂信陵漢惠荒流於亡國之淫聲，沈溺於傾城之亂色，皆由乎酒熏其性，醉成其勢，所以致極情之失，忘修飾之術者也。我論其本，子識其末，謂非酒禍，禍其安出？是獨知猛雨之沾衣，而不知云氣之所	白盈耳，不論能否，料瀝審於小餘，以稽遲為輕己，傾筐注於所敬，殷勤變而成薄，勸之不持，督之不盡，惡色醜音，所由而發也。 夫風經府藏，使人忽歡，或遇斯疾，莫不憂懼，吞苦忍痛，欲其速愈，至於醉之病性，何異於茲，而獨居密以逃風，不能割情以節酒，若畏酒如畏風，憎醉如憎病，則荒沉之咎塞，而流連之失止矣。夫風之為病，猶展攻治，酒之為變，在乎呼噏，及其悶亂，若存若亡，視泰山如彈丸，見滄海如盤盂，仰嘩天墮，俯呼地陷，臥待虎狼，投井赴火而不謂惡也。夫用身之如此，亦安能惜敬恭之禮，護喜怒之失哉。 昔儀狄既疏，大禹以興，糟丘酒池，辛，癸以亡，豐侯得罪，以戴樽銜杯，景升荒壞，以三雅之爵，趙武之失眾，子反之誅戮，灌夫之滅族，季布之疏斥，子建之免退，徐邈之禁言，皆是物也。世人之

《群書治要》選錄《抱朴子》篇章	《抱朴子‧酒誡》原文	備註 《群書治要》選錄 《抱朴子‧酒誡》內容
	作；唯患飛埃之瞇目，而不覺飃風之所為也。 千鍾百斛，不經之言，不然之事，明者不信矣。夫聖人之異自才智，至於形骸非能兼人，有七尺三丈之長，萬倍之大也。一日之飲，安能至是？仲尼則畏性之變，不敢及亂。周公則終日百拜，肴乾酒澄。上聖戰戰，猶且若斯，況乎庸人，能無悔乎？ 漢高應天，承運革命，向雖不醉，猶當斬蛇。於公聰達，明於聽斷，小大以情，不失枉直。是以刑不濫加，世無怨民。但其健飲，不即廢事。若論大醉，亦俱無知。決疑之才，何賴於酒？未聞皋繇甫侯子產釋之，醉乃折獄也。 管輅年少，希當劇談，故假酒勢以助膽氣。若過其量，亦必迷錯。及其刺毫釐於爻卦，索鬼神之變化，占氣色以決盛衰，聆鳴鳥以知方來，候風云而克吉凶，觀碑柏而識禍福，豈復須酒，然後審之？ 揚云通人，才高思遠，英瞻之富，稟之自天，豈藉外物，以助著述？及其數飲，由於偶好；亦或有疾，以宜藥勢耳。子圍肆志，蓋已素定。雖復不醉，亦於終果。瓶醪悅眾，寓言之喻。誠能賞罰允當，威恩得所，長算縱橫，應機無方，則士思果毅，人樂奮命。其不然也，雖流酒淵，何補勝負？繆公飲盜，造次之權，舍法長惡，何足多稱哉！豈如慎之邪？	好之樂之者甚多，而戒之畏之者至少，彼眾我寡，良箴安施，且願君子節之而已。

論《群書治要‧春秋左氏傳》編纂特色及唐太宗對其中政治思想的接受與借鏡

郭庭芳

國立成功大學中國文學系中國文學博士生

摘要

　　魏徵等人在編撰《群書治要》時,共選錄《春秋左氏傳》三卷,今日僅存中卷及下卷,共計79則事例。透過與《左傳》原文的比對,可察覺魏徵等人在節錄《左傳》時,雖大量取材自與戰爭背景相關的傳文,但多省略原文對戰事的描述,僅簡單說明前因後果和發展過程,其聚焦呈現的重點有二,一是可以反映思想內涵的「言」,二是能使讀者警惕或仿效的「行」。仔細分析《群書治要》節選《左傳》的條文內容,便會發現編者具有明顯的關懷主題,且部分事例所凸顯的重點與原典有別,魏徵等人透過剪裁的方式,試圖呈現特定的思想內容,可見《群書治要》確實具有「以編代作」的編撰思維。為進一步探討唐太宗對於《群書治要》的接受,筆者以太宗晚年為教導太子而作的《帝範》作為對照文本,搭配《貞觀政要》所載貞觀史事進行佐證,藉此探討《群書治要‧春秋左氏傳》對太宗治國理念的影響,進而闡發《群書治要》的時代意義。

關鍵詞:《群書治要》、《左傳》、《帝範》、編纂特色、互見文獻

On the Compilation Features of *Qunshu Zhiyao: Zuo Zhuan* and the Acceptance and Borrowing of its Political Ideology by Emperor Taizong of Tang

Guo Ting Fang

PhD Student, Department of Chinese Literature, National Cheng Kung University

Abstract

Wei Zheng 魏徵 and others excerpted from three volumes of *Zuo Zhuan* 春秋左氏傳 when they compiled *Qunshu Zhiyao* 群書治要, in which only the second and the third volumes have been preserved so far, with a total of seventy-nine cases. After comparing the original text of *Zuo Zhuan*, it can be discovered that although a great number of materials were excerpted from the contents related to the background of the war, Wei Zheng and others mostly omitted the description of the hostilities, and only briefly explained the cause and effect and the development process. The excerpts focus on the historical figures' words and deeds. If you carefully analyze the contents of *Zuo Zhuan* in *Qunshu Zhiyao*, you will find that the compilers have clear themes of concern. Moreover, the focal points in some cases are different from the original text. They attempted to present specific ideological content by extracting some parts of *Zuo Zhuan*. From this, it is evident that *Qunshu Zhiyao* does have the compiling thinking of "editing instead of writing". To analyze the acceptance of *Qunshu Zhiyao* by Emperor Taizong of Tang 唐太宗, the author uses *Di Fan* 帝範 written by Taizong to teach the crown prince in his later years as the comparison text and corroborates its contents based on *Zhenguan Zhengyao* 貞觀政要 which records the historical events of Zhenguan. In this way, it discusses the influence of *Qunshu Zhiyao: Zuo Zhuan* on Taizong's ideas of governing the country, and further elaborates on the significance of *Qunshu Zhiyao* in that era.

Keywords: *Qunshu Zhiyao*, *Zuo Zhuan*, *Di Fan*, compile feature, parallel passages

一 前言

　　據《唐會要》所言，《群書治要》成書於貞觀五年（631），文中夾注曰：「太宗欲覽前王得失，爰自六經，訖于諸子，上始五帝，下盡晉年。徵與虞世南、褚亮、蕭德言等始成凡五十卷，上之。諸王各賜一本。」[1] 說明了編輯《群書治要》的始末，劉肅（？-？，憲宗元和〔806-821〕中為江都主簿）《大唐新語》則補充了太宗對《群書治要》編纂成果的高度評價：「朕少尚威武，不精學業，先王之道，茫若涉海。覽所撰書，博而且要，見所未見，聞所未聞，使朕致治稽古，臨事不惑。其為勞也，不亦大哉！」[2] 可見魏徵（580-643）等人取材自經史百家的內容具有相當的實用價值，能夠幫助唐太宗（598-649）決斷政事，具有積極、正面的影響。

　　金光一《群書治要研究》依《群書治要》的編纂內容和目的，將之視為帝王學教材，推斷由於讀者具有針對性，受眾面狹窄，是其書最終於南宋亡佚的原因，金光一認為：「唐代很少人認識《群書治要》一書的存在，只有一些祕府官員以及學者知道集賢院藏有此書，可知其流布很可能局限於皇宮與王府，從未流傳到私人之家。」[3] 在《群書治要研究》中，對於《群書治要》在中國的散佚，以及傳入日本後的發展都有詳細的考證，也介紹了現存於世的各個版本，包括平安時代九条家本、鎌倉時代金澤文庫本、德川幕府時代駿河版、之後回傳中國的尾張本（又稱「天明本」），並以「佚存書」的角度凸顯《群書治要》的文獻學及校勘價值，這也是當今學界主流的研究方向。[4]

　　除了著眼於文獻本身的保存價值之外，近來也有學者注意到《群書治要》中所蘊含的思想，如吳剛《從《群書治要》看貞觀君臣的治國理念》、[5] 叢連軍《《群書治要》政治倫理思想研究》、[6] 陳弘學〈從《群書治要》文獻特質論唐太宗刑罰思想及其歷史實踐〉，[7] 便是從這個角度來進行研究。此外，張瑞麟〈轉舊為新：《群書治要》的編纂與

1　〔宋〕王溥：《唐會要》（北京：中華書局，1955年），卷36，頁651。

2　〔唐〕劉肅撰；許德楠、李鼎霞點校：《大唐新語》，《唐宋史料筆記叢刊》（北京：中華書局，1984年），卷9，頁133。

3　〔南韓〕金光一：《群書治要研究》（上海：復旦大學博士論文，2010年）。

4　相關研究如沈薇：《古寫本《群書治要‧後漢書》異文研究》（上海：復旦大學博士論文，2010年）；潘銘基：〈《群書治要》所載《文子》異文研究——兼補王利器《文子疏義》以《群書治要》校勘《文子》例〉，《興大中文學報》44期（2018年12月），頁1-27；潘銘基：〈《群書治要》所載《文子》異文研究——兼補王利器《文子疏義》以《群書治要》校勘《文子》例〉，《興大中文學報》44期（2018年12月），頁1-27；林溢欣：〈《群書治要》引《吳越春秋》探微——兼論今傳《吳越春秋》為皇甫遵本〉，《古籍整理研究學刊》2019年01期（2019年01月），頁19-23。

5　吳剛：《從《群書治要》看貞觀君臣的治國理念》（西安：陝西師範大學碩士論文，2009年）。

6　叢連軍：《《群書治要》政治倫理思想研究》（哈爾濱：黑龍江大學博士論文，2019年）。

7　陳弘學：〈從《群書治要》文獻特質論唐太宗刑罰思想及其歷史實踐〉，收入林朝成、張瑞麟主編：《第一屆《群書治要》國際學術研討會論文集》（臺北：萬卷樓圖書股份有限公司，2020年）。

意義〉對多數學者將《群書治要》定義為類書的看法有所質疑，文中提到：「魏徵等人就在群書的『採摭』上與字句的『翦裁』上，亦即存在『要採用哪些書？』與『字句如何呈現？』的編選意識，採用所謂『棄彼春華，採茲秋實』之『去華從實』的方式，將經典著作進行一番處理，以其希望的面貌重新呈現。」[8]證實《群書治要》的編纂具有「以編代作」的意義，並進一步提出《群書治要》至少涵蓋為君難、為臣不易、君臣共生、直言受諫、牧民、法制、戢兵七大焦點主題，恰恰反應了初唐的思維內涵及新時代視野。

　　在前輩學者的研究成果上，本文嘗試以《群書治要》對《左傳》的選編及唐太宗對此的接受與借鏡為題，第二節先梳理《群書治要・春秋左氏傳》的編纂條目，並分析其中呈現的重要思想，觀察魏徵等人是否確實具備「以編代作」的編撰思維；第三節則要接著探討太宗對於《群書治要・春秋左氏傳》的接受程度，筆者以太宗晚年著作的《帝範》作為對照文本，對照《群書治要・春秋左氏傳》呈現的關懷主題，試舉數則貞觀史事為佐證，探討《群書治要》對太宗治國理念的影響，並由此闡述《群書治要》的時代意義。

二　《群書治要・春秋左氏傳》編纂特色分析

　　《群書治要》編撰成書時共有五十卷，但今日各家版本皆僅存四十七卷，其中《春秋左氏傳（上）》、《漢書（一）》、《漢書（八）》已經亡佚。因此對於《群書治要》選編《左傳》的狀況，我們只能針對《春秋左氏傳（中）》、《春秋左氏傳（下）》進行分析，但仍可推斷《春秋左氏傳（上）》的內容為魯隱公元年（722 B.C.）至魯文公十八年（609 B.C.），包括隱公、桓公、莊公、閔公、僖公、文公六個時期。

　　《春秋左氏傳（中）》始自魯宣公二年（607 B.C.），下至魯襄公三十一年（542 B.C.），包括宣公、成公、襄公三個時期，筆者依較為通行的天明本進行分段，[9]統計共41則。其中，宣公時期收錄了10則，成公時期收錄了5則，襄公時期共收錄23則。《春秋左氏傳（下）》則起自魯昭公二年（541 B.C.），下迄魯哀公二十四年（468 B.C.），包括昭公、定公、哀公三個時期，共有38則。其中，昭公時期收錄了27則，定公時期收錄了4則，哀公時期收錄了7則。整體而言，《春秋左氏傳（中）》及《春秋左氏傳（下）》兩卷，一共收錄79則條目，其中襄、昭年間所收計50則，占比超過六成。

　　在《群書治要・春秋左氏傳》的呈現上，魏徵等人除了節錄《左傳》原文，行文間

8　張瑞麟：〈轉舊為新：《群書治要》的編纂與意義〉，《文與哲》36期（2020年06月），頁36。

9　〔唐〕魏徵等編撰：《群書治要》（臺北：世界書局，2011年，影印日本天明七年（1787）尾張藩刻本）。以下凡引用《群書治要》，將隨文標示卷數及頁數，不再另加註腳。

也引用了部分杜預（222-285）的注解，以雙行小注的形式進行標注。而《群書治要・左傳》的形式，確實如魏徵〈群書治要序〉所言：「見本知末，原始要終。」（卷前序，頁24）透過重點式的剪裁，展現一則則主題鮮明的短篇故事，但也令讀者可以掌握事件始末。唯有襄公九年（564 B.C.）：「冬，諸侯伐鄭。鄭人行成。」（卷5，頁100）與前後文不相干連，天明本另注有「冬，諸侯以下，恐有脫誤」（卷5，頁100），因此本文便先掠過此條目不論。以下便對其餘七十八則事例進行分析，考察魏徵等人對於在節錄《左傳》傳文時，究竟如何進行取材。

（一）言簡意賅之敘事筆法

關於《群書治要》的編纂方式，魏徵〈群書治要序〉自言：「總立新名，各全舊體，欲令見本知末，原始要終。並棄彼春華，採茲秋實。一書之內，牙角無遺；一事之中，羽毛咸盡。」（卷前序，頁24）說明編輯者在進行剪裁時，可以兼顧文義，使讀者能夠了解事件始末。而《群書治要》節錄《左傳》的部分，雖然很大一部分的事例取材自戰爭背景，但在行文間卻大篇幅省略對戰事的描述，可見編纂者所欲呈現的重點並不在戰爭細節或戰術謀略。如宣公十二年（597 B.C.）「晉師救鄭」一事，《群書治要・左傳》的節錄的內容大致可分為四個段落，前三段分別呈現了隨武子、欒武子、皇戌、楚莊王對楚國軍隊的評論和對戰爭的看法，最後一個段落則是士貞子對晉景公的勸諫，段落與段落間只簡單以「（晉）楚子北師次于管」（卷5，頁89）、「楚人遂疾進師，乘晉軍」（卷5，頁89）、「晉師歸」（卷5，頁90）等字句連接，即便刪去戰役細節，讀者仍可以大致掌握這場戰事的動向。又如定公四年（506 B.C.）《左傳》大篇幅記敘「柏舉之戰」經過，但《群書治要・春秋左氏傳》所節錄的傳文內容僅249字，將其引述如下：

> 吳子伐楚。陳于柏舉。敗之。五戰，及郢。楚子濟江，入于雲中。王寢，盜攻之，以戈擊王，王孫由于以背受之，中肩。王奔郢。郢公辛之弟懷將弒王，曰：「平王殺吾父，我殺其子，不亦可乎？」辛曰：「君討臣，誰敢讎之？君命，天也。若死天命，將誰讎？《詩》曰：『柔亦不茹，剛亦不吐。不侮矜寡，不畏彊禦』，唯仁者能之。違彊陵弱，非勇也；乘人之約，非仁也；滅宗廢祀，非孝也；動無令名，非智也。必犯是，余將殺汝。」鬬辛與其弟巢以王奔隨。申包胥如秦乞師，曰：「吳為封豕、長蛇，以荐食上國。寡君失守社稷，越在草莽，使下臣告急，秦伯使辭焉，曰：「寡人聞命矣。子姑就館，將圖而告。」對曰：「寡君越在草莽，未獲所伏，下臣何敢即安？」立，依於庭牆而哭，日夜不絕聲，勺飲不入口七日。秦師乃出。（卷6，頁137-138）

在這個條目中，共有兩個敘述焦點，其一是鬬辛與弟弟鬬懷的對話，鬬懷想趁楚昭王落

難之際弒君報仇，闔辛則曉以大義，提出「違彊陵弱，非勇也；乘人之約，非仁也；滅宗廢祀，非孝也；動無令名，非智也」，以「非勇」、「非仁」、「非孝」、「非智」四個理由，阻止弟弟闔懷落井下石；其二是申包胥到秦國請求援軍，申包胥以忠君愛國的言行打動秦哀公，因此秦國最終出兵救楚。雖然這兩個事件發生在「柏舉之戰」的背景之下，但對照《左傳》原文則可以發現，關於「柏舉之戰」的文字反而是刪減最多的，《左傳》以六百餘字描述楚、吳交戰的過程，經魏徵等人的剪裁後，僅留下「吳子伐楚。陳于柏舉。敗之。五戰，及郢」14字，簡明扼要地交代背景。既然與選錄內容無關的人名與事蹟皆已刪去，便能做到在兼顧了文義的完整性的同時，深刻凸顯出《群書治要》所關懷的重點。

（二）陟罰臧否之取錄標準

據唐代史學家吳兢（670-749）《貞觀政要》所載，太宗曾對大臣房玄齡（579-648）說道：「朕每觀前代史書，彰善癉惡，足為將來規誡。」[10]不僅史書本身便具備「彰善癉惡」的特質，在閱讀《群書治要·春秋左氏傳》的文本時，可以發現編纂者節錄的重點相當明確，其中呈現的焦點有二，一個部分是可反映歷史人物思想內涵的「言」，如襄公三十一年（542 B.C.）記「子產不毀鄉校」一事，《群書治要》將該段落全篇收錄，編纂者僅在開頭補上「三十一年」，又刪去兩處語尾助詞「也」，試將該條目引述如下：

> 三十一年。鄭人游于鄉校，以論執政。然明謂子產曰：「毀鄉校何如？」子產曰：「何為？夫人朝夕退而游焉，以議執政之善否。其所善者，吾則行之；其所惡者，吾則改之，是吾師也。若之何毀之？我聞忠善以損怨，不聞作威以防怨。豈不遽止？然猶防川。大決所犯，傷人必多，吾不克救也。不如小決使道，不如吾聞而藥之。」然明曰：「蔑也今而後知吾子之信可事，小人實不才，若果行此，其鄭國實賴之，豈唯二三臣？」仲尼聞是語也，曰：「以是觀之，人謂子產不仁，吾不信也。」（卷5，頁110-111）

此處子產所言可歸納出兩個重點，一是「其所善者，吾則行之；其所惡者，吾則改之，是吾師也」，這是在說明納諫的原則；二是「豈不遽止？然猶防川」，則論述了面對輿論的正確態度。魏徵等人透過選錄賢人之言，一方面供太宗取鑑，另一方面也是對太宗的期待。此外，《群書治要·左傳》收錄的內容中，還有一部分是「行」，具體的行為可使讀者警惕或仿效，以宣公二年「趙盾弒其君」為例，《左傳》原文細數晉靈公暴虐無道

---

10 〔唐〕吳兢：《貞觀政要》（上海：上海古籍出版社，1978年），卷7，頁223。

的事蹟，而《群書治要》在剪裁這個段落時，便將開頭的「晉靈公不君：厚斂以彫牆；從臺上彈人，而觀其辟丸也；宰夫胹熊蹯不熟，殺之，寘諸畚，使婦人載以過朝」（卷5，頁85）等惡事完整節錄了，相信讀者在閱讀時能引以為戒。

（三）刻意經營之斧鑿痕跡

筆者在對讀《左傳》與《群書治要‧左傳》後，發現《群書治要‧左傳》在剪裁原文時，盡量保留了《左傳》裡的文字，透過濃縮的方式裁成主題鮮明的短篇。但在少數幾個事例中，《群書治要‧左傳》的行文與《左傳》不符，如襄公二十五年（548 B.C.）「崔杼弒其君」一事，以下為《群書治要‧左傳》所節錄的內容：

> 二十五年。齊棠公之妻，東郭偃之姊也。棠公死，武子取之。莊公通焉，驟如崔氏，崔杼殺莊公。晏子立於崔氏之門外，其人曰：「死乎？」曰：「獨吾君也乎哉，吾死也？」曰：「行乎？」曰：「吾罪也乎哉，吾亡也？」曰：「歸乎？」曰：「君死，安歸？君民者，豈以陵人？社稷是主。臣君者，豈為其口實，社稷是養。故君為社稷死，則死之；為社稷亡，則亡之。若為己死，而為己亡，非其私暱，誰敢任之？」門啟而入，枕尸股而哭。興，三踊而出。（卷5，頁105-106）

在《左傳》原文中，詳細記述崔杼對莊公懷恨在心的原因、崔杼誘殺莊公的計謀、侍人賈舉殺害莊公的前因後果，但《群書治要》所呈現的重點是晏子在莊公死後與侍從的對話，要強調的是「故君為社稷死，則死之；為社稷亡，則亡之。若為己死，而為己亡，非其私暱，誰敢任之」，此處透過晏子對莊公死於私欲的責備之意，在闡明君臣關係之餘，也可使讀者產生警惕之心。由於本條目的焦點在於晏子之言，此處僅以「二十五年。齊棠公之妻，東郭偃之姊也。棠公死，武子取之。莊公通焉，驟如崔氏，崔杼殺莊公」簡單交代其背景。其中，「崔杼殺莊公」一句不存在於《左傳》中，《左傳》原文是以「公踰牆，又射之，中股，反隊，遂弒之」描述莊公之死，[11]《群書治要‧左傳》中的「崔杼殺莊公」應是編輯者據後面段落的「大史書曰：『崔杼弒其君。』」而改，[12]可以合理推測編輯者可能是為了行文的通暢，才在文句上進行了調動。

至於魏徵等人為何將「弒」字改為「殺」字，考察《群書治要》所節錄內容，這樣的改動共有兩處，除了「崔杼弒其君」之外，前文所舉的「趙盾弒其君」也出現了這個現象，據宣公二年《傳》記載：「大史書曰『趙盾弒殺其君』，以示於朝。」[13]《群書治

11　〔周〕左丘明，〔晉〕杜預注，〔唐〕孔穎達正義，李學勤主編：《春秋左傳正義》（臺北：臺灣古籍出版有限公司，2001年，十三經注疏整理本），卷36，頁1165。

12　〔周〕左丘明，〔晉〕杜預注，〔唐〕孔穎達正義，李學勤主編：《春秋左傳正義》，卷36，頁1167。

13　〔周〕左丘明，〔晉〕杜預注，〔唐〕孔穎達正義，李學勤主編：《春秋左傳正義》，卷21，頁688。

要》全句摘錄,僅將「弒」字改為「殺」字。這不免令人聯想到《孟子》所言,在《孟子‧梁惠王》篇,記載了一段孟子與齊宣王的對話,當齊宣王問到弒君一事,孟子答道:「賊仁者謂之賊,賊義者謂之殘,殘賊之人,謂之一夫。聞誅一夫紂矣,未聞弒君也。」[14]孟子認為紂王乃殘賊之人,不得被視為君王,而「弒」字的用法有特殊意涵,《說文解字》曰:「弒,臣殺君也。」[15]相對而言,「殺」的字義就單純多了,《說文解字》曰:「殺,戮也。」[16]可知「殺」單純指殺戮,而「弒」則專用於君臣關係中。由於《群書治要‧左傳》中並非全然不見「弒」字,定公四年《傳》有「郥公辛之弟懷將弒王」,[17]《左傳‧宣公十一年》楚莊王曰:「夏徵舒為不道,弒其君,寡人以諸侯討而戮之。」[18]申叔時又說:「夏徵舒弒其君,其罪大矣;討而戮之,君之義也。」[19]《群書治要》在節錄時皆如實呈現,未對句子作任何更動。由此可見,魏徵等人在編纂崔杼及趙盾弒君的案例時,在「弒」字和「殺」字的運用間,已融入了個人的價值判斷。

(四)以編代作之纂修實際

將《群書治要‧左傳》與《左傳》原文進行比對後,可以發現在《群書治要‧左傳》中,有少數事例發生敘述重點偏移的現象,即其中關注的焦點與《左傳》原文略有差異。如《左傳》宣公二年記載「鄭公子歸生受命于楚伐宋」一事,原文如下:

> 二年春,鄭公子歸生受命于楚伐宋,宋華元、樂呂御之。二月壬子,戰于大棘,宋師敗績。囚華元,獲樂呂,及甲車四百六十乘,俘二百五十人,馘百人。狂狡輅鄭人,鄭人入于井。倒戟而出之,獲狂狡。君子曰:「失禮違命,宜其為禽也。戎,昭果毅以聽之之謂禮,殺敵為果,致果為毅。易之,戮也。」將戰,華元殺羊食士,其御羊斟不與。及戰,曰:「疇昔之羊,子為政;今日之事,我為政。」與入鄭師,故敗。君子謂羊斟「非人也,以其私憾,敗國殄民,於是刑孰大焉。《詩》所謂『人之無良』者,其羊斟之謂乎!殘民以逞。」[20]

《左傳》原文先是描述了鄭、宋兩國交戰的始末,接著才補充兩則與此次戰役相關的事

---

14 〔漢〕趙岐注,〔宋〕孫奭疏,李學勤主編:《孟子注疏》(臺北:臺灣古籍出版有限公司,2001年,十三經注疏整理本),卷第二下,頁64。

15 〔漢〕許慎著,〔清〕段玉裁注,李添富校訂:《新添古音說文解字注》(臺北:洪葉文化事業有限公司,2016年),第三篇下,頁121。

16 〔漢〕許慎著,〔清〕段玉裁注,李添富校訂:《新添古音說文解字注》,第三篇下,頁121。

17 〔周〕左丘明,〔晉〕杜預注,〔唐〕孔穎達正義,李學勤主編:《春秋左傳正義》,卷54,頁1791。

18 〔周〕左丘明,〔晉〕杜預注,〔唐〕孔穎達正義,李學勤主編:《春秋左傳正義》,卷22,頁724。

19 〔周〕左丘明,〔晉〕杜預注,〔唐〕孔穎達正義,李學勤主編:《春秋左傳正義》,卷22,頁724-725。

20 〔周〕左丘明,〔晉〕杜預注,〔唐〕孔穎達正義,李學勤主編:《春秋左傳正義》,卷21,頁680-681。

蹟，一是狂狡因過於好心被敵人擒獲，二是羊斟以私害公導致宋國戰敗，針對兩人的行為，《左傳》作者藉君子之口進行了強烈批評。然而，對照《群書治要‧左傳》所節錄的部分：

> 二年，鄭公子歸生伐宋，宋華元御之。將戰，華元殺羊食士，其御羊斟不與。及戰，曰：『疇昔之羊，子為政；今日之事，我為政。』與入鄭師，故敗。（卷5，頁85）

可以發現編撰者省略了對於戰爭的詳細敘述，也不提另一位宋國將領樂呂、狂狡被擒一事，雖取第2則「華元殺羊」的事蹟，但卻刪去君子對羊斟「以其私憾，敗國殄民」的譴責。也就是說，《左傳》原文所強調的是對羊斟的批評，但《群書治要》僅取事件本身的記載，考慮到《群書治要》的讀者為君王，有警惕上位者應公平對待下屬之意，由此可明顯看出魏徵等人確實具有「以編代作」的編纂思維。

三　唐太宗對《群書治要‧春秋左氏傳》的接受與取鏡

在探討唐太宗對《群書治要》的接受時，除了引用貞觀史事進行佐證外，筆者認為太宗晚年所作的《帝範》也很有參考價值。《帝範》成書於貞觀二十二年（648），用以教導太子李治（628-683）治國之道，據司馬光（1019-1086）《資治通鑑》記載：

> 春，正月，己丑，上作《帝範》十二篇以賜太子，曰〈君體〉、〈建親〉、〈求賢〉、〈審官〉、〈納諫〉、〈去讒〉、〈戒盈〉、〈崇儉〉、〈賞罰〉、〈務農〉、〈閱武〉、〈崇文〉；且曰：「脩身治國，備在其中。一旦不諱，更無所言矣。」又曰：「汝當更求古之哲王以為師，如吾，不足法也。夫取法於上，僅得其中；取法於中，不免為下。吾居位已來，不善多矣，錦繡珠玉不絕於前，宮室臺榭屢有興作，犬馬鷹隼無遠不致，行遊四方供頓煩勞，此皆吾之深過，勿以為是而法之。……」[21]

貞觀二十三年（649），太宗駕崩。從時間上來看，《帝範》12篇可說是太宗一生帝王經驗的總結，可以真實反應了太宗的治國理念，但理念有時不易實踐，因此太宗也自我反省，自述「錦繡珠玉不絕於前，宮室臺榭屢有興作，犬馬鷹隼無遠不致，行遊四方供頓煩勞」，告誡太子應以古代聖王為師，取法於善。無論如何，太宗透過《帝範》闡述為君之道，將其作為帝王準則教導太子，說明《帝範》可說是太宗價值觀的體現。以下便嘗試將太宗《帝範》所列十二綱要，即「君體」、「建親」、「求賢」、「審官」、「納諫」、

21　〔宋〕司馬光撰，〔宋〕胡三省注，章鈺校記：《新校資治通鑑注》（臺北：世界書局，1962年），卷198，頁6251。

「去讒」、「戒盈」、「崇儉」、「賞罰」、「務農」、「閱武」、「崇文」，佐以貞觀時期相關史料，對《群書治要‧左傳》78則事例進行檢視。

（一）對「君體」的思考

由於《群書治要‧左傳》所收事例中，經常同時涵蓋多個面向，因此不易進行具體的分類，但據筆者自身的觀察，與「君體」有關的內容應當是最多的。根據《帝範‧君體》所言：

> 夫人者國之先，國者君之本。人主之體，如山嶽焉，高峻而不動；如日月焉，貞明而普照。兆庶之所瞻仰，天下之所歸往。寬大其誌，足以兼包；平正其心足以制斷。非威德無以致遠，非慈厚無以懷人。撫九族以仁，接大臣以禮。奉先思孝，處位思恭。傾己勤勞，以行德義，此乃君之體也。[22]

引文中說明帝王的崇高地位，有如山嶽，有如日月，因此帝王應涵養自身德行，諸如「寬大」、「平正」、「威德」、「慈厚」等，皆是帝王需具備的性格特質。在處事上，太宗強調「撫九族以仁，接大臣以禮。奉先思孝，處位思恭」，對照《群書治要‧左傳》，與「接大臣以禮」有關的條目最多，譬如上一節提到的「趙盾弒其君」、「崔杼弒其君」，皆是因君王不君所致。此處再舉一例，或可呼應太宗所言：

> 十四年。衛獻公戒孫文子、寧惠子食，日旰不召，而射鴻於囿，二子怒。公使子蟜、子伯、子皮與孫子盟于丘宮，孫子皆殺之。公出奔齊。師曠侍於晉侯。晉侯曰：「衛人出其君，不亦甚乎？」對曰：「或者其君實甚。良君養民如子，蓋之如天，容之如地；民奉其君，愛之如父母，仰之如日月，敬之如神明，畏之如雷霆，其可出乎？夫君，神之主而民之望也。若困民之主，匱神乏祀，百姓絕望，社稷無主，將安用之？弗去何為？天生民而立之君，使司牧之，勿使失性。有君而為之貳，使師保之，勿使過度。善則賞之。過則匡之，患則救之，失則革之。自王以下各有父兄子弟，以補察其政。史為書，瞽為詩，工誦箴諫，大夫規誨，士傳言，庶人謗，商旅于市，百工獻藝。天之愛民甚矣，豈其使一人肆於民上，以從其淫，而棄天地之性？必不然矣。」（卷5，頁102-103）

襄公十四年（559 B.C.）發生了「衛侯出奔齊」一事，魏徵等人在節錄時，所欲呈現的是師曠對君職的論述，僅簡單以「衛獻公戒孫文子、寧惠子食，日旰不召，而射鴻於囿，二子怒」交代故事背景，讀者由此可知衛獻公因對臣子無禮而惹禍上身，最後不得

---

22 〔唐〕李世民：《帝範》（北京：中華書局，1985年，據聚珍本排印），頁2-3。

不出奔逃難。晉悼公得知此事後感到疑惑,於是詢問師曠:「衛人出其君,不亦甚乎?」言下之意便是指衛國人驅除國君的做法失當;但師曠以「或者其君實甚」回答,在師曠看來,過分的其實是衛獻公。師曠認為國君對於臣民而言,如天、如地、如父母、如日月、如神明、如雷霆,本不應被驅逐。然而,「天生民而立之君,使司牧之,勿使失性。有君而為之貳,使師保之,勿使過度。善則賞之。過則匡之,患則救之,失則革之」,說明上天為了照顧百姓而設立君職,上天又為國君設置了輔佐的百官,使百官匡正國君的過失。上天是如此的愛護百姓,因此當國君行事無度時,上天必不能忍受,如此臣民又為何不能驅逐他呢?師曠此處所言,旨在闡明君職,與《帝範‧君體》的核心概念相通,二者皆強調國君不可肆意妄為,待下應謹慎有禮。

我們可以合理進行推測,《群書治要》節選《左傳》內容之所以多與「君體」相關,一方面是因為讀者已預設為帝王,另一方面則是對前朝滅亡的反思。參看《貞觀政要》中的記載,更能了解貞觀君臣所關注的議題,試舉一例:

> 貞觀六年,太宗謂侍臣曰:「看古之帝王,有興有衰,猶朝之有暮,皆為敝其耳目,不知時政得失,忠正者不言,邪諂者日進,既不見過,所以至於滅亡。朕既在九重,不能盡見天下事,故布之卿等,以為朕之耳目。莫以天下無事,四海安寧,便不存意。可愛非君,可畏非民。天子者,有道則人推而為主,無道則人棄而不用,誠可畏也。」[23]

太宗以古之帝王為鑑,總結歷朝興衰的原因,皆與帝王是否了解時政有關。若「忠正者不言,邪諂者日進」,帝王無法察覺自己的過失,便會一步步走向滅亡。太宗此處所說的:「天子者,有道則人推而為主,無道則人棄而不用,誠可畏也。」與師曠之言有共通之處,亦可作為《帝範》「處位思恭」一詞的詮釋。

(二)對「賞罰」的運用

在《帝範》所列的綱目中,「納諫」與「去讒」息息相關,因此若將二者聯繫起來一同檢視,《群書治要‧左傳》收錄的相關事例頗多,但由於在「君體」的部分,已涉及「納諫」與「去讒」的討論。接下來,便選擇事例同樣豐富的「賞罰」進行分析,太宗《帝範》對於「賞罰」一項有著深刻的闡述:

> 夫天之育物,猶君之馭眾。天以寒暑為德,君以仁愛為心。寒暑既調,則時無疾疫;風雨不節,則歲有饑寒。仁愛下施,則人不凋弊;教令失度,則政有乖違。防其害源者,使民不犯其法;開其利本者,使民各務其業。顯罰以威之,明賞以

23 〔唐〕吳兢:《貞觀政要》,卷1,頁16。

化之。威立則惡者懼,化行則善者勸。適己而妨於道,不加祿焉;逆己而便於國,不施刑焉。故賞者不德君,功之所致也;罰者不怨上,罪之所當也。故《書》曰:無偏無黨,王道蕩蕩。此賞罰之權也。[24]

太宗以寒暑及風雨比喻帝王的仁愛,說明賞罰應公平適當,不該因喜惡而偏廢,「賞者不德君,功之所致也;罰者不怨上,罪之所當也」,如此便有勸善懲惡的作用,天下自然安定和樂。而《貞觀政要》中有一段稱頌「貞觀之治」的文字,可以看到太宗「顯罰以威之」具體的做法:

（太宗）深惡官吏貪濁,有枉法受財者,必無赦免。在京流外有犯贓者,皆遣執奏,隨其所犯,置以重法。由是官吏多自清謹。制馭王公、妃主之家,大姓豪猾之伍,皆畏威屏跡,無敢侵欺細人。商旅野次,無復盜賊,囹圄常空,馬牛布野,外戶不閉。[25]

由於太宗嚴懲貪贓枉法的官員,無論是官吏,或是貴族,都因畏懼刑罰,而不敢欺壓百姓,於是百姓安居樂業,不再有盜賊侵擾商販,監獄閒置,外戶不閉,宛若《禮記・禮運》所描述的「大同」世界。

至於《群書治要・左傳》中,所提到的賞罰原則,則可參考襄公二十六年（547 B.C.）聲子勸告令尹子木的一段話,筆者節錄如下:

古之治民者,勸賞而畏刑,恤民不倦。賞以春夏,刑以秋冬。是以將賞,為之加膳,加膳則飫賜,此以知其勸賞也。將刑,為之不舉,不舉則徹樂,此以知其畏刑也。夙興夜寐,朝夕臨政,此以知其恤民也。三者,禮之大節也。（卷5,頁107）

此處提到賞罰的三個原則,即「勸賞」、「畏刑」、「恤民不倦」,而這三個原則又需以具體的行動表示,「是以將賞,為之加膳,加膳則飫賜,此以知其勸賞也」,即是透過賜下的酒食,彰顯君王不吝於對有功者行賞。《群書治要・左傳》節錄宣公十二年「楚子伐蕭」一事,便提供了實際的例證:

楚子伐蕭,申公巫臣曰:「師人多寒。」王巡三軍,拊而勉之,三軍之士皆如挾纊。

由於戰爭發生在冬天,士兵們衣裳單薄,感到寒冷,於是楚莊王前往勞軍,據黃聖松《〈左傳〉文詞釋讀七則》考證:「『三軍之士皆如挾纊』乃謂三軍之士得楚莊王之慰

---

24 〔唐〕李世民:《帝範》,頁32-34。

25 〔唐〕吳兢:《貞觀政要》,卷1,頁24。

勉，猶絲棉置於衣內般溫暖。」[26]可見楚莊王的慰問，使軍士們感動不已，充分提升了軍隊士氣。而上一節在分析《群書治要·左傳》的取材特色時，曾提到具體的行為可使讀者產生警惕或仿效之心。因此對照貞觀史料，我們也可以看到與楚莊王行為類似的記載，如《貞觀政要》載貞觀十九年（645）史事：

> 貞觀十九年，太宗征高麗，次定州，有兵士到者，帝御州城北門樓撫慰之。有從卒一人病，不能進。詔至床前，問其所苦，仍敕州縣醫療之。是以將士莫不欣然願從。及大軍回次柳城，詔集前後戰亡人骸骨，設太牢致祭，親臨，哭之盡哀，軍人無不灑泣。兵士觀祭者，歸家以言，其父母曰：「吾兒之喪，天子哭之，死無所恨。」太宗征遼東，攻白巖城，右衛大將軍李思摩為流矢所中，帝親為吮血，將士莫不感勵。[27]

貞觀十九年，唐太宗征戰高麗，此處一共記載了三件相關事蹟，一是在軍隊駐紮期間，太宗對於士兵們的撫慰和照顧；二是在戰爭結束後，祭祀戰亡將士，為之哭泣哀悼；三是在戰爭期間，親自為中箭的將軍吮血。而太宗的親民也深深感動了將士及其父母，具有凝聚民心的作用。由此可見，唐太宗如同楚莊王一般，透過嘉獎、慰勞等行為，達到「勸善」的目的，也驗證了《帝範》所說的「仁愛下施，則人不凋弊」。

（三）「閱武」與民族政策

筆者曾於前文提過，在《群書治要·左傳》中，不少事例取材自戰爭背景，於是此處便對《帝範》所闡述的「閱武」思想進行檢視：

> 夫兵甲者，國之兇器也。土地雖廣，好戰則人彫；邦國雖安，亟戰則人殆。彫非保全之術，殆非擬寇之方。不可以全除，不可以常用，故農隙講武，習威儀也。是以勾踐軾蛙，卒成霸業；徐偃棄武，遂以喪邦。何則？越習其威，徐忘其備。孔子曰：「不教人戰，是謂棄之。」故知弧矢之威，以利天下。此用兵之機也。[28]

《帝範·閱武》首句便直言「夫兵甲者，國之兇器也」，可以看出太宗對於用兵的謹慎，軍隊既不可以全捨去，也不可以常用，因此行文間引用孔子（551 B.C.-479 B.C.）之言：「不教人戰，是謂棄之。」說明最適當的作法，便是在農隙時教導百姓習武。如此一來，在長期接受軍事訓練的情況下，就算不幸發生了戰爭，百姓也有機會能保全生命。貞觀時期的用兵主要針對外族，太宗晚年便因連年對外用兵，遭受史學家的批評，

---

26 黃聖松：〈《左傳》文詞釋讀七則〉，《興大中文學報》45期（2019年06月），頁14。

27 〔唐〕吳兢：《貞觀政要》，卷6，頁194。

28 〔唐〕李世民：《帝範》，頁40-41。

如歐陽修（1007-1072）《新唐書》評論道：「至其牽於多愛，復立浮圖，好大喜功，勤兵於遠，此中材庸主之所常為。」[29]但這樣的評價是否正確？林朝成〈《群書治要》與貞觀之治——以「牧民之道」為例〉就對太宗的戢兵思想展開研究，分析太宗用兵與否的理由，指出：「在太宗廣義「民」的觀點下，用兵成為了護民的必要舉措。」[30]背後的原因與太宗對夷夏的觀點密切相關，《資治通鑑》中記載了一段太宗的自我評價：

> 自古帝王多疾勝己者，朕見人之善，若己有之。人之行能，不能兼備，朕常棄其所短，取其所長。人主往往進賢則欲寘諸懷，退不肖則欲推諸壑，朕見賢者則敬之，不肖者則憐之，賢不肖各得其所。人主多惡正直，陰誅顯戮，無代無之，朕踐祚以來，正直之士，比肩於朝，未嘗黜責一人。自古皆貴中華，賤夷、狄，朕獨愛之如一，故其種落皆依朕如父母。此五者，朕所以成今日之功也。[31]

唐太宗進行自我剖析，認為自己之所以能超越古代帝王，不僅平定了中原，亦能使戎狄臣服，便是因為自己具備五樣成功的條件，即寬容大度、善於用人、兼愛萬民、賞罰分明以及超越夷夏之辨。正是由於太宗能超越夷夏之辨，因此太宗同樣重視夷狄的百姓，這點便成為太宗在用兵上的重要考量。據《貞觀政要》所言：「貞觀十八年，太宗以高麗莫離支賊殺其主，殘虐其下，議將討之。」[32]對照《群書治要·左傳》，宣公十二年楚莊王闡釋「武有七德」，說道：「夫武，禁暴、戢兵、保大、定功、安民、和眾、豐財者也。」（卷5，頁90）如此看來，太宗以「賊殺其主，殘虐其下」為由出兵高麗，便非為了「定功」，而是以「安民」為重。

此外，《群書治要》在選編《左傳》時，收錄了一個特殊事例，可與太宗的民族政策呼應。襄公四年（569 B.C.），晉悼公與魏絳二人對於「伐戎」與「和戎」展開了一場對話：

> （魏絳）對曰：「和戎有五利焉，戎狄荐居，貴貨易土，土可賈焉，一也。邊鄙不聳，民狎其野，穡人成功，二也。戎狄事晉，四鄰振動，諸侯威懷，三也。以德綏戎，師徒不動，甲兵不頓，四也。鑒于后羿，而用德度，遠至、邇安，五也。君其圖之！」公說，使魏絳盟諸戎。修民事，田以時。（頁99）

魏絳阻止了晉侯「伐戎」的念頭，並提出「和戎」的五個好處，包括購買土地、邊境和平、他國敬佩、不需動兵、遠至邇安，最終說服了晉侯，於是和諸戎結盟。之所以說這

29 〔宋〕歐陽修等編：《新校本新唐書附所引》（臺北：鼎文書局，1981年），卷2，頁48-49。

30 林朝成：〈《群書治要》與貞觀之治——以「牧民之道」為例〉，《成大中文學報》68期（2020年03月），頁147。

31 〔宋〕司馬光撰，〔宋〕胡三省注，章鈺校記：《新校資治通鑑注》，卷198，頁6247

32 〔唐〕吳競：《貞觀政要》，卷9，頁264。

則事例特殊，是因為《左傳》全書中，僅有此處談到「和戎」，而《群書治要》選錄本事例，亦與唐初國政問題切合。

考察貞觀史料，可以看到類似的討論，如《貞觀政要》記載貞觀十六年（642）太宗與群臣的一場討論：

> 貞觀十六年，太宗謂侍臣曰：「北狄世為寇亂，今延陀倔強，須早為之所。朕熟思之，惟有二策：選徒十萬，擊而虜之，滌除兇醜，百年無患，此一策也。若遂其來請，與之為婚媾。朕為蒼生父母，苟可利之，豈惜一女！北狄風俗，多由內政，亦既生子，則我外孫，不侵中國，斷可知矣。以此而言，邊境足得三十年來無事。舉此二策，何者為先？」司空房玄齡對曰：「遭隋室大亂之後，戶口太半未復，兵兇戰危，聖人所慎，和親之策，實天下幸甚。」[33]

面對薛延陀汗國的侵擾，太宗分別論述了討伐或和親的策略，其中在和親政策上，所考慮的便是百姓安寧及北狄風俗。雖然此次的和親後來並沒有成功，但仍能看出太宗希望透過和親來穩定夷夏關係的想法。

而在「和親政策」之外，受到太宗重視的還有「羈縻政策」，羈縻是唐朝施行的少數民族政策，在原則上尊重各民族風俗，使各民族自治，類似明清時期的土司制度。據《舊唐書》記載：

> 唐興，初未暇於四夷，自太宗平突厥，西北諸蕃及蠻夷稍稍內屬，即其部落列置州縣。其大者為都督府，以其首領為都督、刺史，皆得世襲。……大凡府州八百五十六，號為羈縻云。[34]

貞觀四年（630），東突厥滅亡後，太宗大量設立羈縻府州，數量高達856。使突厥部落遷移至河南居住，並使突厥將領入京為官。根據朱振宏〈論貞觀十三年（639）「九成宮事件」及其影響〉研究，縱使貞觀十三年發生「九成宮事件」，中郎將阿史那結社率與其部落餘眾意圖行刺太宗，事後太宗檢討了御帳的防護工作、調整了羈縻府州的設置位置、遷返內徙的突厥部落，但並卻未喪失對突厥酋領的信任，也未改變任用藩將的策略。[35]藉此也能再一次驗證太宗的夷夏觀，確實超越夷、夏之辨，能夠「愛之如一」，做到一視同仁。

---

33 〔唐〕吳兢：《貞觀政要》，卷9，頁262-263。

34 〔宋〕歐陽修等編：《新校本新唐書附所引》，卷43，頁1119-1120。

35 參朱振宏：〈論貞觀十三年（639）「九成宮事件」及其影響〉，《臺灣師大歷史學報》43期（2010年06月），頁49-88。

四 結語

本文以《群書治要》對《左傳》的選編進行研究，第二節為「《群書治要・春秋左氏傳》編纂特色分析」，《群書治要》共收錄《春秋左氏傳》三卷，其中上卷已經亡佚，今日只能針對中卷、下卷進行研究。筆者所根據的版本為日本天明七年（1787）尾張藩刻本，此版本行文間附有分段標記，據此標記統計後，中卷及下卷合計共79則事例。筆者也進一步歸納出《群書治要・春秋左氏傳》的四項編輯特色：（一）簡單交代故事背景，兼顧文義完整性。（二）以歷史人物的言行為節錄重點。（三）少部分事例行文與《左傳》不符，可看出編輯者有意進行調整。（四）少部分事例出現重點偏移的現象，呈現「以編代作」的編纂思維，並各舉數例以佐證說明。

第三節「唐太宗對《群書治要・春秋左氏傳》的接受與取鏡」，採太宗晚年著作的《帝範》為對照文本，筆者根據《群書治要・春秋左氏傳》的條目內容，選擇了《帝範》十二綱目中相關程度最高的「君體」、「賞罰」及「閱武」三個子題，並搭配貞觀史料進行分析。對比《帝範》、《群書治要・春秋左氏傳》、貞觀史料之後，發現其中價值觀的重合度確實較高，一方面可以合理推測《群書治要》的確對太宗的政治思想產生了較大的影響；另一方面，《群書治要》收錄的內容也反應了貞觀君臣所關注的焦點，如前朝得失、唐初國政議題等皆在其中，別具時代意義與歷史價值。